rororo

Von Portia Da Costa ist bisher erschienen:
«Der Club der Lust» (rororo 24138)

Portia Da Costa

Das Schloss der tausend Sünden

Erotischer Roman

Deutsch von Ulrich Georg

Rowohlt Taschenbuch Verlag

Deutsche Erstausgabe
Veröffentlicht im Rowohlt Taschenbuch Verlag,
Reinbek bei Hamburg, September 2007

Die Originalausgabe erschien 2007 unter dem Titel
«Gothic Blue» bei Black Lace, London

Published by Arrangement with Virgin Books, Ltd., London, UK
Umschlaggestaltung any.way, Andreas Pufal
(Foto: mauritius images)
Satz aus der Sabon PostScript
Gesamtherstellung Clausen & Bosse, Leck
Printed in Germany
ISBN 978 3 499 24523 7

Prolog

Begonnen hatte alles auf dem Empfang des Erzherzogs. André erinnerte sich genau an die strahlenden Gesichter und den geistreichen Charme der Anwesenden und die herrliche Musik. Der junge Mann hatte etwas abseits gestanden und auf das Erscheinen seiner geliebten Arabelle gewartet, als ein unerwarteter Schauer sein heißes Blut mit einem Mal zum Gefrieren gebracht hatte.

Den Blick nach oben gewandt, sah er eine Frau vorübergehen, die ihren weißen Arm auf den Arm ihres Begleiters gelegt hatte. Zunächst hatte er sich bei dem Anblick nichts weiter gedacht – schließlich war der Raum angefüllt mit solch prächtig gekleideten Wesen, von denen viele auch ausgesprochen hübsch anzuschauen waren. Doch als die erspähte Person sich umgedreht und direkt in seine Richtung geblickt hatte, war sein Schauern augenblicklich einem Fieber gewichen. Der Blick aus ihren leuchtend grünen Augen war ihm direkt in die Glieder gefahren und wärmte seinen Körper ebenso sehr, wie die Kälte ihn gerade zuvor erschauern ließ.

Die Unbekannte war atemberaubend, ihre Haltung majestätischer als die einer Königin. Sie trug ein herrliches Kleid mit einem ausladenden Reifrock aus rotem Samt, dessen Saum mit Goldstickereien versehen war. Der Aufzug gab ihrer Figur etwas Zierliches, ließ sie gleichzeitig jedoch überaus üppig wirken. Sie nickte ihm leicht zu, sodass sich das Licht der Lampen im bläulichen Glanz ihrer schwarzgelockten Haare spiegelte.

Wer seid Ihr?, fragte er sich stumm und fühlte sich geradezu verlassen, als sie sich von ihm fortbewegte und irgendwann nur noch das scharlachrote Kleid in der Menge zu sehen war.

Nachdem André einen Bekannten nach der Schönen mit dem rabenschwarzen Haar gefragt hatte, wusste er schon ein paar Minuten später ihren Namen. Sie war Isidora, die Gräfin Katori, und ihr Ruf ebenso berüchtigt wie ihre Schönheit. Man erzählte sich gar, dass sie in den magischen Künsten wohlbewandert war.

Das ist unrecht von dir, schalt er sich, während seine Augen den Ballsaal nach ihr absuchten, um sie schließlich durch die komplizierten Tanzfiguren zu begleiteten. Er knirschte mit den Zähnen und versuchte, das plötzliche Zucken in seinen Lenden zu ignorieren.

Ich sollte sie nicht begehren. Ich darf sie nicht begehren. Ich bin verliebt, und in einer Woche werde ich verlobt sein. Es konnte sich nur noch um wenige Minuten handeln, bis seine geliebte Arabelle hier eintraf – die amüsante, strahlende Belle, der er voller Zuneigung seine sterbliche Seele zu Füßen legen konnte.

Und doch bestimmte die extravagante Gräfin seine fleischlichen Gelüste. Sein schuldvolles Herz hämmerte, als sie schließlich wie ein Flaschengeist aus dem Nichts vor ihm auftauchte – auf den vollen roten Lippen ein Lächeln, das ihn ganz und gar sprachlos machte.

«Kennen wir uns nicht von irgendwoher, Sir?», erkundigte sie sich mit tiefer, leicht anzüglicher Stimme und neigte den Kopf etwas zur Seite.

«Ich … ich glaube nicht», erwiderte André. Er beugte sich zu einem Handkuss vor und stellte dabei voller Erregung fest, dass die Haut der Fremden weich wie Seide war. «Graf André von Kastel, gnädige Frau. Zu Ihren Diensten», stellte er sich vor, ließ ihre Hand dabei aber nur zögerlich los.

«Isidora, Gräfin Katori», entgegnete sie mit leichtem Akzent, der ihren Namen wie ein zartes Streicheln klingen ließ. Dann nickte sie mit einer kleinen, eleganten Geste in Richtung der Tanzenden und ging in dem festen Glauben, er werde ihr schon folgen, auf die sich drehenden Paare zu.

André kam ihr etwas verlegen nach und fühlte sich dabei wie ein unreifer Bengel, der die wilde Leidenschaft einer ersten Liebe erlebte. Diese kühne, attraktive Gräfin hatte ihn ohne jede Anstrengung in einen unerfahrenen Jüngling verwandelt. Doch nicht nur das! Sie hatte ihn, sehr zu seinem Missfallen, auch hart werden lassen. Seine Erregung war für alle Anwesenden deutlich sichtbar. Obwohl ihn diese Tatsache sehr störte, konnte er doch nichts dagegen tun, und als sie zu tanzen begannen, kümmerte es ihn ohnehin nicht mehr.

Wieso ich?, frage André sich während des Tanzes. Sein Aufzug – ein einfacher, gutgeschnittener Anzug mit Kniehosen – war im Vergleich zur Kleidung der anderen Gäste geradezu schlicht. Und auch sein Titel war nicht von allzu hohem Rang. Seine Erscheinung war zwar durchaus angenehm, aber auch nicht unbedingt herausragend oder bemerkenswert zu nennen. Wieso um alles in der Welt hatte die Gräfin ihn ausgewählt: einen grauäugigen, recht niederen Aristokraten mit braunem Haar und von bescheidener Größe? Der Raum war doch voll von schneidigen Herzögen und eleganten Prinzen.

Je länger sie tanzten, desto mehr lechzte der verzückte Mann danach, seinen Körper fest gegen den seiner Partnerin zu pressen. Sein geschwollener Stab schien ihre weibliche Hitze förmlich zu suchen. Während die Gräfin immer wieder geschickte Wege fand, sich unverfänglich an ihren

Partner zu pressen, versuchte er verzweifelt, seine Wollust zu beherrschen und an Arabelle zu denken. Er stellte sich den Schock und die Traurigkeit in ihrem lieben Gesicht vor, wenn sie ihn so mit einer anderen vorfände. Er stellte sich den Gram in ihren Augen vor, wenn sie sah, wie er sie betrog. Der Gedanke zerriss ihm das Herz, und doch fühlte er sich völlig hilflos. Die Frau in seinen Armen schien jedes Mal zu spüren, wenn das Bild seiner Liebsten wie eine Vision der Anmut und der Erlösung in seinen Gedanken aufstieg, denn sie verdoppelte darauf ihre sündigen Bemühungen, seine Sinne zu kitzeln.

Das Parfüm der Gräfin Isidora umgab ihn wie eine schwere Wolke, die sich immer weiter zu verdichten schien, wenn er an Arabelle dachte. Der Duft kroch wie ein Nebel in sein Hirn und lud seine Gedanken mit Bildern auf, die ihn schockierten. Er sah sich nackt und ausgestreckt auf dem weichen weißen Körper der Gräfin liegen, ihre festen Brüste gegen seine Brust gedrückt. Als ihre Lippen vom Schwung des schnellen Tanzes einen kurzen Moment seinen Hals berührten, war es schließlich gänzlich um ihn geschehen.

Obwohl es nur ein Hauch gewesen war, meinte er ihre Schlangenzunge auf seinem ganzen Körper zu spüren. Sie schmeckte ihn, kostete seine Haut und ihren heißen, männlichen Geschmack. Keine Pore seines Leibes entkam ihr, kein Geheimnis blieb ungelüftet. Ihre Nähe überwältigte ihn und lähmte seinen Willen.

Fast verrückt vor Lust und unfähig, der Schönen zu widerstehen, stellte der junge Mann sich vor, wie sie ihm den Bauch und die intimsten Stellen leckte. Ihre lange, geschickte Zunge wand sich verführerisch um seinen Stab und entdeckte ungeahnte Stellen von fast schmerzhafter Empfindsamkeit.

André konnte kaum fassen, was seine Sinne ihm da mitteilten. Irgendwann sah er sich auch nicht mehr auf der Tanzfläche, sondern vielmehr in einem großen Bett, wo ihre Glieder gegeneinanderklatschten und die Münder sich wild wie Tiere vereinten. Schließlich gaben seine Knie etwas nach, er stolperte und fiel fast hin.

«Wollen wir ein wenig frische Luft schnappen, Mylord? Ihr scheint etwas unpässlich zu sein», murmelte die Gräfin. Sie zögerte nicht lange und führte ihn unumwunden auf einen großen, schattigen Balkon hinaus.

Dort wurden Andrés lüsterne Gebete binnen Sekunden erhört. Ihre roten Lippen pressten sich auf die seinen, und ihre Zunge bohrte sich in seinen Mund, während sie seine Hand unter ihren Rock führte. Bahn um Bahn wurde er tiefer unter schweren Stoff und leichte Seide gezogen, bis seine zitternden Hände schließlich ihren Schatz erreichten. Erst spürte André ein Nest von drahtigen Locken und dann die Hautfalten ihrer Möse, die von den Säften schon ganz glitschig war. Die Gräfin war heiß wie ein Ofen, weich wie ein Becken flüssigen Satins. Ihre feinen Häutchen erzitterten unter seiner Berührung.

André war fast taub vor Begehren. Die kleinen Kreise, die er mit seinen Fingerspitzen zog, wurden von einem wilden Keuchen der Lust belohnt. Die Hüften seiner eleganten, hochwohlgeborenen Gräfin zuckten wie die eines Freudenmädchens. Sie presste ihr Geschlecht gegen seine Hand und streichelte sein Gelenk mit ihren lüstern zusammengepressten Schenkeln.

«Befriedigt mich, Mylord», verlangte sie und wiegte sich dabei hin und her. «Steckt Eure Finger in mich hinein, bevor ich ohnmächtig werde.»

André gehorchte. Seine Nase und sein Mund waren angefüllt von ihrem aufsteigenden würzigen Duft. Wie durch einen Nebel, einen unerklärlichen blauen Schleier hindurch, sah er, dass ihr wunderschönes Gesicht verzerrt vor Lust war. Irgendwie – ob durch Geschick oder reine Willenskraft, wusste er nicht – war es der erregten Frau gelungen, ihre Brüste aus dem einengenden Samtoberteil zu befreien, sodass sie jetzt wie zwei reife Früchte in der kühlen Nachtluft vor ihm aufragten. Ihre Brustwarzen waren dunkel und hatten die Farbe von getrocknetem Blut. André hätte schwören können, dass sie vor seinen Augen immer praller wurden.

«Mylord!», stöhnte sie mit schleppender Stimme. «Dringt in mich ein! Ich brauche es!»

Nachdem André erst einen Finger, dann einen zweiten in ihrem Lustloch versenkt hatte, begann Isidora zu zittern und ließ ihren Körper hilflos nach unten sinken. Ihr Gewicht ließ seine Handgelenke schmerzen, und um mehr Halt zu erlangen, stellte er seine Füße etwas weiter auseinander. Doch noch immer war sie mit seinen Bemühungen nicht zufrieden.

«Füllt mich ganz aus, Mylord», keuchte sie. «Gebt mir mehr!»

Nachdem er einen dritten und vierten Finger in ihr Geschlecht gedrückt hatte, schrie die Gräfin wie eine läufige Hündin. Ihre langen, parfümierten Schenkel öffneten sich immer weiter, um ihn tiefer in ihr Inneres zu lassen und schlossen sich dann wieder krampfartig um seinen Arm.

«Ich komme, Mylord! Ich komme!», rief sie ungeachtet der tanzenden Paare in der Nähe.

Es dauerte nur ein paar Sekunden, bis die Gräfin sich nach ihrer Erlösung vor ihn hinkniete, um seinen Stab aus den Kniehosen zu befreien. Als sie ihn endlich direkt vor sich hatte, stieß sie ein wildes Lachen aus, schnellte nach vorn und stülpte ihre roten Lippen um seine gequälte Rute.

André war noch nie in seinem Leben so tief in den Mund genommen worden. Die Kehle, in die er da eingelassen wurde, schien ihn ganz und gar zu umfassen, so als führte jeder einzelne Halsmuskel ein Eigenleben. Die Gräfin schluckte ihn fast ganz, und ihre scharfen Zähne pressten sich in gefährlicher Weise auf sein Fleisch.

«Gnädige Frau, ich bitte Euch», stöhnte er teils in Angst, teils in Ekstase. Die Gefahr durch ihre Zähne ließ seinen Riemen noch härter werden.

Ihre einzige Antwort bestand aus einem Griff nach seinen Bällen, was Andrés Lage letzten Endes noch ein wenig prekärer machte. Er vergrub seine Finger in ihren Locken und versuchte verzweifelt, ihr Einhalt zu gebieten. Doch er konnte die gierige Person nicht davon abhalten, ihn sogar noch tiefer in sich hineinzusaugen.

Plötzlich verspürte André beim Höhepunkt seiner Lust einen eisigen Hauch von Abscheu und Scham in sich aufsteigen, sodass er im Moment seiner Erlösung an Belle denken musste. Auf seinen Lippen entstand ihr Name, und er sah ihr perfektes, strahlendes Lächeln vor sich. Wie hatte er sich diesen Taten nur hingeben können? Wie hatte er sie betrügen, sie beschmutzen und ihr Vertrauen missbrauchen können? Er verachtete sich geradezu, als es ihm kam.

Wie er mit der Gräfin den Empfang verließ und was daraufhin in den nächsten Stunden passierte, lag für André in einem Nebel. Er erinnerte sich nur an eine dahinrasende Kutsche in mondloser Nacht. Die hexenhafte Gegenwart seiner Gespielin wirkte wie eine Droge. Sie legte einen Schleier über seine Wahrnehmung, in dem sich Raum und Zeit auflösten.

Als das Paar schließlich in den luxuriösen Gemächern Isidoras eintraf, zog sie ihn zu seiner Überraschung nicht sofort ins Bett, sondern lächelte ihn an und gab sich als erfahrene Gastgeberin.

«Möchtet Ihr vielleicht ein Glas Wein, Mylord?», fragte sie. «Die Freuden des Fleisches machen mich immer so durstig, und ich bin sicher, Euch geht es ebenso.»

«Ja, danke, Gräfin», erwiderte André. Er fühlte sich jetzt wieder so unsicher wie bei ihrem ersten intimen Erlebnis. Und auch wenn eine panische innere Stimme ihn warnte, nahm er ein kelchähnliches Glas entgegen, das so groß und üppig verziert war wie ein liturgischer Abendmahlskelch.

Der Wein hatte einen ungewöhnlichen und schweren Geschmack – ein wenig bitter auf der Zunge. Doch er war wirklich durstig, genau wie seine Gespielin gesagt hatte, und trank den Wein trotz seines merkwürdigen Geschmacks bis zur Neige.

Als der junge Graf das Glas weggestellt, seine Gedanken gesammelt und sich wieder umgedreht hatte, war seine Gefährtin völlig nackt. Er schnappte nach Luft und warf einen verwirrten Blick auf den Kelch in seiner Hand. Ihre Begegnung auf dem Empfang war so hektisch und beinahe ungeschickt gewesen, dass er schon fast glaubte, sie nur geträumt zu haben. Aber jetzt wusste er, dass seine Erinnerung ihn nicht trog und dass der blasse, kurvige Körper vor ihm sein gewonnener Preis war. Reif und bereit zum Genießen und Benutzen.

Und doch zögerte er.

«Der Wein … er schmeckt …», er ließ den beißenden Rest in seinem Mund kreisen, «… vergiftet.»

Isidora sah ihn mit einem festen Blick aus ihren grünen Augen an. «Ich habe eine kleine Tinktur hinzugefügt, Mylord. Etwas, das ich selbst gemischt habe.» Sie lächelte spitz, als er den Kelch voller Abscheu auf die Anrichte stellte. «Aber sorgt Euch nicht, sie dient lediglich dazu, Eure Freuden zu verstärken. Sie wird Euch eine größere Standfestigkeit bescheren.» Ihre Zunge schnellte hervor – schlangenähnlicher als je zuvor, schien es André –, und der Raum begann sich langsam zu drehen. «Mit diesem Trunk in Euren Venen werdet Ihr für immer bereit sein, mein lieber Graf.» Ihren Worten folgte ein wildes, geradezu wahnsinnig klingendes Lachen.

André fühlte sich mittlerweile sehr unsicher auf den Beinen, und genau wie auf dem Empfang begannen seine Knie zu zittern. Isidora eilte ihm zur Seite und half ihm zur Couch. Als er sich auf sie stützte, spürte er eine ihrer festen Brüste über seinen Arm streichen.

«Wer seid Ihr?», fragte er erneut. Ihm drehte sich alles, während die Fremde ihn auszog.

«Ich bin Isidora Katori», antwortete sie schelmisch, zog ihm das Hemd vom Leib und machte sich dann über die bereits zerrissene Kniehose her. «Und sehr bald werde ich für alle Zeiten Eure Geliebte sein.»

«Ich ... ich verstehe nicht», stammelte der junge Mann und wünschte mit einem Mal, aus ihren Fängen zu entkommen. Aber es gelang ihm nicht. Sein Geist sendete Botschaften aus, die unheimliche Person wegzustoßen, seine Kleider zu nehmen und unverzüglich aus den Gemächern zu entfliehen. Aber sein Körper half ihr bizarrerweise auch noch, ihn zu entkleiden. Als seine Hose schließlich ganz ausgezogen und dem Hemd hinterhergeworfen war, sprang sein Liebesstab hervor wie ein eilfertiger Soldat zum Salut.

«Ihr werdet es schon noch verstehen», sagte Isidora sanft. Spinnengleich glitten ihre Hände über seinen Körper, bevor sie sich umdrehte und ihm ein weiteres Glas Wein einschenkte. «Trinkt!», befahl sie und presste den gefüllten Kelch an seine Lippen.

Und wieder wurde André Opfer dieser seltsamen Macht: Sein Geist gab Anweisungen, die sein Körper völlig ignorierte, um genau das Gegenteil davon zu tun. Mit einem stummen Schrei des Widerwillens trank er den bitteren Wein.

Als der Kelch geleert war, nahm die Gräfin ihn von seinen Lippen und warf ihn zu Boden, wo er in tausend glitzernde Stücke zerbarst.

«Jetzt seid Ihr mein, Mylord», schrie sie gellend und warf sich auf ihn. «Es ist nur noch ein letzter Akt vonnöten, um die Sache zu besiegeln.» Mit diesen Worten sank sie animalisch brüllend auf seinem Riemen nieder.

Die Freuden, die er in ihrem engen, lüsternen Tunnel fand, waren sogar noch größer als die in ihrem Mund erlebten. Gegen seinen Willen wand er sich unter ihr und bäumte sich auf, um so tief wie möglich in sie einzudringen. Isidora ritt ihn ohne jede Gnade. Ihre makellose weiße Haut war übersät von glänzendem Schweiß, und ihr Gesicht war eine groteske Maske dunkler Gier. Als André zu ihr aufsah, merkte er deutlich, wie seine Stärke langsam nachließ. Seine Männlichkeit steckte immer noch voller Härte in ihrer Grube, aber durch den Rest seines Körpers ging eine Flutwelle der Schwäche und Erschöpfung. Irgendwo tief in seinem Inneren spürte er, wie jede Zelle in ihm zu schmelzen begann. Er verging, wurde ausgelöscht, und alles Leben wich aus ihm. Und gerade als er dessen gewahr wurde, fing sein Stab zu zucken und zu zittern an.

Plötzlich begann ein seltsames, singendes Licht sich in ihm auszubreiten. Es erreichte schließlich seinen Geist, und Isidora kreischte triumphierend auf, während sie wie eine gigantische, schäumende Welle auf seinem spritzenden Schwanz ritt.

Ich sterbe, dachte André mit eigentümlicher Distanziertheit. Er wusste instinktiv, dass er nichts dagegen tun konnte. Während der Samen immer weiter aus ihm herausspritzte und sein Körper immer weiterzuckte, tat er im Gleichklang mit Isidoras Lachen und dem bösen Pochen ihres ruchlosen Fleisches seinen letzten Atemzug.

Als die Schwärze über ihn hereinbrach und er die Augen schloss, wurde die feurige Hitze der Lust durch eine große Kälte ersetzt, und er sah vor seinem geistigen Auge ein unfassbar grauenhaftes Bild aufsteigen.

Es war Arabelle, seine über alles geliebte Arabelle. Sie rief nach ihm, das hinreißende Gesicht mit Tränen der Trauer benetzt. Obwohl sie ganz dicht bei ihm war, konnte er ihre Stimme kaum verstehen, als würde eine Wand aus hartem Kristall zwischen ihnen stehen.

Kurz bevor es zu Ende ging, wusste André, dass auch sie fort war.

Arabelle ist fort, ohne dass wir je eins waren.

Kapitel 1

Torheit

«Scheißkarre! Scheißkarre! Scheißkarre!» Belinda Seward trat wütend gegen die Stoßstange von Jonathan Sumners Auto und verfluchte den Wagen. «Verdammt! Was machen wir denn jetzt bloß?», fragte sie ihren Begleiter, wischte sich die Regentropfen vom Gesicht und sah hinauf zum bedrohlich schwarzen Himmel.

In diesem Moment schien sich die Dunkelheit über ihnen zu teilen, so als würde eine riesige Hand einen Samtvorhang öffnen. Über den Himmel schossen zornige Blitze, gefolgt von einem Donner, der schon viel näher klang als noch vor ein paar Minuten. Belinda war mit einem Mal fest davon überzeugt, dass die Elemente selbst sich gegen sie verschworen hatten – oder zumindest gegen Jonathans uralten gelben Mini.

«Wir könnten im Auto Schutz suchen», schlug der junge Mann vor und strich sich eine nasse braune Haarsträhne aus dem Gesicht. Es war eine hilflose Geste, denn sein Haar, seine Kleidung und jeder Zentimeter seines Körpers waren komplett durchweicht. Zwar regnete es erst seit zehn Minuten, aber das Paar war bereits nass bis auf die Knochen.

«Ach ja? Und uns dort vom Blitz treffen lassen?», fragte Belinda sarkastisch. Eigentlich wusste sie, dass Jonathan rein gar nichts für die Misere konnte, doch sie brauchte einfach jemanden, dem sie jetzt die Schuld an ihrer misslichen Lage geben konnte. Sie spürte genau, wie sich die Wucht des Gewitters auf sie übertrug. Es entstand eine Spannung in ihr, die einfach rausgelassen werden musste.

Sie wussten jetzt seit etwa einer Stunde nicht mehr, wo sie eigentlich waren, und der sintflutartige Regen mit den mächtigen Donnerschlägen tat ein Übriges. Zu allem Überfluss war der Mini – von dem Jonathan behauptet hatte, er wäre total zuverlässig – jetzt auch noch liegengeblieben und leckte wie ein Sieb. Belinda sagte sich erneut, dass Jonathan nichts für ihre missliche Lage konnte, gab ihm aber wiederum die Schuld daran. Dabei hatte sie sich eigentlich vorgenommen, genau das nicht mehr zu tun.

«Also hier bleibe ich nicht», ätzte sie und fischte nach ihrer Handtasche. Dann starrte sie erst in die eine, dann in die andere Richtung der schmalen Straße, auf der sie sich befanden. Der Ausblick war sowohl links als auch rechts überaus düster, feucht und nicht gerade vielversprechend. Belinda zuckte mit den Schultern und schlug schließlich den Weg ein, den sie ursprünglich hatten fahren wollen.

«Was soll denn das?», fragte ihr Begleiter und lief ihr nach. «Wir können den Wagen doch nicht einfach so stehen lassen.»

«Und ob wir das können! Ich stehe doch hier nicht untätig rum und warte darauf, dass der Blitz in diesen Schrotthaufen einschlägt! Ich werde einen Platz zum Unterstellen suchen.»

«Wir können uns doch hier unterstellen.» Jonathan packte sie beim Arm und zeigte auf die riesigen, unheimlichen Bäume der Allee. In diesem Moment zuckte ein weiterer gewaltiger Blitz am Himmel auf. Die Baumstämme glitzerten im prasselnden Regen, und das grelle Licht ließ die knorrige Rinde silbern und blau leuchten.

«Du bist doch echt ein Idiot!», fuhr Belinda ihren Freund an und schüttelte ihn ab. «In Bäume schlägt der Blitz genauso leicht ein wie in ein Auto. Ich werde mir jetzt irgendein Gebäude suchen. Vielleicht finde ich ja ein Haus oder eine Scheune.»

«Vielleicht hast du recht», erwiderte Jonathan, folgte ihr und nahm dabei automatisch ihre Tasche. «Aber die Gegend hier scheint nicht besonders belebt zu sein ...»

Ungefähr zur selben Zeit, als das Gewitter einsetzte, hatten sie auch die Orientierung verloren. Eigentlich merkwürdig, denn bis zu dem Zeitpunkt hatten sie alle geplanten Wegpunkte ohne jede Mühe finden und sich an ihre Reiseroute halten können.

Mit jedem Schritt, den sie jetzt taten, schien nicht nur die Straße enger, sondern auch ihre Chance auf eine passende Unterkunft kleiner zu werden. Die Bäume ragten hoch über ihnen auf und bewegten sich wie riesige, kampfbereite Soldaten, die ihren hilflosen Feind immer enger einschlossen. Auch an den Stellen, die einen Blick hinter die dicken Stämme gewährten, war außer einsamen Feldern und struppigen, dichten Büschen nichts zu sehen. Die Landschaft war so ganz anders als das schöne, ländliche Tal, durch das sie noch vor ein paar Stunden gefahren waren.

Belinda zuckte zusammen, als ein weiterer Donnerschlag ertönte und ein Blitz vor und direkt hinter ihnen einzuschlagen schien. Sie sah förmlich vor sich, wie die Naturgewalten das kleine gelbe Auto in die Luft schleuderten und auch ihr bis dato noch unbekanntes Quartier soeben in Flammen aufging.

«Hab keine Angst, Lindi», flüsterte Jonathan ihr ins Ohr und legte ihr seinen feuchten, aber warmen Arm um die Taille. «Die Chancen, vom Blitz getroffen zu werden, sind astronomisch gering. Und wenn es uns erwischt, dann wenigstens zusammen.»

Merkwürdigerweise beruhigte sie diese etwas geistlose Bemerkung, und auch der starke, männliche Arm verfehlte seine Wirkung nicht. Er hatte etwas tröstlich Entschlossenes und gab ihr eine Sicherheit, die unerwartet, aber ganz und gar nicht unwillkommen war. Sie waren beide klatschnass, aber Jonathans Körper war so nah und bewegte sich so rhythmisch neben ihr, dass sie seine ungewöhnliche Hitze und Lebendigkeit durch die nassen Sachen noch deutlicher spürte.

Belinda sagte nichts. Als sie ihren eigenen Körper noch fester an den ihres Begleiters presste, spürte sie auf einmal seltsame Gefühle in sich aufsteigen – Gefühle, die Gewitter normalerweise nicht auslösen.

Das Prasseln des Regens und der feuchte Stoff auf ihrer Haut fühlten sich an wie ein verstohlenes, aber fortwährendes Streicheln. Sie spürte, wie das Wasser überall hinfloss. Es kitzelte sie, rann in Kaskaden über ihre Brüste, tröpfelte zwischen ihre Beine und benetzte ihre Spalte, die bereits von ihren eigenen Säften feucht war.

Und auch die Gegenwart des Mannes war ihr überaus bewusst. Der Kopf sagte Belinda zwar, dass es sich nur um Jonathan handelte – den guten alten Jonathan, ihren Kollegen und Teilzeit-Lover –, aber ihre Sinne nahmen ihn in diesem Moment einfach nur als Mann wahr. Ein starkes, schlankes, muskulöses Wesen mit der schieren Macht von Sex zwischen seinen Beinen.

Gott, bin ich heiß! Unglaublich, aber wahr. Ich bin geil, ohne dass ich es will. Nur wegen Jonathan.

Sie konnte im Moment nichts dagegen tun, und das Erkennen ihrer Lust machte der erregten Frau geradezu Angst. So scharf war sie seit Wochen nicht mehr gewesen.

Beim nächsten Blitz schmiegte sie sich noch etwas enger an ihren Freund und passte ihren Schritt dem seinen an, sodass ihre Brüste sich leicht an seinem Rippenbogen rieben.

«Alles klar, Kleines?», fragte er und drückte sie.

Belinda nickte und lächelte ihn an. Als sie einen Schluck des warmen Regens hinunterschluckte, wurde aus dem Lächeln ein Lachen.

«Das Ganze tut mir echt leid», fuhr er fort und schaute hinauf zum schwarzen Himmel, als wäre es wirklich seine Schuld. «Ich meine, der Wagen ist eigentlich wirklich gut in Schuss für sein Alter. Der ganze Regen war wohl zu viel für den Vergaser.»

«Nicht so schlimm», brüllte Belinda gegen den Donner an, «wir wollten doch schließlich auch mal was Aufregendes erleben, oder?»

Jonathan grinste seine Gefährtin an. «Wenigstens kann das Wetter deiner Frisur nichts anhaben.»

«Mistkerl!», konterte Belinda scherzhaft. Sie wussten beide immer noch nicht recht, ob ihnen der neue Look nun gefiel oder nicht. Nachdem sie ihr rotbraunes Haar jahrelang schulterlang getragen hatte, war sie kürzlich dem spontanen Impuls gefolgt, ihre Locken zu einem Kurzhaarschnitt stutzen zu lassen. Dieser Akt war ein ziemlicher Schock gewesen, und es gab heute noch Momente, wo sie voller Überraschung in den Spiegel schaute. Doch an einem Abend wie diesem war sie äußerst dankbar für ihre Entscheidung. Der praktische, elfenhafte Stil ließ ihre Kopfform viel besser zur Geltung kommen und fühlte sich gerade in diesem Regen erheblich besser an als eine feuchte, schwere Mähne, die über Hals und Schultern reichte.

Durch die neue Frisur kam Belinda sich kein bisschen weniger weiblich vor. Um genau zu sein, fühlte sie sich im Augenblick überaus weiblich – als hätten die tobenden Elemente sie in eine Gewitternymphe verwandelt. Sie sah erneut zu Jonathan auf, der genau in diesem Moment auch zu ihr blickte. Die Intensität ihres Blickes schien ihn kurz zu irritieren, doch dann lächelte er, und seine grauen Augen weiteten sich erfreut. Keiner sagte etwas, aber Jonathans Griff wurde fester, und er zwinkerte ihr keck zu.

Eine Unterkunft war nötiger denn je.

Nach ein paar weiteren Minuten auf der Straße schien es plötzlich, als hätte irgendein Sturmgeist sich ihrer erbarmt, denn sie gelangten an eine Mauer, die parallel zur Straße verlief. Das Gebilde war dunkel und moosbewachsen, aber ohne Zweifel eine Mauer – eine hohe Grenze aus grauem Stein, die irgendeine Art Anwesen dahinter vermuten ließ, wo sie sicher Unterschlupf finden würden. Und wenn es nur ein Stall oder ein Nebengebäude wäre.

Jonathan nahm widerwillig seinen Arm von Belindas Schulter, fasste sie bei der Hand, und sie beschleunigten einvernehmlich ihre Schritte. Die junge Frau wusste nicht ganz, ob ihr die Einbildung einen Streich spielte, aber die Straße schien sich jetzt zusammen mit der Mauer zu winden. Nach einer besonders scharfen Kurve standen die beiden schließlich vor einem imposanten Tor, das die unüberwindlich scheinende Mauer unterbrach.

«Sieht ein bisschen runtergekommen aus», befand Jonathan. Torpfosten und Mauerwerk wirkten sehr brüchig, doch die Schemen zweier Wappentiere, die auf den Pfeilern thronten, waren noch recht deutlich zu erkennen – besonders als sie durch einen erneuten Blitz erhellt wurden. Die beiden Statuen sahen aus wie zwei Katzen. Nicht wie die üblichen Raubkatzen, sondern wie riesige Hauskatzen, die auf groteske Weise verfremdet schienen.

«Komm, Miez, Miez», scherzte Jonathan grinsend.

«Lass den Quatsch!», fuhr Belinda ihn kurz an. Die unheimlichen Steintiere machten ihr irgendwie Angst.

Das Tor selbst war aus Eisen, das hier und da bereits rostete. Es wäre genauso unüberwindbar wie die Mauer gewesen, doch einer der Flügel hing durch ein gebrochenes

Scharnier etwas in den Angeln. An dieser Stelle war eine Lücke, durch die man sich mühelos hindurchquetschen konnte.

«Was meinst du? Sollen wir es versuchen?», fragte Jonathan. Während dieser Worte wurde sein schlanker Körper in den knappen Shorts und dem engen T-Shirt von einem gewaltigen blauen Blitz erhellt. Belinda meinte diesen Blitz wie eine Stichflamme in ihrem eigenen Leib zu spüren. Die merkwürdige Erregung, die sie während ihrer Wanderung befallen hatte, schien mit derselben Macht zurückzukehren wie das Unwetter. Die geschmeidigen Gestalten der Katzen auf ihren Podesten schienen sich zu winden, als würden auch sie sich vor Lust verzehren. Obwohl ihre Augen nur angedeutet waren, hatte Belinda das Gefühl, als wären sie real und würden sie beobachten. Oder als würde irgendetwas sie beobachten. Vielleicht war es das Gewitter selbst – so als würde eine unirdische Intelligenz die Auswirkungen prüfen, die sie auf den Körper der jungen Frau hatte.

«Ja, lass es uns versuchen!», sagte sie mit lauter Stimme, um den immer lauteren Krach durch Wind und Regen zu übertönen. Als das Paar sich dem Durchschlupf näherte, fiel Belinda etwas auf, das sie bisher noch nicht bemerkt hatte: In den verdreckten grauen Stein waren die Worte «Priorat Sedgewick» eingemeißelt.

Nach fünf Minuten Fußweg über einen verwilderten Steinweg gaben die Bäume den Blick frei, und sie standen vor dem Anwesen, das eine Art Kloster zu sein schien.

«Sieht ein bisschen düster aus, oder?», stellte Jonathan fest. «Ich glaube nicht, dass es bewohnt ist.»

Belinda ordnete das Gebäude dem Zeitalter der Gotik zu: hohe, dunkle Türme und lange, schmale Fenster mit bunten Glasscheiben. Das Mauerwerk war dunkelgrau und gab dem Gebäude etwas zutiefst Verschlossenes und Unheimliches. Der Bau wirkte ebenso heruntergekommen wie die ihn umgebende Mauer und das Tor. Ein Zustand, der eine zähe Beharrlichkeit verbarg. Das Gebäude sah mehr wie eine kriegerische Festung denn wie eine Heimstatt des Glaubens aus – auch wenn in unmittelbarer Nähe zum Hauptgebäude zwischen den Bäumen eine verfallene, zugewucherte Kirche auszumachen war.

«Licht brennt jedenfalls nicht», erwiderte Belinda. «Aber andererseits ist es kurz vor Morgengrauen. Wir sind Ewigkeiten gefahren, oder?»

Sie standen unschlüssig da. Zwischen ihnen und dem Haus lag nur noch ein verlassener, völlig verwahrloster Garten mit einer Reihe von niedrigen, aber weitläufigen Hecken. Das Haus schien sie finster anzustarren, so als wollte es ihnen den Zutritt verwehren. Die Fenster wirkten wie tote, leere Augen.

«Ich will da lieber nicht rein», erklärte Belinda und strich die zotteligen Strähnen ihres Ponys von den Augenbrauen. Das Wasser lief ihr bereits in die Augen. «Ich glaube irgendwie nicht, dass wir hier willkommen sind.»

«Aber ich bin sicher, dass es unbewohnt ist», murmelte Jonathan, ließ ihre Hand los und trat ein paar Schritte vor. Sein plötzlicher Wagemut beeindruckte Belinda, doch es gelang ihr immer noch nicht, die Unheimlichkeit des Hauses zu ignorieren.

«Wir könnten vielleicht einbrechen. Da drin wäre es zumindest trocken», versuchte er sie mit der Stimme der Vernunft zu überzeugen.

«Nein! Nicht!» Belinda schauderte. Ihr Inneres wurde von einer Flut seltsamer, diffuser Emotionen erfasst. Sie meinte zu spüren, dass irgendetwas in dem Haus sich entschieden gegen ein Eindringen wehrte. Sie fand es selbst verrückt, aber genau so empfand sie es.

«Ist alles okay, Lindi?», fragte Jonathan, stellte sich wieder neben sie und legte seinen Arm um ihre Taille. Die beiläufige Umarmung war tröstend und sehr willkommen. Das abweisende graue Gebäude hatte sie geängstigt, und der Arm ihres Begleiters bescherte ihr wieder etwas menschliche Wärme.

«Ja, es geht schon», murmelte sie. «Ich habe nur ein wirklich komisches Gefühl bei dieser Festung oder Abtei oder was immer es ist. Mir kommt's vor, als wäre dort doch jemand drin. Und zwar jemand, der definitiv nicht will, dass wir reinkommen.» Belinda hielt kurz inne und spürte, wie ihre bösen Vorahnungen sich etwas abschwächten. «Zumindest im Moment nicht.»

Jonathan schaute sie leicht amüsiert an, schien ihre Erklärung aber auf seine unkomplizierte Art zu akzeptieren. «Vielleicht hast du recht. Wahrscheinlich ist es sowieso ziemlich gefährlich. Kaputte Dielen, verrottete Balken und so weiter. Es ist bestimmt sicherer, wenn wir uns nach einer Scheune oder so was umsehen.»

«Was ist denn das da drüben?» Belinda drehte dem Gebäude den Rücken zu. Ihre Nackenhaare stellten sich auf – soweit ihre klitschnasse Haut das überhaupt zuließ. Als sie versuchte, durch den dichten Regen etwas zu erkennen, ging auf einmal der bisher hellste Blitz nieder und teilte den Himmel wie eine blaue Flamme. In einiger Entfernung sah sie einen kleinen, unscheinbaren Bau, der ihr bisher nicht aufgefallen war. Gleichzeitig spürte sie immer noch die starke, fast greifbare Präsenz des großen Hauses hinter sich, das sie mit seinen toten, bleiverglasten Augen anstarrte.

«Keine Ahnung. Ist mir bisher gar nicht aufgefallen», erwiderte Jonathan und drehte sich in Richtung des kleinen Gebäudes. «Sieht aus wie ein Sommerhaus oder so was.»

Sein Griff wurde fester, und er drückte Belinda beruhigend an sich. «Wollen wir es dort versuchen? Scheint auf jeden Fall besser in Schuss zu sein als das Hauptgebäude.»

Das Gras war völlig nass und patschte unter ihren Füßen. Als sie das Sommerhaus erreicht hatten, waren ihre Turnschuhe ganz durchgeweicht.

«Ob es abgeschlossen ist?», fragte Jonathan, als sie vor dem seltsamen Rundbau standen. Mit seinen großen, gerippten Säulen sah es aus wie ein griechischer Phantasietempel. Die verrammelten Fenster waren überaus schmal und die weißgestrichene Tür fest verschlossen.

«Mal sehen.» Wagemutig und entschlossen, aus dem Blickfeld des Haupthauses zu entkommen, drückte Belinda den Türgriff. Nach ein paar gescheiterten Drehungen schien der kugelförmige Kristallgriff plötzlich einzurasten, und die weiße Tür schwang langsam auf.

Der Raum, der sich vor ihnen auftat, war natürlich rund, und gerade als Belinda über die Türschwelle trat, wurde er von einem Blitz erhellt, der dramatisches Licht auf die blassen Wände warf. Außer einem niedrigen runden Diwan, der mit verblasstem grauem Samt bezogen war, standen darin keinerlei Möbel. Doch als ein zweiter Blitz den Raum erneut in sein gespenstisches Licht tauchte, war in einer Ecke ein kleiner Trinkbrunnen zu erkennen.

«Merkwürdig», flüsterte Jonathan und folgte seiner Kollegin.

«Aber trocken», bemerkte Belinda geradezu überrascht, dass der Pavillon den Regenfluten draußen standhielt. «Und da ist auch ein Bett», fügte sie leise hinzu. Ihre durch das gruselige Haus etwas abgekühlte Erregung kehrte mit einem Schlag zurück. «Ein echtes Bett! Ist das nicht viel besser, als zusammengequetscht in einem Mini zu sitzen?»

«Mhm ...» Jonathan schien ihre Anspielung verstanden

zu haben, denn er trat etwas näher zu ihr heran. Der junge Mann schaute sie an und knabberte an seiner Unterlippe. Diese Angewohnheit hatte Belinda immer sehr gefallen – besonders in solchen Momenten. «Bist du müde?»

Die logische Antwort lautete: «Ja, natürlich bin ich müde. Schließlich bin ich mitten in der Nacht bei einem schrecklichen Unwetter stundenlang über Landstraßen gewandert.» Aber tatsächlich war Belinda ganz und gar nicht müde. Sie fühlte sich voller Leben, aufgeputscht durch das Gewitter und, am allermerkwürdigsten, überaus erregt durch ihre vage, nicht greifbare Angst vor dem großen Hauptgebäude. Wieder spürte sie seine allumfassende Präsenz, die bis hierhin auszustrahlen schien und sie in eine düstere Sinnlichkeit tauchte. Mit einem tiefen, gierigen Lustlaut presste sie ihren nassen Körper an Jonathan.

«Ja ... Oh, ja!», flüsterte ihr Partner, als hätte er nur auf dieses Signal gewartet. Seine sehnigen Arme legten sich eng um sie, und seine Hände umfassten ihren Po, um ihre Lenden gegen seine steinharte Erektion zu pressen. Belinda war ganz überrascht, dass sie die Beule in seiner Hose nicht früher bemerkt hatte. Sie spürte seinen warmen Atem auf ihrem Gesicht, als er ihr Küsse auf Wangen, Kinn und Lippen hauchte und die kitzelnden Regentropfen von der Haut leckte.

«Ich versteh das nicht», sagte er, als ihre Lippen sich voller Bereitschaft auf das Kommende trennten, «als Kind hatte ich immer eine Heidenangst vor Gewitter.» Er rieb seinen Schritt lüstern gegen den ihren. «Und fühl mal, was es jetzt mit mir anstellt.»

Belinda spürte es sehr wohl und erfreute sich an dem, was der Donner angerichtet hatte. Ihr Mund war jetzt offen und saugte an seiner Zunge. Jonathans Körper fühlte sich härter an als je zuvor. Männlicher und erregender. Ihre Leiber waren nur noch durch die klitschnassen Sachen getrennt, und die erregte Frau meinte Dampf von ihnen aufsteigen zu sehen. Ihre Nippel pressten sich hart wie Stein gegen seine Brust. Sie verlor jede Scham und gab sich ganz ihrer Wollust hin. Belinda rieb sich immer fester an ihm, spreizte ihre Beine und ritt auf einem seiner Schenkel, um das Zentrum ihrer Gier daran zu massieren. Sie wusste, dass sie geradezu eine Show hinlegte, hatte aber keine Ahnung, für wen eigentlich. Für den guten alten Jonathan jedenfalls nicht – so sehr er ihre Vorstellung auch genoss.

«Oh, Lindi, du bist so hinreißend», keuchte er, ganz heiser vor Erstaunen. In letzter Zeit war Belinda eher etwas lustlos gewesen, doch jetzt war sie bereit und fast wahnsinnig vor Geilheit.

Ihre Hand glitt über seine schmale männliche Taille und wanderte am Hinterteil in seine Shorts. Dort strich sie über seine Pobacken, massierte leicht seine Muskeln und fand schließlich den Weg in seine Furche. Wie die meisten Männer war Jonathan dort überaus empfindlich. Er stöhnte laut auf, als einer ihrer Finger über die winzige Rosette seines Hinterns fuhr.

«Bitte ... Oh, ja, das ist so geil», rief er und wand sich vor Erregung. «Hör mal bitte kurz auf. Oh Gott, ich muss pinkeln, bevor wir weitermachen.»

«Du Romantiker», entfuhr es Belinda sarkastisch. Sie drückte sich fester gegen ihn und massierte mit ihrem Becken Jonathans nur allzu willigen Schritt.

«Du kleines Biest», erwiderte er stöhnend, war aber offensichtlich begeistert von ihren Bewegungen. Jetzt war es an ihm, ihren Po zu kneten. Gleichzeitig presste er seine feuchten Lippen auf ihren Mund, und die beiden küssten sich voller Hingabe und Leidenschaft.

Belinda wurde von einem inneren Jubel erfasst. Normalerweise war ihr Jonathan nicht so animalisch und ungehemmt. Der Aufruhr der Nacht schien tief in sie beide hineingefahren zu sein, während der strömende Regen ihre Kleider durchnässt hatte.

«Na los!», brüllte sie fast, um über dem lauten Donnern noch gehört zu werden. «Dann geh schon pinkeln. Aber komm schnell wieder. Ich will dich!» Sie rieb sich ein letztes Mal lüstern an seinem Körper. Er stöhnte laut, und sein Gesicht war bereits so verzerrt vor Geilheit, dass Belinda es kaum erwarten konnte.

«Hexe!», zischte ihr Liebhaber, drehte sich blitzschnell um und rannte fast aus dem Sommerhaus, um sich irgendwo im Unterholz zu erleichtern.

Du bist ein Weichei, Jonathan, dachte die junge Frau halb liebevoll, halb verzweifelt. In ihrem Kopf blitzte das anrüchige, verlockende Bild von seinem steifen Schwanz auf, aus dem der lange, glitzernde Strahl seines gelben Saftes schoss.

Was ist nur los mit mir?, dachte sie mit einem Mal. Sie versuchte, das Bild des wasserlassenden Mannes zu verdrängen, spürte gleichzeitig aber auch dessen verbotene Faszination. Da merkte Belinda, dass auch sie pinkeln musste, und presste unwillkürlich eine Hand in ihren Schritt.

Der Druck ihrer Finger erleichterte und verschlimmerte das Unbehagen gleichzeitig. Das Gefühl war so gewaltig, dass sie ein erschrockenes Kreischen ausstieß. Als sie noch einmal zudrückte und sich erneut beide Gefühle einstellten, meinte sie, ein Lachen unter dem Donner zu hören. Irgendjemand lachte über ihr Tun und stachelte sie an. Irgendjemand ergötzte sich an der Gier zwischen ihren Beinen. Sie wirbelte herum und rechnete damit, Jonathan hinter sich stehen zu sehen. Aber der Pavillon war nach wie vor leer.

«Wer ist da?», flüsterte Belinda, wiegte sich in den Hüften und spürte heiße Pfeile durch ihren Bauch schießen. «Wer ist da?», wiederholte sie die Frage etwas lauter. Da flog die geschlossene Tür des Häuschens plötzlich auf, und der Wind schien Jonathan förmlich ins Innere zu werfen.

«Jetzt bin ich erst mal dran», sagte sie, als er nach ihr griff. Irgendwo in Belindas Innerem brannte der Wunsch, jetzt etwas total Verrücktes zu tun – zum Beispiel ihr Höschen runterzuziehen und vor ihm zu pinkeln. Sie wusste genau, dass ihm das gefallen würde. Aber die Tatsache, dass dies ein fremdes Anwesen war, kühlte ihren Wagemut wieder etwas ab. Es reichte schon, dass sie hier eingedrungen waren.

«Dann beeil dich aber», drängte Jonathan mit schon wieder steifem Schwanz.

Im Freien unter den Bäumen herrschte fast totale Finsternis. Belinda suchte sich ihren Weg mit Hilfe der immer wieder zuckenden Blitze und fand sich schließlich auf einer Lichtung wieder, die nur ein paar Schritte vom Pavillon entfernt lag. Sie öffnete die Knöpfe ihrer Shorts und zog sie zusammen mit dem Slip über die Schenkel. Wie sie da so kniete, musste sie auf einmal über den Widerspruch ihres Tuns lachen.

Gott, sie war ohnehin klitschnass! Wieso zog sie da so vorsichtig ihr Höschen runter und hielt nur ihre Muschi ins Freie? Mit ein paar schnellen Handgriffen zog sie all ihre Kleidung aus – Turnschuhe, Socken, T-Shirt, Shorts, Slip und BH. Dann reckte sie splitternackt die Arme gen Himmel, spreizte die Beine und schob ihre Hüften vor.

Die Erleichterung, den warmen Strom endlich laufen zu lassen, war so groß, dass sie fast einen Orgasmus bekam. Sie jauchzte vor Freude, als sie den goldenen Strahl über ihre zarten, glänzenden Schenkel laufen spürte und sah, wie er sich mit dem Regen auf dem Gras vereinte.

«So! Bist du nun zufrieden?», stieß sie aus, wusste aber eigentlich gar nicht, wen sie da anbrüllte. Unmittelbar darauf hatte Belinda wieder das Gefühl, beobachtet zu werden. Beim nächsten Blitz sah sie an ihrem Körper herunter. Das zitternde, stroboskopähnliche Licht zauberte blaue Strahlen auf ihre feuchte Haut. Ihre steifen Brustwarzen glänzten wie schwarze Edelsteine, und das Schamhaar sah aus wie ein dunkler, unheimlicher Fleck. «Sieh her!», rief sie in den blitzzuckenden Himmel und steckte die Fingerspitzen durch ihre nassen Schamhaare tief in ihre Spalte.

Mit lautem Keuchen rieb Belinda ihren Kitzler, bis es ihr schließlich mitten im Regen und im Donner kam. Ihre Hüften zuckten heftig, und auf dem Gipfel ihres Orgasmus sprang sie hoch und schickte ein triumphierendes «Ja!» gen Himmel. «Ja! Ja! Ja!» Und während ihre Verzückung sie noch zutiefst erschütterte, schien der Himmel ihr mit einem Röhren zu antworten – so als hätte er gerade selbst einen Höhepunkt erlebt.

«Wen hast du denn da gerade so angeschrien?», fragte Jonathan, als sie in den Pavillon zurückkehrte. Er lag auf dem Diwan, eine Hand im Schritt. Belinda nahm an, dass er sich während der kurzen Unterbrechung befummelt hatte. Als sie auf ihn zuging, nahm er die Hand sofort weg. Sie sollte nicht denken, dass er nachhelfen musste, um hart zu bleiben.

Belinda jedenfalls brauchte keinerlei manuelle Stimulation mehr. Der Höhepunkt draußen hatte ihre sexuellen Geister derart geweckt, dass sie ein tiefes Bedürfnis nach einem Mann in sich verspürte. Sie warf sich neben ihren Liebhaber auf den Diwan, ging dort auf Hände und Knie und bot ihren Körper auf verführerischste Art und Weise an. In dieser Stellung ließ sie die Hüften kreisen, spreizte die

Schenkel weit auseinander und zeigte ihm ihre nackte, offene Möse. Ihr Körper war nass. Aber nicht so nass wie ihre Sexritze. Und Belinda wusste, dass Jonathan das beim nächsten Blitz sehr wohl sehen würde.

Wie auf ein Stichwort öffnete sich der Himmel dröhnend, und Jonathan warf sich mit einem lüsternen Brüllen auf sie.

Er glitt mit einer derartigen Geschwindigkeit und Macht in sie hinein, dass Belinda nach vorne geschubst wurde. Sie biss vor Geilheit in den Samt und knüllte ihn mit den Fäusten zu kleinen Bündeln, während er einen Stoß nach dem anderen in sie hineinjagte.

Der sonst so sanfte Jonathan schien von genau demselben Gewitterdämon besessen zu sein wie sie. Seine Bewegungen waren wild und kantig. Die Stöße taten sogar etwas weh, doch das machte der erregten Frau nichts aus. Es dauerte nur ein paar Sekunden, bis sie vorm nächsten Orgasmus stand. Ihre Hüften kreisten, und sie warf ihr Hinterteil immer wieder seinem Geschlecht entgegen. Dabei rieb sie sich wie besessen ihre harte Lustknospe. Plötzlich spürte sie in ihrem Inneren einen Blitz aufsteigen, und als es ihr schließlich kam, unterdrückte sie ihre lauten Schreie in der weichen grauen Decke.

«Lindi!», hörte sie Jonathan schluchzen und spürte unmittelbar darauf ein Zucken, als er in sie hineinspritzte. Sie wurde plattgedrückt wie eine Flunder, nahm in ihrer alles verzehrenden Wollust aber keinerlei Unbehagen wahr.

Jonathans Härte ließ langsam nach, und Belinda spürte, wie er aus ihrer Spalte hinausglitt und sich neben sie legte. Sie schwebte auf einer Wolke der Stille und Zufriedenheit und merkte gleichzeitig wie durch einen Nebel hindurch, dass das Unwetter vorüber war.

Der Himmel war ruhig, die Luft war schwarz, und sie und Jonathan waren ganz allein in dem runden weißen Pavillon. Doch obwohl der Rest der Nacht friedlich verlief, hatte Belinda immer noch das Gefühl, beobachtet zu werden. So als würde ein Paar Augen sie en détail von innen betrachten – glänzende blaue Augen, deren Blick ebenso heiß wie auch eiskalt war.

Kapitel 2

Die Augen der Nacht

«Belle», murmelte der schlafende Mann. «Arabelle, meine Liebe, wo bist du?», fragte er leise, während sein Herz in der stillen Brust zu schlagen begann.

Es war schon so lange her, doch ganz plötzlich und unerklärlich war sie wieder am Leben, und ihr Verlangen brannte wie eine helle Flamme.

Wie konnte das nur sein?, fragte er sich, während sein Brustkorb sich hob und senkte und das träge Blut wieder durch seine Adern floss. Es schien Ewigkeiten her zu sein, seit er eine derartige Kraft verspürt hatte. Und noch nie in all den Jahren seines Lebens hatte er sie von seiner lieblichen Arabelle gespürt.

«Oh, Belle, wie kann das nur sein?», flüsterte André und setzte sich vorsichtig in seinem alten Bett auf und schaute durch einen Nebel von Dutzenden Seidenschleiern in den Raum. Er konnte die Umrisse nicht klar erkennen, wusste aber, dass auf der Marmorplatte der Anrichte die feinverzierte Urne aus Rosenholz stand, in der sich die Überreste der Frau befanden, die er über alles geliebt hatte. Langsam hob er die Hand, um danach zu greifen, ließ sie aber sogleich wieder auf das Kissen sinken. Er war schwach und schon nach der kleinsten Anstrengung völlig erschöpft.

Kaum in der Lage, die Augen offen zu halten, starrte André durch die Schleier hindurch. Und dort in der veränderlichen Dunkelheit sah er das rechteckige Gefäß von einem dünnen blauen Licht umgeben. Es schien durch die Maserung des Holzes zu quellen und eine schwache Aura zu formen, einen blauen, etwa daumenbreiten Ring.

Aber wenn du immer noch dort drinnen ruhst, meine Geliebte, dachte André verwirrt, wen sehe ich dann hier draußen? Er drehte seinen Kopf auf dem weichen Batistkissen und schaute zum Fenster mit seinen schweren Samtvorhängen. Der dicke, seidengefasste Stoff war kein Hindernis für seine allzu deutliche innere Vision, und er starrte hinaus in den regengepeitschten Park, den Blick fest auf den runden weißen Pavillon gerichtet.

Sofort wurde er aus seiner Leblosigkeit gerissen – und zwar von der ursprünglichen Kraft der sinnlichen Lust, die ihn immer wieder mit neuer Energie füllte. Hinter den hellen, von Säulen umgebenen Wänden des kleinen weißen Gebäudes stand jemand kurz vorm Liebesakt. Und in diesem Jemand erkannte er gegen alle Regeln der Vernunft seine Belle.

Gegen den Unglauben, die Hoffnung und die Verwirrung ankämpfend, bemühte André sich fast verzweifelt, ein klares Bild vor sich aufsteigen zu lassen. In seinem Geist formte sich ihr wunderschönes Gesicht, wie es vor all den Jahren ausgesehen hatte. Er sah ihre zarte, ebenmäßige Schönheit, das sanfte Lächeln und die zerbrechliche, fast zitternde Sinnlichkeit, die er gesehen hatte, als sie ihm die erste Freiheit gewährte.

Verlegen und doch begierig hatte sie die Bänder ihres Kleides und ihres Leibchens geöffnet, um ihm ihren Busen zu zeigen. Obwohl er jetzt Tausende von Meilen und zweihundert Jahre entfernt in seinem Bett lag, konnte André sich immer noch an seine Euphorie, seine Verzückung und seine unmittelbare Erregung beim Anblick der jugendlichen Schönheit ihrer Brüste erinnern. Wie perfekt sie geformt waren – wie zart, wie spitz, wie frisch. Auch konnte er immer noch ihr leichtes Stöhnen hören, als sie ihm gestattete, sie zu berühren. Und auch sein eigenes Keuchen, als die Leidenschaft ihn überkam, klang noch in seinen Ohren nach.

Er hatte sie so sehr geliebt und wollte dieser Liebe so sehr mit seinem Körper Ausdruck verleihen. Die Rohheit seiner Lust hatte ihn etwas wütend gemacht, sie zu unterdrücken oder zu ignorieren war ihm jedoch nicht gelungen. Nacht für Nacht hatte André sie zärtlich, voller Schicklichkeit, aber mit einem grausamen Brennen in den Lenden geküsst. Nacht für Nacht war er zu Bett gegangen und hatte sein Lustfleisch bis zum Höhepunkt gestreichelt und dabei ihren Namen und das Wort «Liebe» geflüstert. Sie hatten so kurz vor der Vereinigung gestanden. Wäre da nicht dieser düstere, verführerische Teufel gekommen, der ganz von ihr Besitz ergreifen sollte.

«Nein!», rief er mit einer wirkungslosen Geste des Widerstands aus und versuchte, sich wieder auf den unerklärlichen Grund seiner Wiedererweckung zu besinnen. Voller Anstrengung versuchte André zu seiner Vision im Inneren des Pavillons zurückzukehren. Doch als es ihm gelang, ließ der Anblick, der sich ihm bot, sein Herz fast wieder stillstehen.

Das konnte doch nicht Belle sein. Seine verlorene Verlobte, seine kostbare Blüte stand kurz davor, von einem anderen besessen zu werden!

Es geschah gegen seinen Willen, doch das Bild erregte ihn. Sein Luststab bäumte sich unter seiner schmalen, ruhenden Hand auf, wie er es lange nicht mehr getan hatte. Wie das Wunder des Lebens selbst regte sich seine Rute und stand auf.

André erkannte jetzt, dass Annabelle sich über die Jahrhunderte verändert hatte. Ihr Körper war splitternackt und fülliger. Wo ihr Haar sich damals bis zu den Hüften gewellt hatte, war es jetzt zu einem kurzen Helm geschnitten, der die eleganten Konturen ihres Kopfes betonte. Wie eine Hündin vor ihrem Herrn hockte sie auf der Mitte des runden Diwans und bot ihr Geschlecht einem schlanken dunkelhaarigen Jüngling feil.

«Arabelle?», wisperte André voll von noch größerem Zweifel. Er umrundete in Gedanken den Diwan und betrachtete das Gesicht der jungen Frau.

Ja, die Züge waren dieselben. Sie schienen nur etwas aufmüpfiger und weniger zart zu sein. Die Frau, die da gleich genommen werden sollte, sah aus wie seine Geliebte wohl ein paar Jahre nach ihrer letzten Begegnung – gereift und durch die belebenden Freuden der Liebe aufgeblüht. Dieses Wesen hatte den Reichtum der Lust und die Ekstase des Fleisches erfahren, die Belle nie kennengelernt hatte. Die Erfüllung, die Isidora ihr verweigert hatte.

«Hexe! Dämon! Teufel!», zischte er. Der Zorn spornte ihn ebenso an wie seine sexuellen Gelüste. Dieses schwarzhaarige Monster hatte zwei Leben ausgelöscht und zwei Seelen zu je eigenen Arten der Folter verdammt. «Kehr in die Hölle zurück! Ich werde nicht an dich denken!», sagte er voller Kälte zu seiner Feindin und setzte die Beobachtung des Liebespaares fort. «Wer bist du?», fragte André, als die junge Frau ihrem Gespielen das Hinterteil entgegenwarf und dieser ihr Angebot schamlos ausnutzte. Der schlanke Jüngling stieß kraftvoll in den offenen Hafen seiner Geliebten hinein, doch André spürte, dass der Akt trotz dieser gierigen Grobheit voller Zärtlichkeit war. Das lüsterne Spiel geschah in gegenseitigem Einvernehmen und war voller Freude – genau so, als wäre die Frau auf dem Bett wirklich Arabelle und er der lüsterne, nackte Liebhaber hinter ihr. Die Zuneigung zwischen dem entfernten Paar schien ihn mit neuer Dynamik zu erfüllen. Die Kraft kehrte in seine Hände und die Härte in seine Rute zurück.

André verstärkte seinen Griff und stieß schließlich ein lautes «Ja!» aus. Die beiden Liebenden schienen ihn gehört zu haben, denn auch das Paar begann sich zu krümmen, und ihre verschmolzenen Körper gaben sich jetzt ganz den süßen Qualen der Leidenschaft hin.

«Oh Gott! Oh Gott!», keuchte André und stimmte damit in die Lustschreie des Paares ein. Sein Höhepunkt war so intensiv, dass es fast schmerzte. Nach all den Jahren des halb toten, halb lebendigen Daseins war diese plötzliche Erleichterung einfach zu viel für ihn, und er sank mit einem erstickten Stöhnen zurück in die Bewusstlosigkeit. Das Letzte, was er spürte, war die kalte Flüssigkeit seiner Ekstase auf den Fingern.

Als Belinda erwachte, fiel sanftes goldenes Licht auf ihren Körper. Sie lächelte zufrieden über die angenehme Wärme, streckte sich und zog die Zehen ein. Doch nachdem sie langsam und träge ganz wach geworden war, erlangte sie auch wieder das volle Bewusstsein. Mit einem erschrockenen Keuchen setzte die junge Frau sich auf und sah sich voller Panik um. Wo zum Teufel war sie hier? Und wieso war sie nackt?

Beruhig dich, beruhig dich, sagte Belinda zu sich selbst, atmete tief ein und versuchte, sich an die Geschehnisse der vergangenen Nacht zu erinnern. Jonathans Gegenwart und die beruhigende Vertrautheit seines Körpers glätteten die Wogen ihrer Aufregung schnell. Er grunzte verschlafen und zuckte ein wenig, als sie ihm über den bloßen Rücken streichelte.

«Natürlich», flüsterte sie, beugte sich vor und gab ihm einen Kuss auf den Hals, «wir liegen hier mitten im Nirgendwo, übernachten verbotenerweise auf irgendeinem fremden Besitz, und was tust du?» Jonathan murmelte etwas Unverständliches, leckte seine Lippen und vergrub das Gesicht in dem grauen Samt des Diwans, auf dem sie lagen. «Du schläfst wie ein Baby. Typisch ...»

Und doch konnte sie ihm nicht böse sein. Schließlich mussten sie gestern Abend meilenweit über regennasse Landstraßen gelaufen sein. Das reichte aus, um einen Menschen todmüde zu machen. Und nachdem sie diesen Unterschlupf gefunden hatten, war er immerhin noch in der Lage gewesen, sie mit der ganzen Kraft eines Hengstes zu lieben. Er hatte ihr eine Befriedigung beschert, die sie lange nicht erfahren hatte. Sehr lange nicht ...

«Ist schon gut, Schlafmütze», wisperte sie. Belinda wusste, dass er jetzt wahrscheinlich sowieso nur durch Schläge oder Tritte zu wecken war, und wuschelte liebevoll durch sein dunkles Haar. Dann erhob sie sich vorsichtig, stand auf und sah sich erneut um. In der Morgensonne war das weiße Häuschen kaum wiederzuerkennen. Sie konnte sich nicht mehr erinnern, wer von ihnen beiden die Fensterläden geöffnet hatte, doch der Raum wirkte völlig verändert.

Der kleine Pavillon wurde von Licht durchflutet. Die rundum verlaufenden raumhohen Fenster schienen die Strahlen der Sonne einzufangen und ihr Leuchten noch zu verstärken – als wäre man inmitten der goldenen, idyllischen Essenz des Sommers gefangen. Es fiel nicht schwer, sich die Picknicks und Partys vorzustellen, die vielleicht in und um dieses charmante Häuschen stattgefunden hatten.

Doch was hatte solch ein eindeutig dem Vergnügen gewidmeter Bau auf dem Gelände eines Klosters zu suchen? Für eine Einrichtung des Glaubens schien das irgendwie unpassend.

«Merkwürdig», murmelte Belinda und fuhr sich in Ermangelung eines Kamms mit den Fingern durch die Haare. Wo waren eigentlich ihre Sachen geblieben? Jonathans Shorts, Turnschuhe, T-Shirt und Slip lagen auf dem Boden – genau dort, wo sie gestern Abend beim Ausziehen gelandet waren. Doch von ihrer Kleidung fehlte jede Spur.

«Oje», entfuhr es der noch etwas verschlafenen Frau, als die Erinnerung an die vergangene Nacht langsam in ihr aufstieg. Obwohl sie ganz allein waren und Jonathan im Moment sowieso nichts merkte, spürte sie, wie ihr das Blut heiß in den Kopf schoss.

Sie hatte sich gestern Nacht mitten in einem Gewitter auf einer Lichtung ausgezogen, sich vollgepinkelt und dann masturbiert. Sie konnte ihr Kreischen der Verzückung förmlich noch hören.

Lieber Gott, was war da nur in mich gefahren?, dachte sie und strich sich mit den Fingern nervös über den Hals, so als wollte sie einen unsichtbaren Kragen glätten, oder besser gesagt, die Röte verbergen, die von der Brust über den Hals bis hin zu ihrem Gesicht aufstieg. Belinda erinnerte sich sehr genau an ihre wilde, exhibitionistische Stimmung und auch an das merkwürdige Gefühl, beobachtet zu werden. Als sie nach diesem Erlebnis zu Jonathan in den Pavillon zurückgekehrt war, hatten sie es getrieben wie die Tiere.

Aber wie Tiere, die Zuneigung füreinander empfinden, dachte sie und betrachtete ihn liebevoll, wie er sich im Schlaf drehte und seinen Rüpel rieb und kraulte, der ihr gestern Nacht so viel Vergnügen bereitet hatte.

«So ist's recht, mach ihn schön hart für mich», flüsterte sie ihrem Gefährten unanständig zu und schlich dann auf Zehenspitzen in Richtung Tür.

Als sie den Pavillon verließ, verschlug ihr die Schönheit

des Tages glatt den Atem. Alles, was gestern noch unwirtlich und stürmisch ausgesehen hatte, war nun friedlich und wirkte sanft von der Sonne geküsst. An den Grashalmen hingen kleine diamantene Glastropfen, und das Grün sah fast unnatürlich aus. Der Himmel erstrahlte in einem zarten, von Rosa durchsetzten Blau, über das dünne Dunststreifen zogen, die sich aber bereits langsam auflösten. Selbst das graue Kloster auf der anderen Seite des Parks sah recht hübsch aus und wirkte kein bisschen mehr wie der unheimliche, leerstehende Klotz von gestern Abend. Sobald sie ihre Sachen gefunden hatte, würde sie es sich näher ansehen, beschloss Belinda.

Sie ging denselben Weg, den sie in der Nacht zurückgelegt hatte. Dabei schaute sie sich trotz der verwunschenen Menschenleere im Park immer wieder vorsichtig um, ob nicht vielleicht doch ungebetene Gesellschaft auftauchen würde. Es dauerte nicht lange, und die junge Frau fand die Lichtung, auf der sie gestern dieses merkwürdige Erlebnis gehabt hatte. Und dort lagen auch ihre Kleider. Als Belinda wieder einfiel, wie sie sich ihre Sachen vom Leib gerissen hatte, geriet ihr Blut bei dem Gedanken an ihr primitives und heidnisches Verhalten erneut in Wallung. Doch auch wenn sie es jetzt mit ausgesprochener Verlegenheit tat, sie musste sich erneut hinhocken.

Da ihre Kleidung klitschnass im Schatten gelegen hatte, war sie jetzt natürlich noch sehr feucht. Als der klamme, eiskalte Stoff ihre Haut berührte, schauderte sie, tröstete sich aber mit dem Gedanken, dass die Sachen wenigstens wieder sauber waren. Belinda hatte es schon immer gehasst, bereits getragene Kleidung ein zweites Mal anzuziehen – besonders nach wildem Sex. Plötzlich tauchte vor ihrem geistigen Auge das Bild eines heißen Schaumbades auf, und sie fragte sich, ob es in der Nähe wohl einen Fluss oder so etwas gab, wo sie sich vor ihrem Erkundungsgang noch ein wenig waschen könnte.

Verlauf dich nur nicht, sagte sie zu sich selbst und drehte sich in ihren patschenden Turnschuhen einmal im Kreis. Überall standen Bäume, und der Wald wirkte dicht und tief. Nur in Richtung des Pavillons war helles Licht zu sehen.

Jonathan schlief noch immer tief und fest, als Belinda in ihren runden weißen Unterschlupf zurückkehrte. Aber so gern sie ihr weiteres Vorgehen mit ihm besprochen hätte, Belinda brachte es nicht fertig, ihn zu wecken. Während ihrer Abwesenheit hatte er sich erneut gedreht und lag jetzt in Fötusstellung da. Seine beiden Hände waren so niedlich unter dem schlafenden Gesicht gefaltet, dass er wie die reinste Unschuld aussah. Belinda beschloss, einmal zum Kloster und zurück zu gehen, um ihm Zeit zu lassen, von allein wach zu werden.

Als sie über den Rasen lief, lenkte die pure Lebensfreude sie schnell von ihren nassen Sachen und der Tatsache ab, dass sie und Jonathan sich verirrt hatten. Die Sonne stand bereits erstaunlich hoch, und eine leichte Brise zauberte ein sanftes Wogen über das mit Tropfen geschmückte Gras. Die Vögel im Wald sangen ihr fröhliches Lied, und Belinda sah sogar ein Kaninchen oder einen Hasen, der voller Ekstase am Waldrand entlangflitzte. Je mehr sie sich dem Kloster näherte, desto weniger hatte es mit dem Bild gemein, das es gestern Abend noch geboten hatte.

Das Gebäude erschien größer und zugleich kleiner als letzte Nacht. Es erstreckte sich mit mehreren Flügeln, Bogenpfeilern und sogar einem Zinnenturm viel weiter nach hinten, als Belinda vermutete, machte bei Tage aber nicht mehr den Eindruck, es würde bedrohlich weit in den Himmel ragen.

Dennoch waren Worte wie «reizend» oder «entzückend» nicht gerade die geeigneten Vokabeln, um das Gebäude zu beschreiben. Die großen bleiverglasten Fenster mit ihren spitzen gotischen Bögen und den winzigen rautenförmigen Scheiben machten einen eigenartigen und wachsamen Eindruck, so als würde dahinter jemand auf der Lauer liegen.

«Jetzt hör schon auf mit dem Quatsch», schalt sich Belinda laut, die Augen immer noch aufmerksam auf das Kloster gerichtet. Es dauerte nur ein paar Sekunden, bis ihr auffiel, was sich an dem Haus wirklich geändert oder was gestern Abend noch anders gewirkt hatte. Letzte Nacht hatte das Kloster verlassen und heruntergekommen wie eine zerbombte Ruine ausgesehen. Jetzt, im hellen Tageslicht, bot sich ihr zwar immer noch nicht der Anblick eines guterhaltenen Gebäudes, aber es sah auf jeden Fall stabil genug aus, um darin zu wohnen.

Belinda schlüpfte aus ihren unangenehm nassen Turnschuhen und blickte konzentriert auf eines der oberen Fenster, hinter dem sie eine Bewegung ausgemacht zu haben meinte. Wenn nun wirklich jemand in dem Gebäude wohnte? Jemand mit einem Telefon, der ihnen in ihrer Not helfen könnte?

Mit bloßen Füßen ging die junge Frau weiter, bis sie sich schließlich in einem Dschungel aus Blumen und Grünzeug wiederfand, der einmal der Garten gewesen sein musste. Wenn das Kloster wirklich von jemandem bewohnt war, musste es sich zweifellos um Leute handeln, die etwas von Gartenbau verstanden, denn in dem wirren und gleichzeitig überaus reizvollen Durcheinander wuchsen sowohl wilde als auch kultivierte Pflanzen und Blumen. Sie sah und roch Rosen, Rittersporn und Malven, aber auch gefährliche Pflanzen wie Tollkirschen.

Als sie an einem Kiesweg ankam, zog Belinda ihre Turnschuhe wieder an und ging auf den Eingang des Klosters zu – ein massives, verwittertes Tor mit einem kleinen Vorbau. Gerade als sie eine Reihe von flachen Stufen erreichte, schwang die schwere, beschlagene Tür auf, und ein überaus attraktiver Mann begrüßte Belinda mit einem Lächeln.

«Äh … hallo», sagte sie völlig überrascht und war zu nichts weiter in der Lage, als dazustehen und den Fremden anzustarren. Der Mann sah bemerkenswert aus – ein riesiger gebräunter Gigant in Jeans und einer knappen weißen Weste. «Mein Freund und ich haben uns verirrt», brachte sie schließlich heraus. «Wir haben die Nacht in Ihrem Pavillon verbracht.» Sie zeigte mit dem Kopf über ihre Schulter zu dem entfernten weißen Gebäude. «Ich hoffe, Sie haben nichts dagegen. Wir haben keine Unordnung gemacht.» Der großgewachsene Mann lächelte nur. «Ob … ob … ob Sie wohl ein Telefon haben, das wir benutzen könnten? Unser Auto ist liegengeblieben. Wir müssen eine Werkstatt anrufen, und die Akkus von unseren Handys sind leer. Wir sind mit jemandem verabredet und müssen dringend Bescheid geben, dass wir später kommen.»

Der Mann lächelte weiter und nickte ermutigend mit seinem kurzgeschnittenen Schopf.

Belinda war unwohl zumute. Wieso antwortete der Kerl nicht, sondern stand nur wie eine stumme, lebende Statue da?

«Ich kann den Anruf auch sofort bezahlen», bot die verwirrte Frau an. Doch dann fiel ihr ein, dass ihre Handtasche im Pavillon lag.

Diese Augen. Belinda kämpfte gegen ihre wachsende Verwirrtheit an und sah dem Fremden direkt in die Augen.

War dies der Mann, dessen Anwesenheit sie gestern Abend gespürt hatte? Etwas Mythisches hatte er auf jeden Fall an sich. Mit seinen ultrakurzen blonden Haaren sah er aus wie ein teutonischer Gott, der gerade in moderner Kleidung aus Walhall zurückgekehrt war.

Aber nach ein paar Sekunden wusste Belinda, dass dies nicht ihr nächtlicher Beobachter war. Seine Augen waren hellbraun und mild und sein Gesichtsausdruck trotz der Tatsache, dass er immer noch nicht mit ihr sprechen wollte, sanft und freundlich. Die Augen, die sie gestern gesehen zu haben glaubte, waren stechend blau gewesen. Sie hatten zwar nicht unbedingt heimtückisch gewirkt, aber doch eine Kraft besessen, die beängstigend und ehrfurchtgebietend war.

Der Mann in der Tür lächelte noch immer. Schließlich aber trat er einen Schritt zurück in die Eingangshalle und winkte Belinda mit einer Willkommensgeste hinein. Sie folgte ihm, wurde aber dennoch das Gefühl nicht los, einen großen Fehler zu begehen.

Die Halle, in der sie sich wiederfand, war kühl, ruhig, ziemlich dunkel und weitaus größer, als sie es sich vorgestellt hatte. Auch wenn man die Verbesserung durch das Tageslicht berücksichtigte, sah das Kloster von außen abgewrackt aus. Von innen aber wirkte es sehr gepflegt, ja fast prächtig. Alles war mit Eiche oder anderen edlen Hölzern getäfelt, deren Schnitzereien zusammen mit den Stuckornamenten hohe Bögen formten. An der Wand standen ein paar schwere, glänzende Möbelstücke, und in einigen Nischen hing eine ganze Reihe von düsteren Gemälden.

Ein Telefon jedoch war leider nirgendwo zu sehen.

«Haben Sie ein Telefon, das ich benutzen könnte?», wiederholte Belinda ihre Frage von vorhin, während der gebräunte Riese die Eingangstür hinter ihr schloss. Als sie sich schließlich zu ihm umdrehte, gab er die erste erkennbare Reaktion von sich: ein langsames Schütteln des Kopfes und ein weiteres, diesmal bedauerndes Lächeln. Er zuckte mit seinen gewaltigen Schultern und brachte damit seine strammen Muskeln zum Spielen.

Belinda bemühte sich verzweifelt, ihren Ärger zu unterdrücken. Wie um alles in der Welt konnte man hier mitten im Nirgendwo ohne Telefon überleben? Es war einfach nicht zu fassen.

«Dann sitzen wir also fest», entfuhr es ihr niedergeschlagen. Sie mussten notgedrungen versuchen, das Auto ohne Hilfe wieder in Gang zu bringen. Oder sie würden ins nächste Dorf wandern müssen, um dort einen Abschleppdienst und ein Telefon zu finden. Paula würde sicher sauer werden, wenn sie sich nicht bald bei ihr meldeten.

«Könnten Sie mir dann wohl bitte den Weg ins nächste Dorf erklären?» Sie war versucht, den blonden Hünen zu fragen, ob er nicht ein Auto hätte, mit dem er sie dorthin fahren würde. Doch diese Bitte schien ihr etwas zu gewagt.

Der Mann schüttelte erneut den Kopf und lächelte wieder. Das Grinsen ging Belinda langsam auf die Nerven. Unter anderen Umständen hätte sie den stummen Blondschopf mit seinem gemeißelten Alabasterkörper sehr attraktiv gefunden, doch sein scheinbarer Widerwillen gegen jede Art von Kooperation wurde immer lästiger.

«Jetzt kommen Sie aber», rief sie aufgebracht, «Sie werden mir doch wohl sagen können, in welche Richtung wir gehen müssen.»

Der blonde Riese lächelte immer weiter, doch in seinen Augen stand ein seltsam wehmütiger Ausdruck geschrieben. Während Belinda ihn noch in der Hoffnung auf eine Antwort anstarrte, machte er eine kurze, hackende Bewegung vor seinem sehnigen Hals. Er wiederholte diese Geste und schüttelte dabei langsam den Kopf.

Oh mein Gott, er ist stumm!, erkannte Belinda mit einem Mal und fühlte sofort eine Welle des Mitgefühls in sich aufsteigen. Der arme Mann. Wie schrecklich. Was für eine grausame Behinderung.

«Es tut mir schrecklich leid», beeilte sie sich zu versichern, «ich wusste ja nicht, dass Sie nicht sprechen können!»

Der Mann zuckte erneut mit den Schultern.

Was zum Teufel machen wir denn jetzt?, fragte sich die junge Frau verzweifelt. Hätte sie doch nur ihren Terminkalender mitgenommen, dann hätte sie etwas zum Schreiben gehabt. Aber ob ihr eingeschränkter Adonis überhaupt schreiben konnte?

Während sie noch nachdachte, machte ihr stummer Gastgeber eine Geste, die «einen Moment» zu bedeuten schien, und ging zu einem mit aufwändigen Schnitzereien versehenen Tischchen. Aus einer Schublade zog er einen dicken Block Papier und einen Stift. Dann grinste er seine Besucherin an, als wollte er ihr mitteilen, dass er ihre Gedanken gelesen hätte, und begann zu schreiben.

Mein Name ist Oren, las sie, als er ihr den Zettel reichte. Die Buchstaben waren schlicht und abgerundet, aber sehr gut lesbar. Es tut mir sehr leid, dass wir kein Telefon haben, aber an diesem Ort besteht einfach kein Bedarf dafür. Wenn Sie etwas essen, ein Bad nehmen oder sich ein wenig ausruhen möchten, heißt mein Herr Sie in seinem Zuhause herzlich willkommen.

Wie kann er seine Gastfreundschaft anbieten, wenn er nicht mal weiß, dass wir hier sind?, war Belindas erster Gedanke. Oder gehörte die Bewegung, die sie vorhin an einem der oberen Fenster gesehen hatte, doch zu einem heimlichen Beobachter?

Aber schon ihre nächsten Gedanken waren praktischerer Natur. Zwar hatte Belinda die letzte Nacht gut geschlafen, aber die Aussicht auf ein Bad – vorzugsweise ein stundenlanges Einweichen in duftendem Schaum – tauchte wie eine Oase in der Wüste vor ihrem inneren Auge auf. Plötzlich merkte sie auch, welchen Heißhunger sie hatte. Die letzte Nahrung, die sie zu sich genommen hatte, war eine kleine Tüte Chips gestern Abend um sieben! Die Vorstellung eines übervollen Tellers mit Croissants, Butter und Erdbeermarmelade wurde zu einer zweiten Oase, die ihr ebenso lebendig wie verlockend erschien.

«Das ist sehr freundlich, Oren», sagte sie und lächelte ihn ein wenig unsicher und zugleich überrascht von einem derart großzügigen Angebot an. Eigentlich wollte sie es so höflich wie möglich ablehnen, hörte sich stattdessen aber sagen: «Ich würde sehr gern ein Bad nehmen und bin fast am Verhungern. Ich muss nur kurz zurück in den Pavillon gehen und Jonathan holen ...»

Oren drehte sich wieder zu dem Tischchen um und schrieb seine Antwort auf ein neues Blatt Papier.

Das wird nicht nötig sein. Jemand wird Ihren Freund abholen und zu Ihnen bringen. Ich zeige Ihnen jetzt, wo Sie Ihr Bad nehmen können.

Als Belinda die kurzen Sätze gelesen hatte, deutete ihr stummer Begleiter auch schon auf die eindrucksvolle Treppe am Ende der Halle und gab ihr mit einer weiteren Geste zu verstehen, dass sie ihm folgen sollte.

Die junge Frau zögerte. Das war doch verrückt ... Sie kannte diesen Mann nicht, und seinen mysteriösen Herrn hatte sie noch nicht einmal zu Gesicht bekommen. Die beiden könnten ebenso gut Serienmörder sein. Und doch folgte sie Oren in Richtung Treppe.

«Ich heiße übrigens Belinda. Belinda Seward», stellte sie sich vor.

Oren nickte und lächelte erneut. Diesmal bekam sie von seinem Grinsen eine Gänsehaut.

Eigentlich war es ausgeschlossen, aber Belinda hatte mit einem Mal das merkwürdige Gefühl, dass er ohnehin schon lange wusste, wie sie hieß. Sie schluckte nervös und ging mit dem stummen Mann die Treppe hinauf …

Jonathan streckte sich genüsslich, drehte sich dann um und klopfte auf der Suche nach Belinda noch halb schlafend auf den Samt.

«Lindi?», murmelte er und öffnete die Augen, als er sie nicht ertasten konnte. «Lindi, Kleines, wo bist du?» Der schlaftrunkene Mann setzte sich auf und suchte mit besorgtem Blick den Pavillon ab.

Keine Spur von ihr – außer der Tasche, die ein paar Meter vom Diwan entfernt stand. Der Anblick beruhigte ihn. Irgendwo würde sie schon sein. Wahrscheinlich war sie aus genau demselben Grund rausgegangen, aus dem sie gestern Abend schon das Häuschen verlassen hatte. Jonathan fuhr sich durch das zerzauste Haar und grinste in Erinnerung an ihre gestrige Rückkehr.

Selbst jetzt in der Rückschau konnte er kaum fassen, wie leidenschaftlich sie gewesen war. Es war lange her, dass er sich so voller Lust und so stark gefühlt hatte. Seine körperlichen Freuden waren durch diese innere Kraft noch verstärkt worden. Und denselben Effekt schien sie auch auf Belinda gehabt zu haben. Noch nie zuvor hatte sie so wollüstig auf ihn reagiert, mit solch einer wilden Hemmungslosigkeit.

«Wir sollten uns öfter vom Gewitter überraschen lassen», sagte er laut in den Raum hinein und griff sich in den Schritt, um das zu berühren, was die Erinnerung aufgewühlt hatte. Aber während er da so träge an sich herumspielte und seinen Riemen anschwellen spürte, wurde er auf einmal von dem Geräusch weiblichen Gelächters überrascht.

Jonathan ließ sofort von seinem Schwanz ab und sah sich erneut um. Das sanfte Lachen stammte definitiv von einer Frau und hatte für einen Moment recht nah geklungen. Doch Belindas kehliges Kichern war es eindeutig nicht gewesen. Während er in Unterhose und Shorts schlüpfte, erklang es erneut, und diesmal konnte er orten, dass es von draußen kam und sich irgendwie seltsam anhörte. Es klang gepresst, so als wollte die amüsierte Person ihr eigenes Kichern unterdrücken.

Blitzschnell zog Jonathan sein T-Shirt über, trat in seine Turnschuhe und eilte entschlossen zur Tür des Pavillons. Er wollte unbedingt wissen, wer dahintersteckte.

Im Freien sah er niemanden, konnte das Lachen aber erneut deutlich hören. Es schien aus dem Wäldchen hinter dem Häuschen zu kommen. So leise es ging, folgte er einem völlig überwucherten Pfad in das Dickicht. Die Luft zwischen den Bäumen war feucht und frisch. Für einen wahrscheinlich wieder brütend heißen Tag war es hier angenehm kühl. Jonathan atmete tief ein und genoss den grünen, moosigen Duft des Waldes.

Nach ungefähr einer Minute blitzte etwas Helles zwischen den knorrigen Stämmen auf, und er nahm an, dass dort die Quelle des Gelächters zu suchen sei. Immer noch bemüht, möglichst leise zu sein, beschleunigte der neugierige Mann seinen Schritt und blieb dann plötzlich stehen.

Er kauerte sich hinter einen Baum, der ihm durch das umgebende hohe Gras einigermaßen Schutz bot. Von dort aus sah er, dass es sich nicht um eine Frau handelte, wie er gedacht hatte – sondern um zwei!

Im Grunde waren es noch gar keine richtigen Frauen, sondern fast noch Mädchen. Zwei schlanke Blondinen, die sich ziemlich ähnlich sahen – Cousinen vielleicht. Sie waren ein paar Jahre jünger als er, vielleicht um die zwanzig.

Beide trugen dünne weiße Kleidchen und saßen, die Füße im Wasser, an einem sanft dahinplätschernden Bach. Mit ihren hübschen Gesichtern und den nur spärlich bekleideten Körpern sahen die Mädchen wie kleine Waldnymphen aus, und Jonathans Riemen stand erneut auf – fast als wollte er sie damit begrüßen. Ihre Natürlichkeit erweckte den Eindruck, sie wären sich seiner Gegenwart in keiner Weise bewusst, doch Jonathans sechster Sinn sagte ihm etwas anderes. Warum sonst sollten sie ihr unschuldiges Geplansche auf einmal unterbrechen und sich einem langen und sinnlichen Kuss auf die Lippen hingeben?

Der erregte Mann legte unwillkürlich eine Hand vor den Mund, um ein lautes Aufstöhnen zu unterdrücken, und ließ die andere zwischen seine Beine wandern. Zwar hatte er schon oft davon geträumt, einmal zwei Frauen bei der Liebe zu beobachten, doch bisher hatte sich nie die Gelegenheit dazu ergeben. Während das magische Schauspiel am Flussufer seinen Lauf nahm, wurde sein Schwanz so hart, dass er in seiner Hand fast schmerzte.

Obwohl die zwei Blondinen sich sehr ähnlich sahen, wurden während des Kusses doch einige Unterschiede sichtbar. Die eine war eindeutig etwas älter und hatte sowohl die Kontrolle über den Kuss als auch die Oberhand über ihre Gefährtin. Das jüngere Mädchen – sie trug ihr Haar im Gegensatz zum Pferdeschwanz der Freundin offen – war eher fügsam und benutzte Hände und Lippen etwas zögerlicher. Ihre Berührungen waren behutsam, fast unterwürfig, und ihr Mund musste von der forschen Zunge der Gespielin erst geöffnet werden.

Zu seinem Erstaunen wünschte Jonathan sich, dass er es wäre, der da so voller Inbrunst geküsst wurde. Ganz plötzlich verspürte er ein durchdringendes Bedürfnis, sich völlig hinzugeben, genommen zu werden. Er wollte die Zärtlichkeiten lieber hinnehmen, als sie zu geben, und nur dem Vergnügen eines anderen Menschen dienen. Er wollte so wie die jüngere Blondine einfach auf den Rücken gedreht, geküsst, ausgezogen und berührt werden. Und dann sollte das ältere Mädchen so lange auf ihm reiten, bis es ihm mit lauten Lustschreien kam.

Diese Gedanken ließen seinen Schwanz gefährlich zucken, und es gelang ihm gerade noch rechtzeitig, seinen Höhepunkt abzuwenden. Jonathan biss sich auf die Lippen, ballte die Fäuste zusammen und spannte jeden Muskel in seinem plötzlich in Flammen stehenden Körper an. Er schloss die Augen, als wollte er das dargebotene Bild verbannen, doch auch hinter den Augenlidern sah er die blonden Schönheiten immer noch vor sich.

Es tut mir leid, Lindi, entschuldigte er sich in Gedanken bei seiner Geliebten. Sie hatte ihn nur kurz allein gelassen, war vielleicht nur ein paar Meter entfernt und beobachtete ihn – und doch war er ihr schon so gut wie untreu.

Aber war das Ganze nicht sogar Belindas eigene Schuld?, kam es ihm plötzlich in den Sinn. Seit Jahren hatte der junge Mann nicht mehr eine solche Geilheit auf Sex gespürt. Bevor Belinda zu ihm gekrochen war und ihren Körper an den seinen gepresst hatte, war er nicht besonders liebeshungrig gewesen. Sie war diejenige, die sein Empfinden verändert und seinen Kopf mit lüsternen Gedanken gefüllt hatte.

Ein undeutliches Stöhnen brachte ihn zurück aus der Erinnerung an die sturmgepeitschte Nacht.

Die zwei Blondinen sahen sich mit intensiven Blicken an, fast als würden sie sich mit den Augen etwas sagen wollen. Die Ältere hockte über der Jüngeren. Während Jonathan sie fast atemlos beobachtete, knöpfte die erfahrenere von den beiden ihrer Freundin das Baumwollkleidchen auf und öffnete das Oberteil wie ein paar weiße Flügel.

Die Brüste der jüngeren Frau waren hinreißend. Nicht besonders groß, aber fest und stramm – selbst im Liegen. Sie schienen die Luft mit ihren perfekten Kurven und den kirschroten Nippeln auf den Spitzen begrüßen zu wollen. Kurz darauf tat das ältere Mädchen genau das, was Jonathan wollte – es beugte sich über die Partnerin und saugte fest an einer Brustwarze, während sie die andere mit ihren flinken Fingern bearbeitete.

Jonathan hatte auch empfindliche Nippel, die sich ebenfalls sofort versteiften. Eine Hand immer noch im Schritt, benutzte er die andere jetzt, um sich in seine eigenen kleinen braunen Hügelkuppen zu kneifen.

Als die Ältere die Brustwarzen ihrer Freundin zwischen Zeigefinger und Daumen hin und her rollte, ahmte Jonathan diese Berührung sofort nach. Dabei schossen ihm die köstlichsten Gefühle in den Bauch, die den Druck zwischen seinen Beinen wieder gefährlich vergrößerten. Er wackelte vor Lust mit dem Po und betete, dass seine zwei Liebesnymphen ihn nicht hören würden. Jonathans Schwanz zuckte immer heftiger im Käfig seines Slips, und er wusste, dass er ihn nicht mehr lange dort gefangen halten konnte.

Und doch war er nicht im entferntesten in der Lage, sich von der Vorstellung der beiden Frauen abzuwenden.

Das auf dem Rücken liegende Mädchen wand sich vor Verzückung, und ihre schlanken Beine überkreuzten sich mal nach vorne, mal nach hinten. Dabei wanderten die Hände immer wieder über das Haar, den Rücken und die Schultern ihrer eifrigen Gespielin. So intim die beiden auch miteinander umgingen, schwiegen sie zu Jonathans Überraschung dennoch völlig bei ihrem phantasievollen Spiel. Es war zwar gedämpftes Stöhnen und Keuchen zu hören, aber es gab keine zärtlichen Worte, keine Fragen und auch kein Lob. Nicht mal als die Ältere sich aufrichtete, den Rock der anderen hochhob und ihr direkt die Hand zwischen die zuckenden Beine schnellen ließ.

Das völlig überraschte Mädchen schnappte nach Luft wie nach einem Boxschlag in den Magen. Ihr war nicht nur ein Finger in die Muschi geschoben worden, sondern gleich drei – mit voller Wucht. Von seinem Versteck aus konnte Jonathan die Penetration genau sehen, denn die zarten Beine der jungen Frau waren so weit gespreizt, wie es nur ging. Die Kleine lag da, als hätte sie die Position mit Absicht gewählt, um ihrem Beobachter den größtmöglichen Einblick zu gewähren.

Jonathan konnte nicht mehr an sich halten. Er fuhr mit der Hand in seinen Slip und fing an, seinen steifen, schmerzenden Schwanz zu reiben. Der Anblick vor ihm am Flussufer hatte eine derart rohe Kraft, war so real und erotisch, dass er das Abspritzen einfach nicht länger hinauszögern konnte.

Was die beiden Blondinen da vor ihm trieben, entsprach so gar nicht seinem Bild von lesbischer Liebe. Er hatte sich ein würdevolles, kultiviertes Spiel vorgestellt, das sich langsam und rituell steigerte. Auch dachte er, dass es länger dauern und mehr wie ein Traum wirken würde. Stattdessen fickte die Ältere ihre Freundin einfach hart und real mit den Fingern durch – eine passendere Beschreibung für den Akt gab es nicht. Sie setzte ihren ganzen Arm und die Hand ein, spreizte die Finger im Inneren ihrer Freundin und dehnte sie auf fast brutale Weise.

Doch ihrer Partnerin schien das zu gefallen. Sie sagte zwar nichts, aber ihre Bewegungen sprachen Bände. Jonathan starrte die beiden selbstvergessen an, die Hand fest um seinen dicken Riemen gelegt. Die jüngere der beiden drückte sich jetzt mit Händen und Füßen vom Boden ab und ließ ihren Körper vor und zurück schwingen, sodass sie von der Hand ihrer Gespielin förmlich aufgespießt wurde. Sie war stark und geschmeidig und erwiderte die Stöße der anderen Frau derart wild, als wollte sie deren gesamten Arm in sich aufnehmen. Man konnte fast den Eindruck gewinnen, sie wollte sich opfern und voll und ganz von der Freundin durchdrungen werden.

Obwohl keine der Frauen ein Wort sprach oder laut aufstöhnte, war eindeutig erkennbar, dass es der Jüngeren kam. Ihr Körper wurde ganz steif und ihr wunderschönes Gesicht zu einer verzerrten Maske der Geilheit, als sie sich wild zuckend ein letztes Mal nach vorne warf. Jonathan beobachtete hypnotisiert, wie ihr glatter Bauch erzitterte und ihre nackten Zehen sich in den Boden bohrten.

Das war zu viel. Er hatte schon weit mehr gesehen, als er eigentlich sollte. Der Voyeur warf sich auf den Boden und seine Hüften zuckten wie die des blonden Mädchens vor und zurück. Jonathans steinharter Schwanz schrie förmlich nach Erlösung, und er stöhnte laut auf, als eine leichte Brise über seine geschwollene Eichel strich.

Es war lange her, dass der aufgegeilte Mann eine derartige Gier auf den Orgasmus verspürt hatte. Während er seine Rute wichste, vergaß er die lüsternen Waldnymphen für einen Augenblick und konzentrierte sich voll und ganz auf die herrlichen Gefühle, die seine pumpende Faust erzeugte.

Erst in dem Moment, als sich sein heißer Saft in zwei langen weißen Spritzern aus ihm ergoss, fiel ihm der eigentliche Grund für seine Erregung wieder ein. Er öffnete die Augen.

Und da standen sie wie zwei geheimnisvolle blonde Trugbilder nackt und bloß über ihm und lächelten ihn an.

Kapitel 3

Das magische Innere des Klosters

Als sie den Treppenabsatz erreichten, blieb Belinda unvermittelt stehen. Direkt vor ihr prangte ein sehr großes und faszinierendes Ölgemälde. Es stellte einen Mann in historischem Gewand dar, dessen blaue Augen ihr fast den Atem raubten. Während sie das Bild noch ganz gefangen von den hypnotisierenden Augen und der herrischen Pose des dargestellten Edelmannes anstarrte, merkte sie jedoch auch, wie fasziniert Oren davon zu sein schien.

«Ist das einer der Vorfahren Ihres Herrn?», fragte sie und wandte sich ihrem gleichermaßen auffälligen Begleiter zu.

Zu ihrer Überraschung schüttelte der stumme Mann den Kopf. Seine warmen braunen Augen funkelten, als wäre er in ein Geheimnis eingeweiht, von dem sie keine Ahnung hatte.

«Jedenfalls ist das ein sehr eindrucksvolles Gemälde», sagte sie und trat einen Schritt vor, um es sich genauer anzusehen. Belinda war zwar keine Expertin für historische Gewänder, schätzte aber, dass der Mann Kleidung des 18. Jahrhunderts trug. Sein Gesichtsausdruck war ernst und herausfordernd zugleich. Er hatte langes, zu einem Zopf gebundenes Haar in einer merkwürdig weißen Farbe – als wäre es mit feinem hellem Puder bestäubt worden. Sein Samtmantel hatte einen Stehkragen, schräg abfallende Schöße und gab ihm zusammen mit den hellen Kniehosen und hohen Stiefeln etwas ungemein Forsches.

Ein attraktiver Mann – sowohl vom Gesicht als auch

vom Körper her. Und doch waren es in erster Linie seine Augen, die Belindas Aufmerksamkeit erregten. Sie schienen sich hell strahlend von der Leinwand aus direkt in ihr Inneres zu bohren. In den Augen stand eine gewisse Traurigkeit geschrieben, aber ihr durchdringender Blick öffnete sie zugleich und machte sie so verletzlich, dass sie wegschauen musste. Fast als hätte er ihre Gedanken gelesen und die Ängste gespürt, lächelte Oren sie ermutigend an und machte dann eine Geste, ihm nach links in einen Flur zu folgen.

Belinda folgte ihrem Gefährten, immer noch verwirrt von dem Porträt.

Wer war er?, fragte sie sich voller Faszination. Zwar hatte sie gemerkt, dass das Haus, in dem sie sich befand, unerwartet gepflegt und erlesen eingerichtet war, doch sie war zu sehr aus der Fassung, um die feineren Einzelheiten zu bemerken.

Der Mann auf dem Gemälde hatte jedenfalls genau dieselben blauen Augen, die sie letzte Nacht in ihrem Traum – oder was immer das gewesen war – gesehen hatte. Es waren genau die Augen, die sie und Jonathan bei ihrem Akt der Liebe beobachtet hatten.

Jetzt sei nicht albern, Seward, schalt sie sich und musste fast rennen, um mit Oren Schritt zu halten. Als sie um eine Ecke bogen und einen weiteren breiten, mit Eichenpaneelen getäfelten Korridor betraten, hingen auch dort eine ganze Reihe von Porträts, die scheinbar alle Vor- oder Nachfahren des Mannes auf dem ersten Gemälde darstellten.

Die Familienähnlichkeit war eindeutig. Der Edelmann in Reithosen und Stiefeln aus dem 18. Jahrhundert war das Ebenbild desjenigen, der hier das Gewand eines Dandys aus der edwardianischen Zeit trug. Starke Gene, dachte Belinda und blieb vor dem Abbild eines weiteren Verwandten stehen, der einen für die Jahrhundertwende typischen Morgenmantel trug. Dieser Mann hatte weitaus kürzeres Haar, das aber offensichtlich ebenfalls weiß bestäubt worden war. Er war mit einem Zylinder, Samthandschuhen und einem Gehstock verewigt worden, und aus seinen blauen Augen stach dieselbe melancholische Arroganz wie die seines Vorfahren.

Wie gerne würde ich Euch doch kennenlernen, dachte Belinda, als sie sich von dem Bild losriss, um Oren zu folgen. Eure Augen sind irgendwie nicht von dieser Welt. So wunderschön, so glänzend, so lebendig – selbst auf den Gemälden.

Irgendwann schienen sie ihr Ziel endlich erreicht zu haben. Ihr Begleiter öffnete eine Tür und führte sie in ein Schlafzimmer.

Belinda schnappte nach Luft. Der Raum war atemberaubend groß und so völlig anders, als ihr erster Eindruck des Hauses von gestern Abend vermuten ließ. Alles um sie herum war geradezu überbordend. Sie stand in einem Vergnügungsraum, einem Tempel der Sinnlichkeit, einem Rückzugsort, der nur dazu geschaffen war, lüsterne Freuden zu bereiten und zu empfangen.

Wohin Belinda ihren Blick auch wandte, sah sie Samt, Brokat, dicke Teppiche und auserlesene antike Möbel, die vor Politur nur so glänzten. Die vorherrschende Farbe war Rot – Blutrot, Rosarot, Korallenrot –, und fast überall prangten goldene Blätter.

«Wow!», war das Einzige, was sie beim Anblick dieser Pracht hervorbringen konnte.

Oren lächelte nur und gab ihr mit einer weitausholenden Geste anscheinend zu verstehen, dass sie sich wie zu Hause fühlen sollte. Während die staunende Frau sich noch ungläubig umschaute, verließ er den Raum mit einer kurzen Verbeugung.

Und was jetzt?, dachte Belinda. Sie sah sich erneut um, ging dann zu dem Bett und setzte sich hin.

Das Ganze entsprach wirklich nicht ihrer Vorstellung von einer Unterkunft für einen unangemeldeten Gast. Nein, dies war die Art Umgebung, die ein reicher Mann für eine Liebste – entweder seine Frau oder seine geheime Geliebte – zur Verfügung stellte. Es war ein Ort für Rendezvous und die ausführlichen, sinnlichen Rituale der Leidenschaft. Der Raum schien förmlich von den Schreien vergangener Lust widerzuhallen.

Belinda legte sich auf den Rücken, warf ihre Turnschuhe ab und streckte sich auf der Samtdecke aus. Als sie nach oben blickte, fiel ihr auch hier der kunstvolle Stuck auf. Was würde Jonathan nur dazu sagen, wenn er hier ankam. Wenn er hier ankam ... Oren hatte angedeutet, dass ihn jemand abholen würde. Aber wer? Das ganze Kloster wirkte ungemein verlassen – selbst hier in diesem magischen Raum, der so ganz anders aussah, als man es von außen vermuten würde.

Als sie den Kopf nach hinten neigte, fiel ihr plötzlich etwas Merkwürdiges ins Auge. Die junge Frau setzte sich auf und drehte sich so weit um, dass sie einen genaueren Blick auf einen Samtvorhang werfen konnte, der an der Wand hinter dem Kopfende des Bettes hing. Da die Fenster sich alle auf der anderen Seite des Raumes befanden, war Belindas Neugierde sofort geweckt, was sich wohl dahinter verbergen konnte.

Sie rutschte zu den Kopfkissen hoch und zog langsam an einer goldenen, mit Troddeln versehenen Schnur, die neben den Stoffbahnen baumelte. Die Vorhänge öffneten sich mühelos – fast als hingen sie an einer modernen, gutgeölten Schiene – und gaben den Blick auf ein weiteres Gemälde von einem Mann des blauäugigen Geschlechts frei.

Doch die Pose, die der Dargestellte innehatte, war diesmal weitaus natürlicher und erzeugte trotz des altertümlichen Hintergrunds und der historischen Kleidung ein fast modernes Bild. Der Mann ruhte halb sitzend, halb liegend auf demselben Bett, auf dem sich auch Belinda befand – oder zumindest auf einem sehr ähnlichen. Er hatte sich mit leicht schläfrigem Gesichtsausdruck wohlig gegen einen Berg roter Kissen gelehnt. In seinen Augen stand zwar derselbe Anflug von Trauer geschrieben, die auch die Bilder seiner Verwandten kennzeichneten, doch um seine Lippen spielte zusätzlich ein befriedigtes Lächeln. Sein Haar war lang, offen und leicht zerzaust. Der Mann trug nichts weiter als Kniehose, Strümpfe und ein bauschiges weißes Hemd, das weit genug offen stand, um seine leichte Brustbehaarung zu enthüllen.

Noch nie in ihrem Leben hatte Belinda ein erotischeres Bild von einem Mann gesehen.

Das muss eine Frau gemalt haben, dachte sie plötzlich. Eine Frau, zu der er in intimer Beziehung stand. Er sah fast aus, als hätte er gerade einen Liebesakt erlebt.

Belinda drehte sich noch einmal um, rutschte zum hölzernen Fußende des Bettes und lehnte sich dagegen, um von dort den unbekannten Mann anzuschauen.

Er sah wirklich außergewöhnlich gut aus – eine absolut zeitlose Schönheit. Seine Züge waren ausgeprägt und offen. Er hatte eine leichte Stupsnase und einen großzügigen, sinnlichen Mund. Wie auf den anderen Gemälden auch waren die Augen elektrisierend und leuchtend blau. Sein Blick aber war lustverhangen.

«Gott, du bist wunderschön», wisperte die Betrachterin. Die helle, irgendwie fast durchsichtig wirkende Kleidung betonte den gutgebauten Körper des Mannes. Sie würde ihn als «sportlich-stämmig» bezeichnen, doch dieser eher moderne Begriff erschien ihr irgendwie unpassend. Auch die Verheißung seiner Potenz war nicht zu übersehen. Sie zeichnete sich deutlich zwischen den Beinen seiner Kniehose ab …

Plötzlich verspürte Belinda einen leichten Stich der Lust durch ihren Bauch fahren. Auf diesem Bett, dachte sie, auf diesem Bett hatte ihr blauäugiger Held irgendwann eine Frau geliebt. Die junge Frau schloss die Augen und stellte sich vor, wie er sich zunächst lächelnd streckte und sich dann von seinem Ruhekissen erhob, um langsam seine wenigen Kleidungsstücke auszuziehen.

Es war die ultimative romantische Phantasievorstellung, in dieser prächtigen Umgebung von einem starken, charmanten Liebhaber aus einer vergangenen Zeit genommen zu werden. Auf einmal war er in ihrer Vorstellung nackt, mit offenem Haar und beugte sich mit seinem starken, sexbereiten Körper über sie.

«Mademoiselle, ich muss Euch einfach besitzen», würde er vielleicht flüstern, während seine eleganten Hände ihr die Kleider vom Leibe schälten. Wenn sie dann nackt und bloß war, wie die Natur sie geschaffen hatte, würde er sie wahrscheinlich am ganzen Körper küssen und Lippen und Zunge auf ihre intimsten Stellen pressen. Die modernen Männer von heute glaubten, alles über Sex zu wissen, doch irgendetwas sagte Belinda, dass dieser Edelmann aus der Vergangenheit mehr Wissen und erotische Talente besaß, als ihre ganze kleine Gruppe vergangener Liebhaber zusammengenommen.

Es waren seine Augen, die ihr das verrieten. Die mittlerweile immer stärker erregte Frau legte sich flach auf das Bett, den Blick immer noch auf die blauen Augen des Porträts gerichtet. In ihnen stand Erfahrung und ein ganzes Spektrum eindringlicher Erinnerungen geschrieben: Leidenschaft, Liebe, Exzess, Verlust, Trauer. Ein Blick, in dem ganze Lebensalter voller Weisheit geschrieben standen.

«Wer bist du?», flüsterte sie, während er in ihrer Phantasie längst begonnen hatte, sie zu liebkosen. Belinda zog ihr T-Shirt hoch, umfasste ihre bloßen Brüste und stellte sich vor, dass es die Hände des Mannes an der Wand vor ihr waren.

Als sie ihre Rundungen leicht zusammendrückte, bemerkte sie erschrocken, dass die Handflächen und Finger plötzlich unerklärlich kalt wurden. Es war keine Kälte von innen, sie fühlten sich einfach kühl auf der Haut ihrer Brüste an. Ihre Nippel zuckten bei dem Gefühl und kitzelten auf köstliche Weise. Die Kälte schien sich langsam auszubreiten und wanderte vom Oberkörper hin zu ihrem Bauch. Belinda schlug die Augen auf, um nachzuschauen, ob eines der großen Fenster offen stand und vielleicht einen Luftzug in den Raum ließ.

Ein Fenster war tatsächlich leicht geöffnet, aber die Vorhänge hingen still und schwer da. Es ging also kein Wind. Sie schauderte – nicht vor Kälte, sondern von einer merkwürdigen, erregenden Angst erfasst. Mit zitternden Fingern öffnete sie ihre Shorts und schob sie zusammen mit ihrem Höschen bis zu den Knien hinunter.

War es reines Wunschdenken, oder war da wirklich ein weiteres Wesen bei ihr im Raum? Belinda dachte an all die Geschichten von übersinnlichen Phänomenen, die sie im Laufe ihres Lebens gelesen hatte, und fragte sich, ob jetzt die Zeit für ihre unheimliche Begegnung der dritten Art gekommen war. Obwohl sie es vom Kopf her eigentlich nicht akzeptieren wollte, hatte sie sich tief in ihrem Inneren immer gewünscht, dass ihr so etwas einmal passierte. Zwar war sie nie wirklich von der Existenz einer mystischen Sphäre überzeugt gewesen, doch das, was ihr da jetzt widerfuhr, fühlte sich ausgesprochen real an. Die Kälte kroch über die Haut, die sie gerade freigelegt hatte, drang durch ihre Poren und kitzelte ihr Inneres wie ein frostiges Feuer.

«Das bist du, nicht wahr?», entfuhr es ihr leicht vorwurfsvoll in Richtung des Porträts. Sie rechnete fast mit einem Lachen des Mannes, doch der Fremde behielt sein verführerisches Lächeln stumm bei. «Oh mein Gott», keuchte sie und warf sich auf dem Bett hin und her. Irgendetwas fast Flüssiges schien in ihre Möse zu fließen. Honigartig und doch kühl. Formlos, aber paradoxerweise überaus spürbar in den brennenden Fältchen ihrer Muschi.

Was geht hier vor sich? Was tust du?, dachte sie voll wilder Erregtheit und drückte sich die Finger in ihre Spalte, um das Gefühl irgendwie zu bestätigen. Ihre Furche war nass, fühlte sich aber warm an. Von außen konnte sie die kühle Salbung nicht erfühlen, aber sie spürte deutlich, was für merkwürdige Empfindungen sie von innen auslöste. Mit einem Stöhnen begann sie, an ihrem Kitzler zu reiben, und massierte ihn langsam mit der seidigen, erregenden Kälte.

Belinda war jetzt hoffnungslos geil. Sie ließ die Hüften kreisen und genoss die Einschränkung durch die verwickelte Kleidung um ihre Knie und den Kitzel einer seltsamen, zweigeteilten Realität. Zwar konnte sie deutlich sehen, dass sie allein im Raum war, doch in ihren Gedanken war die junge Frau überzeugt, dass sie Gesellschaft hatte. Der blauäugige Mann auf dem Porträt war bei ihr. Als sie ihren schmerzenden Kitzler rieb, spürte sie seine Hand deutlich auf ihren Brüsten. Die langen, schlanken Finger schaukelten sie hin und her, und sein Daumen drückte gegen ihre Nippel.

«Du Teufel … du Teufel …», flüsterte sie. Die geheimnisvolle flüssige Kälte machte sie immer heißer. Sie floss bereits über ihre Beine und bahnte sich auf gespenstisch tröpfelnde Weise den Weg zu ihrem Po. «Was tust du da mit mir?», fragte sie flehentlich. Belindas Sexfleisch erzitterte. Es fühlte sich an, als würde jemand kalten Sirup über sie gießen und ihren empfindlichen Kanal damit zum Überlaufen bringen. «Oh Gott, hör auf!», rief sie und wusste doch, dass sie eigentlich noch mehr wollte.

Die geisterhafte Essenz war jetzt ganz in ihr Inneres eingedrungen und erzeugte dort kühle Schauer der Lust. Sie spürte deutlich, wie sie in ihrer Möse einen Strudel der Lust erzeugte und langsam ins Innere ihres Anus kroch.

Die unsichtbare Substanz stieg in ihr auf, füllte sie und erzeugte immensen Druck auf versteckte Lustpunkte ihres Geschlechts.

Belinda sah zwischen ihre Beine und versuchte, die Flüssigkeit zu erspähen. Das kühle Gefühl ließ sie in ihrer Vorstellung blau erscheinen. Doch alles, was sie sehen konnte, war ihr eigener Körper.

Die Beine so weit gespreizt, wie ihre durch Shorts und Slip eingezwängte Stellung es eben erlaubte, hatte sie einen perfekten, unverstellten Blick auf ihre Weiblichkeit. Sie war feucht, und ihre Liebessäfte glitzerten auf Möse und Fingern – und doch waren keinerlei äußere Anzeichen der gespenstischen Überflutung auszumachen. Die Flüssigkeit löste zwar eine immense Spannung in ihr aus, doch sichtbar war nur ihre geschwollene Muschi.

«Oh bitte ...» keuchte sie. Der Druck wurde größer, und ihr geplagter Kitzler schwoll unter der Berührung auf immer gewaltigere Dimensionen an. Wie eine freche, neugierige Knospe schien er aus ihrem Geschlecht herauszustechen – fast als würde er tatsächlich durch den Druck irgendeiner Flüssigkeit aus ihr hinausgedrückt werden. Die erregte Frau rieb ihre harte Kirsche noch heftiger und bearbeitete das winzige Organ mit aller Macht.

«Du Mistkerl!», brüllte sie und konzentrierte sich wieder auf ihren blauäugigen Peiniger. Als es ihr schließlich kam, ließ die Stärke der fremden Macht sofort nach. Belinda strampelte mit den Beinen und umfasste ihre Vulva. Sie raste und stöhnte und ritt auf den Wellen der Wollust, bis sie endlich nachließen.

«Du …», murmelte sie vage, als der Aufruhr vorbei war und sie sich mit immer noch nacktem Po auf dem Bett hinsetzte. Der Mann auf dem Porträt sah noch exakt genau so aus wie vor ihrem Befriedigungsspiel. Trotzdem spürte sie, dass sich irgendetwas verändert hatte. Zwar wirkte er immer noch etwas unglücklich, schien jetzt aber gleichzeitig auch etwas Hoffnungsvolles im Blick zu haben.

«Du!», entfuhr es ihr erneut. Sie studierte das Bild auf der Suche nach einem deutlicheren Anhaltspunkt. «Du hast etwas mit mir angestellt. Irgendwas hast du getan. Aber was?»

Der attraktive Mann schien sie zu necken, ja herauszufordern.

«Ich bin nicht verrückt, sondern einfach müde», sagte Belinda und mühte sich, ihre natürliche Klarheit wiederzuerlangen. «Das ist nur der unbekannte Raum. Oder die Hormone oder so was … Die Phantasie ist mit mir durchgegangen.» Sie schüttelte energisch den Kopf, zog dann ihre Sachen ganz aus und sah sich nach dem versprochenen Badezimmer um.

Es dauerte nicht lange, und sie entdeckte, dass auf der anderen Seite des Zimmers eine Tür in die Täfelung eingelassen war. Direkt daneben stand ein edler Chippendale-Stuhl, auf dem ein Seidengewand lag. Belinda hätte schwören können, dass das Kleidungsstück vorhin noch nicht dort gewesen war. Mit gerunzelter Stirn durchquerte sie das Zimmer und nahm es in die Hand.

Es war ein Kimono. Ein sehr schöner Kimono mit den

traditionellen weiten Ärmeln. Auf dem Rücken war mit feinem Silbergarn ein sich aufbäumendes mythisches Ungeheuer gestickt. Als sie plötzlich auch noch einen großen Spiegel entdeckte – ein weiterer Gegenstand, der ihr vorher nicht aufgefallen war –, zog sie den Mantel an und blickte über ihre Schulter, um die kunstvolle Stickerei zu bewundern. Obwohl ihre Kenntnisse der Mythologie eher dürftig waren, nahm sie an, dass es sich um einen adlerköpfigen Greif handelte.

Jonathan wird sicher genau wissen, was es ist, dachte sie, drehte sich um und schlang den Gürtel des Kimonos um ihre Taille.

Apropos Jonathan. Wo steckte er nur? Hatte man ihn nun ins Kloster geführt, so wie Oren es ihr auf dem Zettel mitgeteilt hatte? Oder schlief er immer noch tief und fest im Pavillon? Belinda schaute auf ihr Handgelenk, nur um sich zu erinnern, dass ihre Uhr in der Tasche lag, die sie vor ihrer Entdeckungstour zurückgelassen hatte.

Wie spät es wohl war? Stunden schienen bereits vergangen zu sein, seit sie erst das Haus und dann diesen eleganten roten Raum betreten hatte. Und doch war es sicher noch recht früh am Tage. Es gelang ihr nicht wie sonst, die ungefähre Zeit zu schätzen – auch nicht, als sie aus dem Fenster schaute. Die Sonne schien zwar, aber ihre strahlende Scheibe wirkte irgendwie diffus, fast wie durch einen Schleier vernebelt. Im Gegensatz dazu schien der gesamte Himmel hell zu leuchten. Ein brillantes Blau, das die Landschaft und den Garten in ein gleißendes Licht tauchte. Belinda hatte das merkwürdige Gefühl, in einer Seifenblase gefangen zu sein. Sowohl das Kloster als auch der Park wirkten wie ein Ort jenseits von Zeit und Raum. Eigentlich hätte sie sich sorgen müssen, aber irgendetwas in ihr hielt das für keineswegs notwendig …

Hinter der eingelassenen Tür befand sich tatsächlich ein Badezimmer – wunderschön eingerichtet und mit guterhaltenen antiken Armaturen ausgestattet.

«Was? Kein blauäugiger Mann an der Wand?», sagte sie scherzhaft zu sich selbst und stellte das Wasser an.

Belindas Bad dauerte eine ganze Weile. Nicht nur weil sie sich nach 24 Stunden ohne eine ordentliche Waschgelegenheit verschwitzt und schmutzig fühlte, sondern auch weil die altmodische Ausstattung des Badezimmers sie überaus faszinierte.

Die Wanne, das Waschbecken und die Toilette waren riesengroß und aus glänzend weißem Porzellan. Das Ensemble wirkte zwar durchaus altmodisch, war aber bestens in Schuss. Und das heiße Wasser war nicht alles, was Belinda zum Verwöhnen vorfand. In einer Ecke entdeckte sie einen ganzen Vorrat an luxuriösen Toilettenartikeln, um jeden ihrer weiblichen Wünsche nach Pflege und Entspannung zu befriedigen. Die Seife und die Körperlotion dufteten nach Kamille, die Gesichtscreme war reichhaltig und hochwertig, und die Zahnpasta hatte einen leichten, aber köstlichen Kräutergeschmack. Hinzu kamen die dicksten, flauschigsten Handtücher, die Belinda jemals in ihrem Leben benutzt hatte. Sie fühlten sich weich an – wie der Atem eines Babys.

Als Belinda schließlich sauber, erfrischt und belebt in das rotgoldene Zimmer zurückkehrte, erwarteten sie dort noch mehr Überraschungen.

Auf dem Bett lag ein wunderschönes, wenn auch recht altmodisches Gewand: Ein zartes, knöchellanges Trägerkleid aus weißer Baumwolle, von dem sie annahm, dass es sich eher um viktorianische Unterwäsche als um ein normales Kleidungsstück handelte. Daneben lagen ein weites Höschen aus austernfarbener Seide und ein paar flache

Slipper, deren Zehen mit Mandala-Symbolen bestickt waren. Wenig zwar, aber als die junge Frau alles angezogen hatte, fühlte sie sich einigermaßen bekleidet. Der Stoff des Kleidchens war allerdings ausgesprochen dünn und ließ ihre Brustwarzen deutlich hindurchscheinen – ein Anblick, der sie etwas beunruhigte, gleichzeitig aber auch entzückte.

Von Belindas eigenen Sachen fehlte jede Spur. Sie konnte nur annehmen, dass Oren oder sonst wer während ihres Bades in den Raum geschlüpft war und ihre schmutzige Kleidung zum Waschen fortgenommen hatte.

Man hatte ihr auch etwas zu essen hingestellt: ein großes Glas Milch und mehrere Scheiben selbstgebackenes, dick mit Butter bestrichenes Brot. Sicher, im Zeitalter von Diäten und Cholesterin-Angst absolut tabu, aber im Grunde genau das, worauf sie jetzt Appetit hatte. Die Milch war fett und schaumig, das Brot noch warm, und die Butter glänzte in hellem Gelb und schmeckte nach purer Sonne.

Jetzt fehlte Belinda einzig und allein noch Gesellschaft.

Da sie immer noch nicht wusste, wie spät es war, konnte die junge Frau nicht sagen, ob es sich bei ihrer Mahlzeit nun um Frühstück, Mittagessen oder vielleicht sogar schon um den Nachmittagstee handelte. Doch das hielt sie nicht davon ab, ihren Hunger an den Köstlichkeiten zu stillen. Nachdem sie auch die letzten Krumen vertilgt hatte, wurde sie auf einmal unruhig. Sie trat an das offene Fenster und hoffte, Jonathan irgendwo zu entdecken.

Aber weder er noch sonst jemand war zu sehen. Beim Blick aus dem Fenster fiel ihr jedoch der angelegte Garten ins Auge. Er war üppig mit Blumen bepflanzt, die von hier oben wie ein bunter Teppich wirkten. Als sie die aufsteigenden Düfte einatmete, zog sie verwirrt die Stirn in Falten.

Wie hatte sie das gestern Abend übersehen können? Ihr

waren nur ein paar spärliche Sträucher und sturmgepeitschte Bäume aufgefallen. Die brillanten Farben der Blumen waren doch sicher nicht über Nacht entstanden – und doch konnte sie sich nur an eine verdorrte, tote Einöde erinnern.

Da muss ich mit meinen Gedanken wohl woanders gewesen sein, sinnierte sie und betrachtete einen Schwarm zwitschernder Vögel, die über den Park hinwegflatterten.

«Und? Was jetzt?», fragte Belinda in Richtung ihrer blauäugigen Gesellschaft, als ob der Mann auf dem Bild wirklich lebte und ihr einen Ratschlag hätte geben können.

Die Augen des Dargestellten betrachteten sie stumm und doch mit stiller Herausforderung in ihrem uneindeutigen Blick. Belinda schüttelte den Kopf, als sie bemerkte, dass sie fast tatsächlich mit einer Antwort von ihm gerechnet hatte.

Auf jeden Fall konnte sie nicht den ganzen Tag hier in diesem Zimmer herumlungern und auf Jonathan warten.

Mit einer undefinierbaren, durchaus von Furcht durchzogenen Sehnsucht öffnete sie die schwere Tür und trat in den getäfelten Korridor hinaus. Zu ihrer Linken ging es in Richtung der großen Treppe und der unteren Etage. Dorthin müsste sie gehen, um Jonathan, Oren oder vielleicht sogar den Besitzer des Anwesens zu finden. Der Trakt zu ihrer Rechten war unerforschtes Gelände. Die Stimme der Vernunft riet ihr, nach links zu gehen und die Situation zu klären, doch zu Belindas eigener Überraschung ignorierte sie diese Stimme und wandte sich nach rechts. In der Mitte des Korridors lag ein dicker Läufer, der jedes Geräusch ihrer Schritte schluckte.

Nach ein paar Metern fand die junge Frau sich in einer langen, luftigen Galerie mit weiteren Porträts wieder, in der zusätzlich eine ganze Reihe von Kunstobjekten und Antiquitäten standen. Auch hier hingen schwere Samtvorhänge von der Decke bis zum Teppich, dessen aufwendiges Muster an einigen Stellen von feinen Sonnenstrahlen geküsst wurde. Der Großteil des Flures lag allerdings im Schatten und wirkte so unheimlich, dass Belindas Nackenhaare sich ohne ersichtlichen Grund sträubten. Sie richtete sich voller Entschlossenheit auf und ging mit resolutem Schritt auf den ersten Lichtstrahl zu.

Und wieder waren es die blauen Augen, die im Mittelpunkt der Porträts standen. Diesmal befanden sich unter den Dargestellten auch mehrere Frauen. Immer ein und dieselbe Frau, um genau zu sein. Eine schlanke, sanft dreinblickende Schönheit, deren langes, kunstvoll frisiertes tizianrotes Haar und cremeweiße Haut Belinda seltsam bekannt vorkamen.

«Deinen Freund kenne ich nicht, aber dich schon», sagte Belinda vor einem der Bilder, das die hinreißende Person in einem grünen Samtkleid zeigte. «Obwohl ich beim besten Willen nicht weiß, woher.» Die Erkenntnis war fast greifbar. Doch je mehr die junge Frau versuchte, den Gedanken zu fassen, desto weiter entfernte er sich wieder. Es dauerte nicht lange, und sie bekam Kopfschmerzen. Belinda rieb sich die Augen und setzte ihren Weg durch die Galerie fort.

Der Besitzer des Anwesens besaß ebenso schöne wie auch seltsame Dinge. Statuen von Göttern und Göttinnen aus dem ägyptischen Pantheon. Eine lange Reihe von Darstellungen verschiedener tierköpfiger Gottheiten auf Holztafeln. Vergoldete Kästen, deren Deckel offen standen, sodass man die darinliegenden, mumifizierten Wesen sehen konnte: Katzen, Schlangen, ja selbst ein Wolf. Riesige, jeweils in Paaren ausgestellte Kristallkaraffen, deren angedeutete Ausgussschnäbel ineinander verschlungen waren. Ausgestopfte Vögel unter Glasstürzen, die in Flug- oder Streithaltung festgehalten waren. Zwei zwergenhafte, menschliche Figuren aus purem Gold, mitten im Geschlechtsakt auf einer Art Altar.

Obwohl niemand anwesend war, vor dem sie sich hätte genieren können, errötete Belinda bei der letzten Darstellung. Die kopulierenden Figuren stammten von einem meisterlichen Handwerker. Jedes Detail war perfekt, ekstatisch und sehr lebendig – von den lustverzerrten vergoldeten Gesichtern bis hin zu den kunstvoll geformten Genitalien, die durch die Stellung des Paares deutlich zu sehen waren. Der dicke Penis des Mannes spießte die gedehnte Vagina der Frau förmlich auf.

Je näher Belinda das liebende Paar betrachtete, desto wärmer wurde das Gefühl, das sich in ihrem Bauch ausbreitete. Plötzlich meinte sie, ein Lachen zu hören, und drehte sich blitzschnell um.

Doch die Galerie war leer.

Das ist ja verrückt, dachte sie. Es liegt sicher an den vielen Augen auf den Bildern, dass ich mich so beobachtet fühle. Hier ist niemand. Ich bin ganz allein. Nichts als Einbildung.

Als auch noch eine Tür knarrte, wirbelte die verängstigte Frau erneut herum. Ihr Herz klopfte, ihre Kehle schnürte sich zusammen, und sie bekam einen trockenen Mund.

«Wer ist da?», rief sie laut. Gleichzeitig fiel ihr auf, dass eine bisher verborgene Tür am Ende der Galerie einen kleinen Spalt offen stand. «Wer ist da?», wiederholte sie. Plötzlich kam ihr ein Gedanke. «Es tut mir leid, wenn ich mich hier verbotenerweise aufhalte … Ich konnte niemanden finden …»

Doch es kam keine Antwort, und die Tür öffnete sich auch nicht weiter. Belinda ging zögerlich darauf zu, blieb aber sofort wie angewurzelt stehen, als sie ein zweites Geräusch hörte.

Es war ein schwacher Schrei. Die Art von unverständlichem Stöhnen, wie man es in Albträumen von sich gibt. Belindas Hand blieb wie festgefroren auf der Türklinke liegen. Was mochte wohl dahinter im Dunkeln verborgen liegen?

Sie nahm allen Mut zusammen und drückte die Tür ein bisschen weiter auf. Erleichtert stellte sie fest, dass der Raum dahinter nicht in völliger Dunkelheit lag. Von oben fiel ein schwaches Licht auf ein Vestibül und die Stufen einer steilen Wendeltreppe, auf die Belinda nun langsam zuging. Nachdem sie trotz angestrengtem Lauschen keine weiteren Geräusche mehr ausmachen konnte, stellte sie ihren Fuß auf die erste, ausgetretene Stufe.

«Jetzt gilt's», flüsterte sie und begann den Aufstieg. Der Schrei und die ganze Situation hatten sie nervös gemacht. Mehr als nervös. Sie war voller Angst, verspürte gleichzeitig aber auch eine unerklärliche Erregung. Ihre Brustwarzen unter dem dünnen Kleid waren hart und puckerten.

Die Ohren immer noch gespitzt, erklomm Belinda die Stufen so langsam und vorsichtig, wie sie nur konnte. Die geschwungene Konstruktion der Treppe ließ sie sich ganz schwindelig fühlen und sorgte dafür, dass sie sich in wilder Angst an das wackelige Geländer klammerte. Die Steinstufen schickten einen kühlen Schauer durch die dünnen Sohlen ihrer Slipper.

Nach der Anzahl der noch verbleibenden sichtbaren Stufen zu urteilen, hatte sie jetzt die Hälfte des Weges hinter sich. Sie befand sich auf einem kleinen Absatz vor einer getäfelten Tür. Belinda zog kurz in Erwägung, in den Raum dahinter zu schauen, wusste aber instinktiv, dass sie ihr Ziel noch nicht erreicht hatte und weitergehen musste.

Nach einer weiteren schwindeligen Minute hatte sie schließlich die letzte Stufe erreicht. Sie blieb kurz stehen und atmete tief durch. Ihre Hand klammerte sich immer noch an das dünne eiserne Geländer. Die junge Frau nahm an, dass sie sich jetzt in dem Turm befand, den sie von außen gesehen hatte. Er schien aus zwei Etagen mit je einem großen Raum zu bestehen. Als sie wieder zu Atem gekommen war und auch ihr Herzschlag sich wieder beruhigt hatte, stellte Belinda fest, dass sie wieder auf einem kleinen Absatz stand und dass die Tür vor ihr zum oberen Zimmer führen musste.

Es ist wie im Märchen, dachte sie und legte ihre Hand auf den massiven Eisenknauf. Obwohl sie immer noch nicht wusste, ob sie das Richtige tat, drehte sie den Knauf, und die Tür schwang leise und sanft auf.

Das Zimmer dahinter hatte ebenfalls Wände aus blankem Stein, aber hier waren sie mit riesigen Wandteppichen geschmückt. Die Fenster waren mit den allgegenwärtigen Samtvorhängen versehen. Beleuchtet wurde der Raum nur von mehreren dicken Kerzen, die auf prunkvollen Leuchtern thronten. Nachdem Belinda all diese Gegenstände in nur ein paar Sekunden registriert hatte, fiel ihr Blick auf ein großes Bett in der Mitte des Zimmers, das von Dutzenden dünner Stoffbahnen verhängt war.

Auf dem Bett lag ein völlig nackter Mann mit langem, zerzaustem Haar. Sein Gesicht kannte sie bereits allzu gut.

Der Mann mit den blauen Augen!, dachte Belinda und biss sich auf die Lippen, um ihren Gedanken nicht laut auszusprechen. Mit langsamen, ruhigen Schritten durchquerte sie den Raum und schob die Stoffbahnen beiseite.

Der schlummernde Mann – ganz offensichtlich der Jüngste in dieser Linie – schien weitaus attraktiver als irgendeiner seiner bärtigen Vorfahren, wenn auch die Familienähnlichkeit nicht zu übersehen war. Er hatte sehr blasse Haut, und das dunkle Haar war mit blonden Strähnen durchsetzt. Seine starken Gliedmaßen und der Rumpf waren klassisch geformt. Doch trotz der Schönheit seines Körpers konnte Belinda nicht verhindern, dass ihre Aufmerksamkeit sich sofort auf seine Genitalien richtete. Sie war schockiert, als sie seinen halberigierten Schwanz bemerkte, der unter ihren Blicken beunruhigend zuckte und immer größer wurde.

Obwohl sie die Sonne nicht sehen und daher auch nicht wissen konnte, wie spät es wirklich war, kam es der jungen Frau plötzlich merkwürdig vor, dass der Mann mitten am Tage schlief. Ob er krank war? Hatte er sie deshalb vorhin nicht begrüßen können? Sie warf einen genaueren Blick auf seine seltsame, unnatürliche Blässe.

Der Schläfer sah aus, als hätte er das Haus schon seit Jahren nicht mehr verlassen. Doch obwohl seine Haut nicht die geringste Bräune aufwies, sah er paradoxerweise in keiner Weise ungesund aus. Sein Körper war muskulös und schien ausgesprochen fit und trainiert zu sein. Lediglich die von der Sonne unberührte Haut ließ ihn wie einen Invaliden aussehen.

Auch an seiner Rute war ganz und gar nichts Zerbrechliches. Im Gegenteil – sie schien mit jeder Sekunde wilder zu werden. Belinda hielt den Atem an, als der Mann sich leicht bewegte und dann seinen Schwanz anfasste.

Sie stand am Fuß des Bettes und wiegte sich vor Erregung hin und her. Der schlafende Mann war so attraktiv, und seine Berührungen machten sie so heiß, dass ihr eigenes Geschlecht zu zucken begann und feucht wurde. Am liebsten hätte sie ihre Hand in das geliehene Höschen geschoben, während sie den schläfrigen Mann voller Lust dabei beobachtete, wie er seinen harten Riemen mit langen, festen Strichen wichste. Ihre Knie wurden weich, und sie hätte sich am liebsten am Bettpfosten festgehalten. Doch die

Angst, den jungen Mann bei seinem Tun zu stören, hielt sie davon ab. Er wand sich auf dem Laken, murmelte einige Worte in fremder Sprache und rief kurz darauf mit immer größerer Vehemenz und gequälter Stimme einen Namen: « Belle ! »

Belinda rechnete fest damit, dass er jeden Moment die zweifellos strahlend blauen Augen aufschlagen und bemerken würde, dass sie da stand und ihn beobachtete. Am vernünftigsten wäre gewesen, sich wegzuschleichen, solange er noch zu verschlafen war, um sie zu bemerken. Aber die junge Frau war so verzaubert von seinem Anblick, dass sie stehen blieb.

Jetzt zuckte er schon und presste seinen starken Körper gegen die Matratze, während seine klammernden Finger ihr lüsternes Werk fortsetzten. Belinda konnte nicht mehr anders und presste einen Handballen gegen ihr Schambein und versuchte so, den süßen Schmerz der immer wilderen Lust zu stillen.

« Belle ! Oh Belle ! », stöhnte das gequälte Wesen auf dem Bett, um gleich darauf in den nächsten unverständlichen Wortschwall zu verfallen. Er hob seinen Po an und jagte seinen Schwanz durch die geschlossene Faust. Als das Ächzen und Grunzen zu einem langen, erstickten Stöhnen wurde, schaute Belinda weg – nicht verlegen, aber zu aufgewühlt von seiner Schönheit, um seinen Höhepunkt mit anzusehen.

Mit fest geschlossenen Augen und der Hand im Schritt wartete sie wie erstarrt darauf, entdeckt zu werden. Doch es passierte nichts. Sie öffnete die Augen wieder, war aber immer noch nicht in der Lage, den Mann auf dem Bett anzuschauen. Ungeachtet der tiefen sexuellen Frustration in ihrem Bauch schaute sie sich hektisch im Raum um, bis ihr Blick an einem Gegenstand hängenblieb, der ihr erneut den Atem stocken ließ.

Auf einer schweren Anrichte in der Nähe des Bettes stand ein kleiner, verzierter Kasten aus feinem rötlichem Holz. Die Schatulle selbst war eigentlich nicht weiter bemerkenswert. Sie war Belinda nur aufgefallen, weil sie im Dunkeln leuchtete und in einem unirdischen blauen Licht pulsierte – und zwar in völligem Gleichklang mit dem Atem des schlafenden Fremden.

Ihre Lust war wie verflogen, und sie konnte nur noch auf das seltsame Phänomen starren. Was zum Teufel war hier los? War das irgendein Trick, oder ging schon wieder die Phantasie mit ihr durch? Die Schatulle leuchtete ohne Zweifel, und der Rhythmus des Pulsierens war eindeutig gleichmäßig. Etwas in ihr wollte sich den Kasten genauer ansehen, doch die Vernunft sorgte dafür, dass sie sich zurückhielt. Es gab ein ganz besonderes persönliches Band zwischen dem Schlafenden und dem zarten blauen Licht, und die junge Frau hatte mit einem Mal das Gefühl, als würde sie es mit ihrer Neugier zerschneiden. Leise drehte sie sich um und ging mit einer Mischung aus Verzauberung und echter Angst zurück zur Tür. Nachdem sie den Raum verlassen hatte, raste sie ungeachtet ihres vorherigen Schwindelgefühls in halsbrecherischer Geschwindigkeit die Wendeltreppe hinab. Als sie völlig atemlos endlich wieder in der Galerie angelangt war, brach Belinda auf einem Holzstuhl zusammen. Sie schnappte nach Luft und versuchte, wieder einen klaren Kopf zu bekommen.

Auf was hatte sie sich hier nur eingelassen? Wer war dieser attraktive, schlafende Mann, den sie gerade beim Masturbieren beobachtet hatte? Und was zum Teufel steckte in dieser leuchtenden Schatulle?

Belinda spürte eine panische Angst in sich aufsteigen und sehnte sich mit einem Mal nach Jonathan mit seinem lieben und unspektakulären Gesicht. Wie gern hätte sie jetzt seine angenehme Stimme gehört, mit der er ihr garantiert eine vernünftige Erklärung für all das geben würde.

Irgendwann gelang es der aufgeregten Frau, ihre Gedanken wieder etwas zu ordnen. Ihre Begegnung mit Oren schien Stunden her zu sein. Wenn kurz danach tatsächlich jemand nach Jonathan geschickt worden war, dann musste er jetzt bereits im Kloster sein. Irgendwo in diesem Labyrinth aus Korridoren und Zimmern musste er stecken.

Belinda stand auf und ging entschlossenen Schrittes durch die Galerie. Dabei würdigte sie die blauen Augen, die sie von den Porträts aus zu beobachten schienen, keines Blickes.

Was sie jetzt brauchte, war Normalität. Und ein Gefühl der Sicherheit. Ein bisschen Trost von einem Mann, dessen Augen nicht blau waren …

Kapitel 4

Bestärkung

«Wo bist du denn gewesen?», fragte Jonathan ungeduldig, als Belinda in den opulenten roten Raum trat, den sie jetzt wohl als ihr Zimmer bezeichnen konnte.

«Dasselbe könnte ich dich fragen», fuhr sie ihn an. Sie hatte auf Verständnis gehofft und nicht mit einer strengen, knappen Frage gerechnet.

Jonathan lag auf der weichen roten Tagesdecke. Er trug ein ziemlich ausgeleiertes weißes T-Shirt, Khaki-Shorts und war barfuß. Sein dunkles Haar war nass und nach hinten gekämmt, als wäre er gerade aus der Dusche gekommen. Als Belinda auf ihn zuging, setzte er sich auf die Bettkante. Ihre aggressive Reaktion schien ihn zu irritieren.

«Entschuldige bitte», sagte Belinda in etwas milderem Ton. Jonathan sah genauso verwirrt aus, wie sie sich fühlte, und es schien einfach dumm zu sein, sich wegen nichts zu streiten. Schließlich saßen sie beide in einem Boot. «Ich habe mich nur ein bisschen umgesehen, während ich auf dich wartete. Oren sagte mir, dass er jemanden nach dir schicken würde.»

«Wer ist Oren?», erkundigte sie Jonathan, als seine Freundin sich neben ihn setzte.

Irgendetwas in der Stimme ihres Kollegen ließ Belinda stutzig werden, und als sie ihn näher betrachtete, fiel ihr sein wachsamer Gesichtsausdruck auf.

«Das lässt sich schwer sagen», begann sie und bemerkte gleichzeitig, wie Jonathan eine gewisse Röte ins Gesicht schoss. Wieso wohl? War es vielleicht die Erinnerung an die vergangene Nacht? Was sie da im Pavillon getrieben hatten, war ziemlich wild gewesen. «Ich weiß nicht genau, wer er ist», fuhr sie fort und versuchte, ihrem eigenen Gesichtsausdruck etwas Neutrales zu verleihen. Die Frage nach dem Grund für Jonathans Verlegenheit blieb. «Er scheint so eine Art Bediensteter zu sein. Einen Butler stellt man sich allerdings anders vor. Ich traf ihn an der Eingangstür, wo er mich schon zu erwarten schien. Das Ganze war sehr merkwürdig.» Während dieser Worte fiel ihr wieder ein, dass der stumme Mann tatsächlich in keiner Weise überrascht gewesen war, sie zu sehen. «Er hat mich jedenfalls im Namen seines Herrn willkommen geheißen und mich auf dieses Zimmer gebracht. Das war ziemlich schlau von ihm, wenn man bedenkt, dass er nicht sprechen kann.»

«Du meinst, er ist auch stumm?»

«Was soll das heißen – auch?»

«Die beiden Mädchen, die mich abgeholt haben, konnten auch nicht sprechen.» Jonathans Gesichtsfarbe war noch dunkler geworden. «Aber … Na ja, es schien mir jedenfalls das Beste zu sein, ihnen einfach zu folgen.» Sein Blick wich dem von Belinda aus, und er nestelte an einem unsichtbaren Faden auf der Tagesdecke.

Ganz offensichtlich war irgendwas zwischen Jonathan und diesen unbekannten, sprachlosen Mädchen vorgefallen – das merkte sie genau. Normalerweise hätte sie mit Misstrauen und Zorn reagiert, doch zu ihrer eigenen Überraschung empfand sie die Vorstellung von Jonathan mit zwei anderen Frauen als überaus faszinierend. Sein sichtliches Schuldgefühl löste einen seltsamen inneren Aufruhr in ihr aus – ein Gefühl der Überlegenheit, das ziemlich erregend war.

«Haben die beiden dich auf dieses Zimmer gebracht?»,

fragte sie in möglichst neutralem Ton. «Ich nehme doch wohl an, du hast ihnen gesagt, dass wir zusammen hier sind?»

«Habe ich …», fing er an, schwieg dann aber wieder und zog mit den Fingern eine Linie auf der Samtdecke. «Aber ich bin nicht sicher, ob sie mich verstanden haben. Mir wurde ein Zimmer am Ende des Korridors zugeteilt. Sie bestanden darauf, und es schien mir einfacher, nicht zu widersprechen.» Er schaute sie mit gerunzelter Stirn an. «Nachdem ich geduscht hatte, habe ich mich ein bisschen umgesehen und diesen Raum hier entdeckt. Ich weiß nicht, wieso, aber irgendwie habe ich gespürt, dass du hier drin warst.» Jonathan zuckte mit den Schultern und schaute sich um. «Ist schon merkwürdig, das Ganze, was?» Belinda nickte, die Augen immer noch auf sein Gesicht gerichtet. «Ich meine, gestern Abend sah der Kasten noch total runtergekommen aus. Und das tut er von außen immer noch. Aber von innen ist es der reinste Palast. Allein die Möbel müssen ein Vermögen wert sein.»

«Stimmt. Ich habe mich auch schon ein bisschen umgeschaut. Das ganze Haus ist voller Gemälde, Antiquitäten und allen möglichen seltsamen und tollen Schätzen.»

«Hör mal …», Jonathan zögerte, bevor er weitersprach, «es könnte doch ganz nett sein, ein bisschen hierzubleiben. Wir scheinen doch sehr willkommen zu sein.»

Als Belinda kurz über die Idee nachdachte, fiel ihr auf, dass sie unbewusst schon dasselbe gedacht hatte. Es war sehr verlockend, aber es mussten auch einige praktische Dinge bedacht werden. «Was ist mit dem Auto? Wir müssen es reparieren lassen. Und Paula können wir auch nicht einfach so sitzenlassen», sagte sie und dachte an ihre Freundin, die auf sie wartete. «Sie wird sich sicher fragen, wo wir abgeblieben sind.»

«Sie könnte doch auch herkommen», schlug Jonathan vor.

Belinda schüttelte den Kopf. «Wir können doch nicht einfach Leute hierher einladen. Das ist nicht unser Haus. Und wem immer es auch gehört, es könnte gut sein, dass er auch uns noch heute hier raushaben will.»

Doch selbst während dieser Worte war die junge Frau schon sicher, dass sie sich irrte. Sie wusste nicht, wieso, hatte aber das merkwürdige Gefühl, der Herr des Anwesens – der schlafende Mann in dem Turm – wollte unbedingt, dass sie beide hierblieben. Oder zumindest dass sie hierblieb. Eine Welle der Verzweiflung durchflutete sie. Doch es war nicht ihre eigene, sondern eine Empfindung, die von irgendwo anders herkam. Ganz plötzlich wurde ihr kalt, und sie begann zu zittern.

«Ist alles okay, Kleines?», erkundigte sich Jonathan, rückte näher an sie heran und legte den Arm um sie. «Du hast dir doch wohl keine Erkältung eingefangen, oder?» Fürsorglich legte er ihr eine Hand auf die Stirn.

«Nein, keine Sorge. Mir geht's gut», entgegnete sie und spürte doch eine merkwürdige Mischung aus unterschiedlichsten Gefühlen. Verwirrung, düstere Vorahnung, Aufregung, Erregung – all diese Emotionen wirbelten in ihrem Inneren durcheinander, und sie hatte keinen Schimmer, wie sie entstanden waren. Ganz besonders verblüffend war die unglaubliche Woge der Lust, die eben gerade wie ein Sturm aus dem Nichts über sie hinweggeschwappt war. Ihre anfänglich leichte Erregung hatte sich binnen weniger Sekunden zu einer leidenschaftlichen Gier auf ihren Gefährten entwickelt. Sie wandte sich ihm zu, legte eine Hand auf seinen Hals und zog ihn zu einem Kuss heran.

Jonathan scheute etwas zurück, sah sie mit fragenden Augen an, gab Belindas festem Griff jedoch schnell nach.

Sie konnte die Verwirrung ihres Freundes fast schmecken, als er seinen Mund zögerlich öffnete, die Liebkosungen ihrer bohrenden Zunge dann aber schnell erwiderte. Mit einem Seufzen sank das Paar zurück aufs Bett.

Als André von Kastel oben im Turm mit einem Lächeln die Augen öffnete, spürte er eine vitale Energie durch seinen Körper fließen. «Ich stehe in Eurer Schuld», bedankte er sich bei seinen Gästen zwei Stockwerke unter ihm.

Mit einem Strecken testete er seine körperlichen Fähigkeiten. Er war zwar gelenkiger und kräftiger als zuvor, aber trotzdem noch weit von seiner normalen Stärke entfernt. Trotz der geschlossenen Vorhänge spürte er, dass es erst Nachmittag war und er somit noch ausreichend Zeit hatte, zu seiner alten Form zurückzukehren. Bei Einbruch der Dunkelheit würde er wieder so sein, wie er einst gewesen war – und das alles dank eines Liebespaares, das der Sturm unter sein Dach geweht hatte.

Er setzte sich langsam und vorsichtig auf. Ein bisschen unsicher war er zwar noch, erlangte aber schon nach einem kurzen Moment die volle Kontrolle über sein Gleichgewicht wieder. André fuhr sich mit den Fingern durchs Haar und sehnte sich mit einem Mal nach einem erfrischenden Bad und frischgewaschenen Kleidern. Trotz seines speziellen Zustands war er im Grunde doch immer noch ein Mensch, der während seiner langen Schlafphasen auch schwitzte. Und offensichtlich nicht nur das – auf seinem Bauch und den Schenkeln hafteten Spritzer von angetrocknetem Sperma, das in seiner lackähnlichen Konsistenz auf seiner Haut spannte.

Ob ich wohl stehen kann?, fragte sich der junge Mann und schwang seine nackten Beine über die Bettkante. Mit der Hand auf den Bettpfosten gestützt verlagerte er sein Gewicht langsam auf die Füße und erhob seinen zitternden Körper in eine aufrechte Position.

Ihm wurde sofort schwindelig. Seine Knie fühlten sich wie Gelee an, mit der Konzentration auf seine nichtsahnenden Gäste jedoch gelang es ihm schließlich, mehr und mehr Kraft von innen aufzubauen. Die beiden vergnügten sich gerade, und ihre Zärtlichkeiten, ihr Streicheln und die wachsende Leidenschaft waren eine Quelle, aus der er Energie schöpfen konnte. Schon nach kurzer Zeit stand er mit beiden Beinen fest auf dem Boden und schwankte kaum noch.

André wollte gerade die ersten Schritte tun, als es leise an der Tür klopfte. Er sah, dass es Feltris, die Jüngste und Schüchternste seiner stummen Dienerschaft, war. Sie trug ein Silbertablett mit einigen kleinen Objekten und verbeugte sich kurz, bevor sie über die Türschwelle trat. Die Schritte des blonden Mädchens waren federleicht und auf dem dicken Teppich völlig lautlos. Sie schien förmlich zu gleiten, als sie lächelnd näher kam. André lächelte ebenfalls. Auf dem Tablett stand eine Reihe von kleinen Gefäßen aus Porzellan, von denen er bereits wusste, was sie enthielten.

Nachdem die Dienerin das Tablett ehrfürchtig neben die magisch leuchtende Rosenholzschatulle gestellt hatte, ging Feltris direkt auf André zu und kniete sich hin, um ihm die Füße zu küssen.

«Deine Klugheit ist genauso groß wie deine Schönheit, Feltris, mein Engel», sagte er mit ruhiger Stimme und hieß sie, wieder aufzustehen. «Ich danke dir vielmals, dass du geahnt hast, was ich jetzt brauche.» Plötzlich fühlte er wieder eine Schwäche in sich aufsteigen und sank zurück auf das Bett. Das stumme Mädchen schaute ihn besorgt an. «Mach dir keine Sorgen», sagte er und zog sie zu sich aufs

Bett, wo sie ihm sofort einen stützenden Arm um die Schulter legte. «Unsere neuen Freunde werden schon bald dafür sorgen, dass es mir bessergeht.» Der erschöpfte Mann sah Feltris mit festem Blick an und zwinkerte ihr dann aufmunternd zu. «Sie sind voller Leidenschaft – also genau das, was ich brauche.»

André schaute hinüber zu der blauglühenden Schatulle und fragte sich kurz, ob er dem Mädchen von seinen Vermutungen bezüglich der gerade eingetroffenen Frau erzählen sollte. Doch er besann sich schnell eines Besseren. Schließlich konnte er auch irren und alles nur reines Wunschdenken sein – ein Hirngespinst seiner verzweifelten Hoffnung. Außerdem war es überaus wahrscheinlich, dass Oren dem scheuen Mädchen bereits von der besonderen Bedeutung ihrer neuen Besucherin berichtet hatte und die Dienerin wusste, was möglicherweise schon bald passieren könnte.

Ganz gegen seinen Willen bäumten sich Andrés Hoffnungen wild in ihm auf – und mit ihnen seine wiedergeborene Libido. Sein kaltes Blut raste, und sein Schwanz wurde hart.

«Streichle mich», flüsterte er Feltris lüstern zu.

Mit einem wortlosen Murmeln der Zustimmung griff die junge Frau ihm zwischen die Beine und rieb seinen Stab mit geschickter Hand. Während sie ihn streichelte und liebkoste, fiel André nach hinten auf das Bett. Sein Leib bäumte sich auf, und seine bloßen Füße trampelten wie wild auf dem Teppich. Ganz vernebelt vor Lust wanderten seine Gedanken unwillkürlich in die Vergangenheit …

Er erinnerte sich an eine Sommernacht in einer Gartenlaube. Er und Arabelle waren ihrer gestrengen Anstandsdame entkommen und saßen auf einer Bank. Ihre Schönheit und Frische, ihre unschuldigen Küsse mit offenem Mund hatten ihn damals so sehr um den Verstand gebracht, dass er jede Vernunft fahrenließ. Er konnte noch genau ihren überraschten, ja erschrockenen Schrei hören, als er bar jedes Beherrschungsvermögens seinen Stab aus dem Gefängnis seiner Kleidung befreit hatte.

«Was ist das, André? Was ist nur los mit dir?», fragte sie, die lieblichen Augen weit aufgerissen auf seinen Penis gerichtet. «Bist du krank?»

«Nein. Es ist alles in Ordnung», erwiderte er keuchend. «Das passiert immer, wenn ein Mann eine Frau so sehr liebt, wie ich dich liebe.»

«Aber ich verstehe nicht ... Hast du Schmerzen?»

«Nein ... Ja ...», stammelte André und war genauso verwirrt von seinen starken Gefühlen wie sie. «Das ist schwer zu erklären, mein Liebling», fuhr er fort und spürte das Blut in seinem Herzen und seinem Luststab pulsieren. «Es tut schon ein bisschen weh. Aber es ist ein angenehmer Schmerz.»

Arabelle legte die Stirn in Falten und biss sich auf die Lippen. Sie sah seinen unbedeckten Knüppel an, als wäre er eine Schlange – kein hässliches Monster, aber eine Schlange, die ebenso schön und hypnotisierend wie tödlich war. Trotz einer ausgesprochenen Verlegenheit sah André fasziniert zu, wie sie ihm ihre schmale Hand entgegenstreckte.

«Gibt es etwas, womit ich dir helfen kann, mein Geliebter?», fragte sie, die Augen immer noch auf seine Erektion geheftet.

Da gibt es tausend Dinge, dachte André und stellte sich sogleich vor, wie er das perfekte junge Wesen in seine Arme reißen und dann sanft auf die Wiese vor ihnen legen würde. Er wollte ihre Röcke und Unterröcke anheben, ihre zarten Schenkel spreizen und sein gequältes Fleisch dann tief in ihrer weichen Mitte versenken. Er wollte ihren Körper reiten, bis beide von der Ekstase fortgerissen wurden.

«Das könnte helfen», flüsterte er, nahm ihre kleine weiße Hand und legte sie um sein steifes Organ.

«Es ist so warm», hörte er sie wispern. «So warm ...»

Ganz plötzlich drangen ihre hallenden Worte durch das Tor der Vergangenheit, und sein Leib glitt zuckend vor Wollust in das Hier und Jetzt zurück. Selbst als er ejakulierte, war er sich der erschütternden Ironie der Gegensätze bewusst: seine Kälte, die einst so warm gewesen war, aber auch Feltris' Geschicklichkeit im Gegensatz zu Belles zögernder Unschuld. Während seine Essenz aus ihm herausspritzte, überschwemmten ihn Wellen reiner Verzückung. Doch in seinem Herzen weinte er um das, was er verloren hatte.

«Oh Lindi, ja ...», stöhne Jonathan, als sie ihre Möse an ihm rieb. «Das ist so geil! Bitte besorg es mir! Oh Gott!»

Belinda sah verträumt und lächelnd auf ihren Partner hinab. Sie waren beide immer noch angezogen, doch sie hockte ziemlich unelegant auf Jonathans Hüften und massierte ihren Kitzler durch mehrere Kleidungsschichten hindurch an seinem steifen Prügel.

Du benutzt ihn doch nur, dachte sie, warf mit geschlossenen Augen den Kopf zurück und ließ ihr Becken kreisen. Er ist einfach nur ein Objekt. Etwas Hartes, an dem man sich befriedigen kann. Du bist eine Schlampe, Kleines. Eine Nymphomanin. Das ist wirklich nicht nett von dir.

Plötzlich schrie Jonathan klagend auf – fast als wüsste er um ihren inneren Monolog. «Bitte, Lindi, bitte!», bettelte er und warf sich ihrem Unterleib entgegen. «Zieh dein Höschen aus! Lass mich in deine Muschi!»

Doch gerade als sie seinem Flehen nachkommen wollte, stutzte Belinda mit einem Mal. Zwar hatte sie nicht unbedingt eine zweite Stimme im Raum gehört, aber doch so etwas wie die Gegenwart einer anderen Person gespürt. Ihre Lider schnellten auf, und sie sah auf die Wand vor ihr.

Der war zu, dachte sie aufgebracht. Als ich reinkam, war dieser Vorhang geschlossen!

Der rote Samtvorhang stand jetzt weit offen. Vielleicht war das schon die ganze Zeit der Fall gewesen, doch das Porträt gegenüber jagte ihr endgültig Schauer über den Rücken. Der Mann mit den blauen Augen schien sie erneut herauszufordern, sein wohlgeformter Mund zu einem spöttischen Lächeln verzogen.

«Wer hat hier das Kommando?», hörte Belinda ihn fast fragen. Seine Augen glitzerten unter den langen Wimpern wie Scherben reinsten Aquamarins. «Wirst du ihm nachgeben und dich wie eine gehorsame kleine Dienerin hingeben? Oder wirst du die Gelegenheit nutzen und eine Göttin sein, die ihren Willen durchsetzt?»

Du Teufel!, schrie es in ihrem Inneren. Wer bist du? Sie wusste jetzt genau, dass die kühle, gelangweilte Person auf dem Gemälde definitiv den tief schlafenden Mann aus dem Turm darstellte. Eigentlich hatte sie es schon in dem Moment gewusst, als sie ihn auf dem großen, verhängten Bett hatte liegen sehen.

Doch wie konnte das sein? Sie befand sich im 21. Jahrhundert, und ihr Gegenspieler auf dem Porträt trug altertümliche Kleidung – ein authentisches Gewand aus dem 19. Jahrhundert.

Handelte es sich vielleicht um ein Kostüm?

Das wäre eine Erklärung. Aber keine passende, denn der Zustand der Farbe legte nahe, dass sowohl das Porträt als auch die Kleidung aus derselben Zeit stammten.

Wie konnte der Mann mit den blauen Augen also immer noch am Leben sein und so jung aussehen?

«Bitte, Lindi», erklang Jonathans flehende Stimme erneut und unterbrach ihre wirren Gedanken und exzentrischen Gelüste. Als Belinda spürte, wie seine suchende Hand an den Bund ihres Slips fasste, merkte sie auf einmal eine rasende Wut in sich aufsteigen – eine Wut, die ihre sexuelle Gier zu verdoppeln schien.

«Halt den Mund! Halt sofort den Mund!», fuhr sie ihn an und gab ihrem Freund eine schallende Ohrfeige. Jonathan ließ seine Hände verunsichert von ihren Schenkeln gleiten und starrte seine Gespielin mit großen Augen an.

Ist das besser?, fragte sie stumm und ließ ihren Blick mit kreisenden Hüften wieder zu dem rätselhaften Mann auf dem Gemälde wandern.

Es kam keine Antwort. Die Farbe war wieder einfach nur Farbe, die ein Bild schuf, das zwar attraktiv war, aber leblos blieb. «Zum Teufel mit dir», flüsterte Belinda und beugte sich dann vor, um sich ganz auf die Unterwerfung Jonathans zu konzentrieren. «Jetzt erzähl mir mal von den Mädchen, die du da getroffen hast», flüsterte sie ihm herausfordernd ins Ohr. «Waren sie hübsch?»

«Nein ... Ja ... Irgendwie schon», antwortete er und wand sich schuldbewusst unter ihr. Seine Hände waren jetzt völlig kraftlos und flatterten hilflos über die Tagesdecke.

«Hübsch genug, um sie zu ficken?» Belinda legte ihr Gesicht auf seine Wange und biss mit den Zähnen leicht in eines seiner Ohrläppchen. Ihre Körper waren sich jetzt ganz nah. Die nackten Arme der jungen Frau lagen dicht neben seinem Kopf, und ihre Brüste waren fest auf seinen Oberkörper gepresst. Sie rieb die Spitzen ihrer Nippel auf seiner muskulösen Brust.

«Sag schon», beharrte sie und wusste eigentlich gar nicht, warum sie diese Frage überhaupt stellte. Vielleicht um gewisse Gefühle zu rechtfertigen, die sie im Turm empfunden hatte – ihre sofortige Lust auf den nackten, schlafenden Mann.

«Ich wollte es nicht. Wirklich nicht», brach es schließlich aus Jonathan heraus. Belinda spürte seinen Schwanz bei diesen Worten zucken. Die winzigen Bewegungen waren eine überaus subtile Stimulation. Sie spreizte die Schenkel weiter auseinander und drückte sich fester auf seinen Riemen. Es gefiel ihr, dass die Rollen sich damit vertauschten. Sie war jetzt die Protagonistin, die Initiatorin. Sie nutzte den Mann, der da unter ihr lag, zu ihrer Befriedigung. Sie spielte mit seiner Lust und seiner Erregung.

«Aber du hast es trotzdem getan, nicht wahr?», höhnte sie. «Da lasse ich dich mal einen Moment allein, und du hast nichts Besseres zu tun, als deinen wertlosen Schwanz in die nächste Frau zu schieben, die dir über den Weg läuft.» Wieder presste sie ihre Weiblichkeit fest auf ihn. «Du hattest nicht mal den Anstand, auf mich zu warten.»

«So … so war es nicht», keuchte der unterworfene Mann. Das Reiben ihrer Möse ließ ihn wimmern und stöhnen.

«Wie war es dann?» Belinda wand sich ein wenig und veränderte ihre ungünstige Haltung auf eine Weise, die herrliche Schauer der Lust erzeugte. Ihre Zähne schlossen sich vorsichtig um Jonathans empfindliches Ohrläppchen. Sein Körper zitterte vor konzentrierter Spannung. Er war nur noch Sekunden davon entfernt, völlig die Kontrolle über sich zu verlieren. «Jonathan!», drängte sie fordernd und zog sanft an seinem Ohrläppchen, während ihr Schritt sich fest in den seinen drückte.

Sein «Oh Gott!» verwandelte sich in ein langgezogenes Ächzen, und Belinda konnte seinen Schwanz durch die Kleidung hindurch pulsieren fühlen. Es dauerte nicht mehr lange, und sie spürte etwas Warmes, Feuchtes an ihren Beinen.

Es vergingen mehrere Minuten, bis Jonathan sich wieder einigermaßen beruhigt hatte. Belinda wusste, wie empfindlich er zu diesen Zeiten war, und blieb daher regungslos auf ihm liegen. Als er sich wieder rührte, setzte sie ihr Verhör jedoch gnadenlos fort.

«Erzähl mir, was passiert ist», wies sie ihn an und gab ihm einen Kuss auf den Hals.

«Ich hörte ein Geräusch. Jemand lachte, und das weckte mich auf.» Seine Stimme war jetzt schleppender und weicher, klang aber immer noch ein wenig schockiert. «Erst dachte ich, dass du es wärst, aber nach ein oder zwei Minuten merkte ich, dass es von jemand anderem stammte.» Er hielt einen kurzen Moment inne und presste seinen schlaffen, befriedigten Schwanz gegen ihren Unterleib. «Jedenfalls bin ich dem Geräusch irgendwann nachgegangen und landete schließlich am Ufer eines Baches oder eines Flusses. Und dort saßen zwei Mädchen im Gras, die lachten und sich küssten.»

«War das alles?», fragte Belinda und spürte einen gewissen Neid in sich aufsteigen. Wie gern hätte sie die beiden Mädchen mit eigenen Augen gesehen.

«Nein. Nein, das war nicht alles. Sie taten auch noch andere Dinge.»

«Zum Beispiel?», erkundigte sich seine neugierige Freundin, obwohl sie ihm schon einige Schritte voraus war. Belinda hatte bereits ein inneres Bild vor sich, wie zwei Frauen mit forschenden, eindringenden Fingern lüstern ihre Körper liebkosten. Die Vorstellung ließ ihre Möse unkontrolliert zucken.

«Also eine von ihnen – die Ältere, glaube ich – steckte die Hand unter das Kleid der anderen und berührte sie dort.»

«Nur berühren?»

«Nein, es war mehr als das. Viel mehr.» Als Belinda sich aufsetzte, sah sie, dass Jonathan träge und verträumt lächelte. Sein Riemen erwachte zwischen ihren Beinen bereits wieder zu neuem Leben. «Sie hat sie wirklich so richtig bearbeitet», fuhr er fort, und sein Atem beschleunigte sich. «Sie hat ihr die Finger direkt in die Muschi geschoben. Schnell. Hart. Als würde sie die Freundin mit der Hand ficken.»

Plötzlich kam Belinda ein Gedanke. «Zeig mir, wie!», verlangte sie, rollte von Jonathan herunter und legte sich neben ihn. «Zeig mir, was die beiden Mädchen taten.»

«Ich konnte sehen, wie ihre Finger rein- und rausfuhren», murmelte Jonathan und räkelte sich dabei immer noch langsam und müde auf dem Bett.

«Zeig es mir!», forderte Belinda erneut. Sie zog ihren Rock bis zur Hüfte hoch, nahm Jonathans Hand und presste sie gegen ihren Slip. «Hatte sie ein Höschen an?»

«Nein, sie trug rein gar nichts unter ihrem Rock.»

«Tu es für mich, Jonathan», raunte Belinda und positionierte ihren Unterleib so, dass seine Hand jetzt auf ihrer Möse ruhte. «Zieh meinen Slip aus und mach dasselbe mit mir. Ich will es. Ich brauche es. Tu es!»

Wie elektrisiert und mit entschlossenem Gesichtsausdruck setzte Jonathan sich auf und griff nach dem Bündchen von Belindas geliehenen French Knickers. Nachdem die gierige Frau ihren Po angehoben hatte, um die Sache einfacher zu machen, zog er sie über ihre warmen, schweißfeuchten Schenkel.

«Das reicht», wies sie ihn an, als sie bis zu den Knien heruntergeschoben waren. «Ich kann nicht länger warten. Schieb deine Finger in mich rein!» Das Höschen behinderte sie etwas, aber sie spreizte die Beine, so weit sie konnte.

Dann lehnte sie sich auf die Ellenbogen und streckte den Kopf vor, um ihr eigenes Geschlecht und die eindringenden Finger genau zu beobachten.

Jonathan wirkte nervös. Er schaute von ihrem Gesicht hin zu seiner Hand und dann zu ihrer Möse. Belinda sah, wie er die Finger krümmte, dann aber kurz innehielt und seine Hand anstarrte, als gehöre sie nicht zu ihm, sondern wäre die eines ganz anderen. Er runzelte die Stirn und schien sich zu fragen, ob er Halluzinationen hätte.

«Wie viele Finger hat die Frau am Fluss benutzt?», fragte Belinda in scharfem Ton, um Jonathan aus seiner zögernden Haltung zu reißen. Sie konnte einfach nicht länger warten. Wenn er es jetzt nicht tat, musste sie selbst Hand an sich legen.

«D-drei», stammelte ihr Freund.

«Dann nimmst du auch drei», beschloss sie und schob ihre Hüften mit einem herrischen Ruck nach vorn.

Jonathan schien immer noch verwirrt zu sein und berührte mit schüchternen, unsicheren Bewegungen den Eingang zu ihrer Spalte.

«Um Himmels willen!»

Belinda knurrte fast vor Frustration. Seine Berührung war so sanft und leicht, sie hätte auch von einem Geist stammen können. Was sie jetzt brauchte, war die rohe Kraft eines Mannes und nicht ein derart kitzelndes Prickeln. Jonathans Fingerspitzen schienen blass vor der Orchideenröte ihres Sexfleisches. Eine feurig rote Schlucht, vor der seine Blässe wie Eis wirkte.

Plötzlich brach eine weitere Welle dieser nacherlebten Geilheit über sie herein. Es brannte wie Feuer zwischen ihren Beinen, und sie sehnte sich nach der kühlen Berührung, die sie vorhin in genau diesem Zimmer erlebt hatte und die untrennbar mit dem blauäugigen Mann verknüpft war. Sehen konnte sie ihn zwar nicht mehr, aber es fiel ihr nicht schwer sich vorzustellen, wie das Porträt wieder lebendig wurde und jeden Moment ihrer Hingabe aufsog. Belindas Inneres zersprang fast vor Verlangen, und mit einem hungrigen Stöhnen warf sie sich ihrem Ziel entgegen.

Endlich glitten Jonathans Finger in sie hinein. Erst einer, dann zwei und mit einem leichten Hin-und-her-Wiegen schließlich auch der dritte. Ungeachtet des unangenehmen Gefühls zog sie ihre Zehen ein und drückte ihre Muschi weiter gegen seine Finger.

«Und was haben sie dann getan?», fragte sie heiser und packte Jonathan gleichzeitig beim Handgelenk, um ihm Einhalt zu gebieten. Er sollte ein paar Sekunden ganz stillhalten, damit sie das Gedehntwerden voll auskosten konnte.

«Ich weiß nicht genau.» Die Stimme ihres Gespielen klang bereits wieder sehr erregt. «Ich habe sie danach ein paar Minuten aus den Augen verloren.»

«Wieso das denn?»

«Ich war so geil ... und so hart. Ich ... ich musste einfach was dagegen tun ...» Die Verlegenheit ließ ihn wieder stottern, und das leichte Zittern in seiner Stimme sprang über seine Finger auch auf Belindas Inneres über.

«War das jetzt alles?», bohrte sie und spürte schon beim Aussprechen der Worte, dass sie mehr wollte.

«Nein ... nicht ganz.»

Die erregte Frau stieß seine Hand weg und setzte sich neben ihm auf die Knie. In dieser Stellung drückte sie Jonathan voller Selbstbewusstsein nach hinten, sodass er jetzt wieder auf dem Rücken lag.

«Was soll das heißen?», fragte sie und zog ihr Höschen dabei ganz aus. Sie bemühte sich, nicht an die Wand und in Richtung der blauen Augen zu schauen, die jede ihrer Bewegungen zu verfolgen schienen.

«Na ja, irgendwann kam ich langsam wieder zu mir. Ich lag einfach so da. Und dann sind die beiden plötzlich auf mich losgesprungen.»

«Sie haben was getan?» Belinda lachte amüsiert. Ob er vorhin genauso dagelegen hatte? Sie konnte sich keine Frau vorstellen, die nicht versucht wäre, auf Jonathan loszugehen, wenn er so hilflos und gleichzeitig so willig aussah. Wie er da so ausgestreckt auf der roten Decke lag und sein Schwanz versuchte, aus den Shorts zu entkommen – er wirkte einfach wie das perfekte Opfer. Die junge Frau unterdrückte ihr Lächeln und griff nach dem Gummi seines Bündchens.

Während sie erst die weiten Baumwollshorts und danach den knapperen Slip darunter wegschob, fragte sie sich, wem diese Kleidungsstücke wohl gehörten. Jonathans Sachen lagen aller Wahrscheinlichkeit nach noch im Kofferraum des Autos. Sie erkannte jedenfalls nichts von dem wieder, was er trug.

Ob Oren ihm etwas zum Anziehen geliehen hatte? Möglich, aber auch unwahrscheinlich. Der stumme Diener war über 1,90 Meter groß und eher breitschultrig und stämmig gebaut. Jonathan war zwar auch kein Hänfling – er hatte sogar einen ziemlich guten, wenn auch etwas sehnigen Körper –, doch neben dem braungebrannten Oren erschien er geradezu jungenhaft.

Die Sachen müssen dem Mann mit den blauen Augen gehören, überlegte sie und zog die geliehene Unterwäsche zu Jonathans Füßen, die immer noch in seinen Turnschuhen steckten. Die beiden Männer waren durchaus ähnlich gebaut – bis hin zur Größe ihrer Genitalien. Beide Schwänze waren kräftig und durchaus vielversprechend.

«Sie sind auf mich losgesprungen», wiederholte Jonathan, wackelte mit dem Po und ließ seinen harten Rüpel schwingen. Seine Augen waren geschlossen, fast als könnte er sich das Bild so wieder besser in Erinnerung rufen. «Ich lag im Gras … so ähnlich wie jetzt … ich hatte meinen Schwanz rausgeholt.» Er griff nach unten und strich über sein immer geschwolleneres Gehänge. Doch Belinda schlug seine Hand weg und ersetzte sie durch ihre eigene.

«Und was haben sie dann getan?», fragte sie und erkundete die leicht feuchte, seidige Struktur seiner Penishaut mit langsamen Auf-und-ab-Bewegungen.

Jonathan gab ein merkwürdiges kleines Schluckaufgeräusch von sich und ballte die Fäuste um den Deckensaum.

«Sie haben das getan, was du jetzt tust … und noch andere Dinge», wisperte er mit dünner und brechender Stimme. «Sie haben mich angefasst und gestreichelt. Überall.» Als Belinda ihre zupackenden Finger hinunter zu seiner Schwanzwurzel zog, wurde er ganz steif und bäumte sich auf. «Oh Gott … Oh Gott …»

«Und was noch?» Die Haut seiner Rute war straff gespannt, die geschwollene Eichel krönte den abgedrückten Schaft wie eine harte rote Frucht.

Jonathan gab einige unverständliche Laute von sich und ließ seine Zunge dann über die Lippen streichen, als suchte er nach Worten, um seinen Gefühlen Ausdruck zu verleihen. «Eine von ihnen küsste mich – die Ältere, glaube ich. Sie küsste mich auf die Lippen und zwang mich, meinen Mund zu öffnen.» Belinda blies einen Lufthauch über seinen Schwanz und brachte die Fersen ihres Freundes zum wilden Rumtrampeln auf der Decke. «Und die andere setzte sich auf mich drauf und fickte mich.» Sein Körper schnellte erneut hoch, sodass seine Erektion sich ihr förmlich entgegenwarf.

«Du meinst so?»

Belinda kniete sich mit so ungeahnter Gewandtheit rittlings über ihn, wie sie es bisher selbst noch nicht von sich kannte. Das dünne geliehene Kleid bauschte sich wie ein Segel um ihren Körper, und erst in der letzten Sekunde griff sie unter sich, um seinen Schwanz zu positionieren. Die aufgeheizte Frau war so feucht, dass er ohne jeden Widerstand tief in sie eindringen konnte.

Oh ja!

Sie sprach die Worte nicht aus, ja dachte sie nicht einmal. Und Jonathan schien sowieso nicht mehr in der Lage zu sein, irgendetwas zu sagen. Ein unbeschreibliches Gefühl des Jubels stieg in ihr auf – ein Gefühl, das sie förmlich zwang, nach oben zu schauen.

Das Porträt sah genauso aus wie bei seiner ersten Enthüllung vor ein paar Stunden. Und doch wirkte es auf unerklärliche Weise anders. Belinda wusste nicht recht, wie sie es beschreiben sollte, aber im Blick des Mannes mit den blauen Augen lag etwas sehr Erfreutes. Er schien sich an ihren Vergnügungen zu laben. Plötzlich wurde sie von einer Welle der Energie überrollt, die direkt von dem Bild zu kommen schien. Sie war das Instrument des schönen Mannes, das lebendige Werkzeug seiner Kraft.

Belinda verspürte die unglaublichsten Gefühle in ihrem Lustzentrum. Sie musste laut lachen. Jonathan wimmerte nur und versuchte, nach ihr zu greifen. Doch sie fegte seine Hand mit einem Schlag fort und presste sich noch etwas fester auf seinen Schwanz. Als sie die richtige Position gefunden hatte, riss sie sich das Kleid über den Kopf.

Da!, dachte sie triumphierend, warf den Kopf nach hinten, umfasste ihre Brüste und ließ das Becken kreisen. Wie gefalle ich dir jetzt?, fragte sie den Beobachter still. Ihre Blicke trafen sich genau in dem Moment, als die euphorischen Zuckungen ihres Höhepunktes einsetzten.

Du gefällst mir sehr gut, antwortete er in ihrem Kopf.

«Ja, du gefällst mir wirklich sehr gut», wiederholte André. Er lächelte in den aufsteigenden Rauch hinein und rührte mit einem schmalen Dolch in dem Inhalt des Räucherfässchens.

Auch wenn er es schon sehr lange nicht mehr praktiziert hatte, war es doch keinerlei Problem für ihn, einen Zauber zu erzeugen. Er nahm ein getrocknetes Rosenblatt von einem Silbertablett, zerbröselte es langsam und gab die Krümel in die Flamme.

Ein einzelnes Haar von den beiden Geliebten, die sein Diener Oren beim Säubern ihrer Kleidung entdeckt hatte. Mehrere getrocknete Rosenblätter. Ein Tropfen Quecksilber. Ein Tropfen seines eigenen Blutes. Und ein wenig Wasser von einem Fluss, der über geweihte Erde floss. Das waren die Zutaten, die einfachen, leicht erhältlichen Substanzen, die er zusammen verbrannte, um sein gewünschtes Ziel zu erreichen: beispiellose Lust und sexuelle Freuden für seine neuen, jungen Gäste.

Während André in dem Gefäß herumrührte, dachte er über Belindas Grübeleien nach. Er hörte ihre Gedanken wahrscheinlich klarer als sie selbst, und ihre falschen Schlüsse ließen ihn schmunzeln.

«Es ist nicht meine Kraft, die du da in dir spürst, Belinda», wisperte er dem Mädchen zu, das sich in einem anderen Teil des Hauses gerade kreischend ihrem Orgasmus hingab. «Die Kraft ist die deine, meine Liebe. Ich labe mich lediglich an dir.»

Von dem winzigen Scheiterhaufen in dem Räucherfässchen stieg frischer Rauch auf, dessen eingeatmeter Duft ihm einen schwindelerregenden Energierausch bescherte. Sein unter dem Morgenmantel aus Seide nackter Körper war mit einem Mal von neuerwachter Stärke erfüllt. Die Haut prickelte, und sein Luststab wurde steif. Jede Sehne, jeder Muskel und jeder Nerv schienen vor Frische und Gesundheit zu strotzen. Selbst in den Haaren auf seinem Kopf spürte er diese Veränderung. Sein Leib und seine Glieder schienen im Dunkeln förmlich zu leuchten.

Doch André wusste, dass dieser Zustand der Wiederbelebung nur ein vorübergehender war. Der Effekt hielt nur so lange an, wie das Liebesspiel der beiden Gäste dauerte, und würde dann über den Zeitraum von ein paar Stunden nach und nach abklingen. Das herrliche Gefühl der Lebendigkeit war vergänglich, doch so berauschend wie ein guter Wein. Aber unendlich viel köstlicher.

Mit einem leisen Lachen bereitete André sich darauf vor, seinen Durst ein weiteres Mal zu stillen. Wenn er diese Gelegenheit nutzen wollte, mussten noch mehr magische Handlungen vollzogen und gewisse Umstände zu seinem Vorteil genutzt werden. Der Mann mit den blauen Augen schüttete den Inhalt des Räucherfässchens in eine Alabasterschale und setzte nach einem gemurmelten Reinigungsritual einen zweiten Zauber in dem Bronzegefäß an. Die erste Zutat war ein weiteres von Jonathans dunklen Haaren.

«Vergib mir, mein Freund», sagte André, als er das Haar zwischen den Fingern zusammenrollte und es dann in das Gefäß fallen ließ. «Du musst schlafen. Ich brauche deine Gefährtin eine Weile ganz für mich allein.»

Leise summend begann er sein zweites geheimnisvolles Ritual. Wie gut es doch tat, seine Talente endlich wieder einsetzen zu können …

Kapitel 5

Eine Audienz beim Grafen

Belinda wurde vom Klopfen an der Tür aus einem leichten Dämmerschlaf gerissen. Richtiger Schlaf war es nicht gewesen, sie hatte nur ein bisschen die Augen zugemacht und sich einfach ein wenig treiben lassen. Deshalb wurde sie bei dem Geräusch an der Tür auch schlagartig wach. Sie setzte sich auf und rüttelte an Jonathans Schulter.

Das Klopfen erklang erneut, doch trotz all ihrer Bemühungen war ihr Freund nicht aufzuwecken. Belinda war es schon gewöhnt, dass Jonathan praktisch überall schlafen oder kleine Nickerchen einlegen konnte. Aber dieser tiefe, fast komatöse Schlaf war schon etwas beängstigend. Sie packte ihn jetzt an beiden Schultern und schüttelte ihn, so fest sie nur konnte.

Keine Reaktion.

«Miss Seward?»

Das Rufen ihres Namens brachte die ängstliche Frau dazu, nach der Decke zu greifen und sie über ihre Brüste zu ziehen. Was sollte sie sonst tun? Sie und Jonathan waren nackt, ihre Kleidung lag auf dem Boden verstreut, und der Kimono, den sie vorhin getragen hatte, lag am anderen Ende des Raumes auf einem Stuhl. Belinda öffnete den Mund, um «Moment» zu rufen, doch zu ihrem Schrecken kam stattdessen ein «Herein» über ihre Lippen.

Bevor sich noch Gelegenheit bot, ihre Aufforderung zu wiederholen, öffnete sich die schwere Eichentür auch schon, und es trat jemand über die Schwelle, der ihr sehr bekannt vorkam.

Belindas Herz raste. Unbewusst hatte sie eigentlich damit gerechnet, dass genau der Mann geklopft hatte, der jetzt dort stand. Trotzdem war es ein Schock, ihn jetzt lächelnd näher kommen zu sehen.

Das blonde, gesträhnte Haar ihres Besuchers war zu einem Zopf gebunden, und er hatte ein weißes Hemd, Jeans und schwarze Stiefel an – doch es handelte sich definitiv um ihren nackten Träumer aus dem Turm, den jüngsten Nachkommen aus der Reihe blauäugiger Männer. Ihre prekäre Lage schien ihn außerordentlich zu amüsieren.

«Es tut mir leid. Ich habe Sie ganz offensichtlich gestört», sagte der Mann mit sanfter Stimme. Seine unverwechselbaren Augen leuchteten. «Aber ich hätte schwören können, dass Sie ‹herein› gerufen haben.» Er grinste frech und wissend, so als wäre er sich durchaus bewusst, was hier gerade passiert war, ja es wahrscheinlich sogar selbst ausgelöst hatte.

«Das ... das habe ich auch», stammelte Belinda nervös und erregt zugleich. Der Mann mit den blauen Augen war sowohl schlafend als auch wach gleichermaßen beeindruckend. Sein spitzbübisches Grinsen allerdings traf sie etwas unvorbereitet. Seine Vorfahren auf den Porträts hatten alle nachdenklich und melancholisch dreingeschaut, und auch wenn sie lächelten, war ihr bei allen ein trauriger Zug um den Mund aufgefallen.

Außerdem konnte keines der Bilder den unglaublichen Augen dieses lebendigen Sprösslings der Familie gerecht werden, die bei ihm so tiefblau waren, dass sie fast unnatürlich wirkten. Ultramarin-, himmel- und lapislazuliblau zugleich – alle Varianten in einer Farbe. Dahinter blitzte es, wie von einem inneren Feuer beleuchtet, und es handelte sich eindeutig um jenes Paar Augen, das sie in ihren Träumen heimgesucht hatte.

Als Belinda an ihrem Körper heruntersah, stellte sie voller Panik fest, dass die Decke, die sie eben noch fest umklammert hatte, auf unerklärliche Weise weggerutscht war. Ihre linke Brust lag völlig frei, der Nippel deutlich steif und dunkel. Als sie wieder nach oben schaute, folgte auch der Kopf ihres Besuchers dieser Bewegung.

Die verstörte Frau zog die Decke wieder hoch. «Ich, ich ...», stotterte sie, biss sich aber sofort auf die Lippe. Was konnte sie schon sagen? Was konnte sie tun? Sie saß in der Falle.

«Benötigen Sie vielleicht das hier?», fragte der junge Mann, nahm den schwarzen Kimono vom Stuhl und brachte ihn zur ihr hinüber. Trotz der recht schweren Stiefel waren seine Schritte auf dem dicken Perserteppich nicht zu hören, während er sich seinen Weg durch die verstreuten Kleidungsstücke bahnte.

Belinda streckte ihm den Arm in Erwartung des Morgenmantels entgegen, doch ihr Gastgeber blieb mit unschuldigem Blick auf seinem merkwürdig fahlen Gesicht zwei Meter vor ihr stehen.

Dieser Mistkerl! Er will, dass ich aus dem Bett steige!, dachte die junge Frau wütend. Na schön, wie du willst, sagte sie zu sich selbst und dachte an den Moment, in dem sie sich so freizügig ihres Kleides entledigt hatte. Wer immer du auch bist, du hast es nicht anders gewollt!

Belinda schlüpfte so elegant wie möglich unter der Decke hervor, drehte sich dann um und streckte die Arme hinter sich aus, um den Eindringling so aufzufordern, ihr in den Kimono zu helfen. Er kam ihrer stummen Bitte nach, ohne sie auch nur einmal zu berühren, doch als sie sich zu ihm umdrehte, grinste er frech. Gut, dass sie den Gürtel mit einem Doppelknoten verschlossen hatte.

«Der Kimono steht Ihnen ausgesprochen gut», kommentierte er und trat einen Schritt zurück, als wollte er ihre Erscheinung genauestens begutachten. Er machte den Eindruck eines sehr anspruchsvollen Kritikers – oder zumindest hielt er sich dafür. Arroganter Kerl!, dachte sie und verfluchte den Fremden erneut.

«Danke», erwiderte sie knapp. Es ließ sich nur schwer einschätzen, wie man sich in solch einer Situation verhalten sollte, und Belinda fand es etwas absurd, dass sie ihm fast unwillkürlich die Hand entgegenstreckte. «Wir wurden uns noch nicht richtig vorgestellt», sagte sie und hätte am liebsten laut losgelacht. «Ich bin Belinda Seward. Und das ...», sie zeigte über ihre Schulter auf den immer noch fest schlummernden Jonathan, « ... ist mein Freund, Jonathan Sumner. Wir sind Ihnen beide sehr dankbar, dass Sie uns aufgenommen haben», fügte sie hinzu und fragte sich dabei, ob der Herr des Hauses überhaupt wusste, dass er Gäste hatte.

Nur eine Sekunde später drängte sich ihr eine zweite Frage auf – eine, die sie noch mehr irritierte. Er hatte vor der Tür ihren Namen gerufen. Aber woher um alles in der Welt wusste er, wie sie hieß? Oren musste ihm einen schriftlichen Bericht über ihre Ankunft gegeben haben – wie sollte es sonst gewesen sein?

Sie spürte ein gewisses Zögern in ihrer Hand, wurde aber sogleich Opfer eines merkwürdigen Phänomens. Belinda hatte sie voller Zweifel schon etwas zurückgezogen, doch plötzlich – als führte ihr gesamter Arm ein Eigenleben – streckte sie sie ihrem Gastgeber erneut entgegen.

Dieser erwiderte ihre Vorstellung mit einer durch und durch altmodischen Reaktion, indem er die Hacken kaum hörbar zusammenschlug und ihre Hand zu den Lippen führte. Als sein Mund ihre Haut berührte, sah der junge Mann sie mit blitzenden Augen durch seine dichten dunklen Wimpern an.

«André von Kastel. Zu Ihren Diensten», murmelte er, den Mund immer noch über ihrer Hand. Sein Atem fühlte sich merkwürdig kühl an. «Willkommen in meinem Heim», fügte der Graf hinzu, als er sich wieder aufrichtete und ihre Finger mit merklichem Zögern losließ. «Oder in meinem neuen Zuhause, sollte ich vielleicht besser sagen. Ich bin in meinem Leben viel auf Reisen gewesen, und dieses Haus ist das letzte Heim von vielen.»

Seine bisher längste Rede machte Belinda bewusst, dass er mit einem ganz leichten Akzent sprach. Fast eher eine leichte Verzerrtheit in den Wortendungen. Aber das reichte schon aus, um ihr Inneres noch mehr aufzuwühlen. Wie viele Frauen hatte auch Belinda schon immer eine Schwäche für Männer vom europäischen Festland gehabt. Seien es nun Schauspieler, Sänger oder Politiker. Diese Männer hatten etwas ungemein Weltgewandtes, Formvollendetes, aber auch leicht Wildes an sich. Alles Qualitäten, die André von Kastel eindeutig im Übermaß besaß. Obwohl er lässig gekleidet war und bei genauerem Hinsehen auch noch etwas müde wirkte, war der Graf einer der eindrucksvollsten Männer, die sie je kennengelernt hatte.

Ein männliches Dornröschen, dachte sie und grinste ihn breit an. Sie wusste durchaus, dass sie sich wahrscheinlich gerade völlig zum Narren machte. Ob ich ihn geweckt habe? Bin ich die erste Frau, die er nach hundert Jahren sieht?

«Habe ich da einen Scherz nicht mitbekommen?», fragte der junge Mann und erwiderte ihr Grinsen. Die Lachfältchen, die sich dabei an seinen blauen Augen bildeten, ließen ihn sogar noch umwerfender aussehen.

«Nein. Mir gehen da nur gerade sehr alberne Dinge durch den Kopf», antwortete sie und nestelte am Gürtel ihres Kimonos herum.

«Was denn für welche?» Sein Lächeln hatte etwas Herausforderndes bekommen.

«Na ja, Ihr Akzent, der Name und die Stiefel – Sie wirken ein bisschen wie ein Prinz aus einem Märchen», erklärte sie lahm. Die Art, wie seine Jeans in die wadenhohen schwarzen Lederstiefel gesteckt war, gaben seiner Erscheinung zusätzlich etwas von einem höfischen Kavalier.

Da war noch etwas, dachte sie in dem kurzen Moment, in dem sein Lächeln breiter wurde und er eine Antwort zu formen schien. Belinda war sich sicher, dass sein Haar vorhin im Turm dunkler und eher braun als blond ausgesehen hatte. Zwar war es jetzt straff nach hinten gebunden, doch es wurde eindeutig von mehr hellen, ja fast platinblonden Strähnen durchzogen – fast als wäre es tagelang durch die Strahlen der Sonne aufgehellt worden. Vielleicht hat er es ja gefärbt?, suchte sie nach einer Erklärung, verwarf den Gedanken aber sofort wieder als völlig abwegig.

«Ich fühle mich geschmeichelt», erwiderte er und verbeugte sich leicht vor ihr. «Aber ich stamme lediglich aus einem unbedeutenden Landadelsgeschlecht. Und vielleicht nicht mal mehr das. Mein Heimatland existiert nämlich gar nicht mehr.»

«Was meinen Sie damit?», erkundigte sich Belinda und schalt sich innerlich für ihre Neugier, die durchaus befremdlich auf ihn wirken konnte. Schließlich waren sie und Jonathan uneingeladen in sein Haus geplatzt und bisher lediglich stillschweigend geduldet. Da waren kindische Bemerkungen und persönliche Fragen wohl kaum angebracht.

Doch Graf André schien unbeeindruckt. «Nur dass es nicht mehr da ist. Ein Opfer der Neugestaltung Osteuropas, fürchte ich. Damit bin ich aller Wahrscheinlichkeit nach also nur noch ‹Mr. von Kastel›!»

«‹Graf› klingt viel besser», kam es ihr spontan über die Lippen. «Weitaus glamouröser.»

«Danke vielmals. Ich werde mich bemühen, meinem Titel gerecht zu werden.» Er griff erneut nach ihrer Hand. Sein Kuss war diesmal schon wesentlich vehementer, und der Abdruck seiner Lippen fühlte sich wie ein Brandzeichen auf ihrer Haut an.

Belinda war verblüfft. Auch wenn der Körperkontakt nur minimal war, fühlten die Berührung und der Kuss sich doch überaus erotisch an. Während er so über ihre Hand gebeugt dastand, sah sie ihn wieder nackt ausgestreckt und mit seinem Schwanz spielend im Bett des Turmes liegen. Als er sich wieder aufrichtete, waren die Augen der erregten Frau auf seinen Schritt gerichtet.

Fast als hätte er ihren Blick bemerkt, warf Graf André ihr erneut sein verschmitztes Lächeln zu. «Darf ich Ihnen ein Glas Wein anbieten?», fragte er. «Wir könnten uns in die Bibliothek zurückziehen und uns ein wenig besser kennenlernen. Ihr Freund …», er deutete in Richtung Jonathans, der sich im Schlaf umdrehte und in sein Kissen kuschelte, «… will sich sicher noch etwas ausruhen.»

«Ja, das ist eine gute Idee», antwortete Belinda und war sich dabei durchaus bewusst, dass er immer noch ihre Hand hielt und mit dem Daumen sanft über ihre Fingerknöchel strich. Es fühlte sich fast an, als würde er ihre Möse streicheln.

«Dann kommen Sie.» Er drückte ihre Hand ein letztes Mal, bevor er sie schließlich losließ und in Richtung Tür voranging.

Als sie ihren Gastgeber über den Korridor zu der großen Wendeltreppe begleitete, war Belinda hin- und hergerissen zwischen seinem Anblick und dem seiner Vorfahren. Jetzt, wo sie den Mann in Fleisch und Blut vor sich hatte, fiel ihr auf, wie stark die Familienähnlichkeit wirklich war. Die von Kastels aus vergangenen Zeiten sahen ihrem attraktiven Begleiter zum Verwechseln ähnlich. So sehr, dass die Porträts eigentlich auch alle ihn hätten darstellen können. Die Ähnlichkeit war geradezu unheimlich.

Das gute Aussehen von Graf André war aber auch noch in anderem Zusammenhang verwirrend. Es ließ sich nur sehr schwer sagen, was ihn für das weibliche Auge so anziehend machte. Betrachtete man seine typischen Merkmale einzeln, waren sie zwar schön anzusehen, hatten aber – wenn man von den blauen Augen einmal absah – auch etwas durchaus Gewöhnliches. Erst die Summe dieser Merkmale machte ihn zu der umwerfenden Erscheinung, die sie jetzt vor sich hatte. Er war nicht groß, aber sein Körper sah stark und robust aus. Und sein Gang war genauso aristokratisch wie sein Titel.

«Sind das alles Vorfahren von Ihnen?», erkundigte sich Belinda und zeigte auf die Porträts.

André wandte sich um und warf ihr einen etwas schrägen, merkwürdig abschätzenden Blick zu, den sie nicht recht einordnen konnte. «Ja, das sind alle von Kastels», bestätigte er ihre Vermutung, doch in seiner Stimme lag etwas genauso Undurchsichtiges wie in seinem Blick – fast als würde er ihr eine Lüge auftischen.

Da ihre Erkundungen sie bisher eher in den oberen und nicht in den unteren Teil des Hauses geführt hatten, war dies das erste Mal, dass Belinda die riesige Bibliothek des Sedgewick-Klosters betrat. Der Raum war ganz und gar im gotischen Stil gehalten. Die edle Einrichtung hätte leicht düster wirken können, erzeugte hier aber einen sehr einladenden Eindruck. Eine weitere Überraschung war das große Feuer, das trotz der warmen Jahreszeit im Kamin brannte. Die orangeroten Flammen warfen ein fröhliches, tanzendes Licht auf die glänzende Holzvertäfelung und die Glasvitrinen vor den großen Bücherregalen. In einer Ecke stand eine vollständige Ritterrüstung, und auf mehreren Tischen und Anrichten verteilt standen Erinnerungsstücke, die über die Jahrhunderte von den zahlreichen Familienmitgliedern gesammelt worden waren. Einige von den Gegenständen muteten recht seltsam an. Auf einem mit Messing verzierten Mahagonisekretär stand ein Glasgefäß mit einem ausgestopften Tier, das Belinda beim besten Willen nicht einordnen konnte. Es schien halb Echse, halb Wolf zu sein und jagte ihr Schauer der Angst über den Rücken. Wie konnte sich jemand so etwas nur hinstellen? Sie nahm an, dass ein Mitglied der blauäugigen Kastel-Familie es wohl irgendwann gejagt und erlegt haben musste.

Über dem Kamin hingen zwei wunderschöne, über Kreuz gehängte Schwerter, bei denen es sich aber nicht um die typischen Rapiere oder Fechtdegen handelte, die man von einer kontinentalen Familie erwartete, sondern um Katanas – lange und scharfe japanische Kampfschwerter.

Ein Mitglied der Kastel-Familie war ganz offensichtlich ein wagemutiger Weltenbummler gewesen und hatte diese tödlichen Souvenirs aus dem Land der aufgehenden Sonne mitgebracht.

«Bevorzugen Sie weißen oder roten Wein?», erkundigte sich Graf André. Er stand vor einer mit Intarsien verzierten Anrichte und zeigte auf eine große Ansammlung von Flaschen.

«Weiß, bitte», erwiderte Belinda und hoffte, dass sich irgendwo in dieser Bibliothek ein Weinkühler befand. Sie war zwar kein Connoisseur, hasste aber warmen Wein.

«Eine gute Wahl», lobte der junge Mann und warf ihr einen weiteren seiner merkwürdigen Blicke zu – fast als würde er Worten lauschen, die sie selbst gar nicht hörte.

Während er sich umdrehte und sich mit dem Entkorken der Weinflasche beschäftigte, nutzte Belinda diese Gelegenheit, um ihn außerhalb der Reichweite seiner blauen Augen eingehend zu betrachten.

Seine Haltung war elegant, und die kleinen Bewegungen, mit denen er die Flasche öffnete, waren sparsam und ökonomisch. Er erinnerte sie sehr an die Art Mann, die sie aus Kostümfilmen kannte. Sicher und höflich, aber kein Geck oder Casanova. Ihr Gastgeber hatte trotz der Stiefel und der modernen Hose etwas Klassisches an sich. Die Jeans passte ihm ausgezeichnet, und Belinda genoss den Anblick der festen Konturen seines Hinterteils und der muskulösen Schenkel, die sich unter dem Stoff abzeichneten.

Es war schon ein bisschen merkwürdig, dass sie seinen Körper jetzt beurteilte, wo sie ihn doch schon splitternackt gesehen hatte. Doch in gewisser Weise sah Belinda jetzt einen anderen Mann. Der André auf dem Bett hatte fiebrig, ja fast schwach gewirkt, so als leide er an einer schweren, langwierigen Krankheit. Doch der Mann, der jetzt vor ihr stand, strotzte nur so vor Gesundheit. Die Müdigkeit, die sie noch vor ein paar Minuten bei ihm zu spüren gemeint hatte, war völlig verschwunden und einer strahlenden Stärke gewichen. Es war, als hätte er eine Art Aura um sich, die sie über alle Maßen provozierte. Die junge Frau presste die Augen zusammen, um sie so vielleicht sehen zu können, aber er blieb auch jetzt einfach nur ein gesunder, attraktiver Mann.

Von dem großen Brokatsofa, auf dem sie saß, hatte Belinda nicht nur einen guten Blick auf sein Profil, sie beobachtete auch, wie er plötzlich die Fingerspitzen auf die Flasche legte und die Stirn krauszog.

Er ist also tatsächlich warm, dachte sie. Jemand wie du müsste aber wirklich einen Weinkühler griffbereit haben.

Während sie diese Worte dachte, drehte André sich um und betrachtete sie eine Sekunde lang aufmerksam. Dann nahm er die Flasche und ließ seine Hände mehrfach über die ganze Länge gleiten. Nach kurzer Zeit lächelte er und goss den Wein in zwei Gläser.

«Hier. Probieren Sie den mal», forderte er Belinda auf und setzte sich neben sie auf das Sofa. «Die Trauben stammen ganz aus der Nähe meines Geburtsortes. Er ist recht süß, aber ich glaube, er wird Ihnen munden.»

Als Belinda das Glas entgegengenommen hatte, ließ sie es fast gleich wieder fallen. Es war kalt – so kalt, als hätte der Wein in einem Kühler gestanden.

Graf André grinste und brachte einen unverständlichen Toast in seiner Muttersprache aus. Die Worte klangen ein bisschen nach prosit, aber mit einer seltsamen, teils gutturalen, teils melodischen Modulation, die Belinda beim besten Willen nicht hätte nachahmen können.

«Prost!», erwiderte sie schlicht und führte das Glas an ihre Lippen.

Der Wein war auf exakt die richtige Temperatur gekühlt. Das überraschte die junge Frau so sehr, dass sie das Glas, ungeachtet des feinen, köstlichen Geschmacks, mit einem Schluck fast bis zur Hälfte leerte.

«Er ist kalt», bemerkte sie und starrte auf die klare goldene Flüssigkeit.

«Allerdings», erwiderte ihr Gegenüber. Er starrte sie durchdringend über den Rand des Glases an, während er selbst nur einen winzigen Schluck nahm.

Belinda hatte auf einmal das dringende Bedürfnis, ihn zu fragen, wie das sein konnte. Sie hätte schwören können, dass die Flaschen schon eine ganze Weile in der Bibliothek standen. Und doch hatte der Wein genau die Temperatur, die zu seinem Charakter passte. Schon bildete sich ein

«Wie?» auf ihren Lippen, doch die Zunge lag so merkwürdig schwer und bewegungsunfähig in ihrem Mund, dass sie nicht in der Lage war, es auszusprechen. Sie sah nur immer wieder die seltsam gleitend-rollenden Handbewegungen, die André an der Weinflasche vollführt hatte.

Der Mann ist ein Zauberer, dachte sie, schalt sich aber im selben Moment für diese lächerliche Schlussfolgerung. Er war einfach nur ein guter Gastgeber, der im Voraus dachte. Wahrscheinlich hatte er den Wein einfach aus dem Keller holen lassen, kurz bevor er in ihr Zimmer gekommen war.

«Also, Belinda – sind Sie und Jonathan einander versprochen?»

«Was für eine altmodische Formulierung. Sie meinen verlobt, nicht wahr? Nein, sind wir nicht. Aber wir kennen uns schon sehr lange.»

«Sehr lange», murmelte er nachdenklich. «Und was heißt ‹sehr lange› bei Ihnen?» Er zog eine seiner dunklen Augenbrauen hoch, die im Gegensatz zu seinen Haaren nicht heller geworden, sondern fast schwarz waren.

«Drei Jahre.»

«Das ist keine sehr lange Zeit», sagte er mit milder Stimme und bewegte den Wein in seinem Glas. «Und wie lange sind Sie schon Geliebte?»

Für jemanden, den sie gerade erst vor ein paar Minuten kennengelernt hatte, war das eine ziemlich direkte Frage. Die Belinda der letzten Woche hätte sich dadurch vielleicht noch angegriffen und wegen ihrer merkwürdig unsteten Beziehung zu Jonathan kritisiert gefühlt. Doch jetzt gelang es der jungen Frau zu ihrer eigenen Überraschung, auf diese Intimität mit völliger Gelassenheit zu reagieren.

«Drei Jahre», erwiderte sie ruhig und nahm einen großen Schluck Wein, während der Graf ihre Auskunft verarbeitete.

«Und beglückt er Sie?»

«Meistens.»

«Nicht immer? Eine Frau wie Sie sollte immer beglückt werden …»

«Ich weiß nicht, was Sie mit ‹eine Frau wie ich› meinen, aber ich bin ein realistischer Mensch, Graf, und erwarte keine Wunder.»

«Vielleicht sollten Sie das», sagte er und beobachtete versonnen, wie der Wein in seinem Glas durch das leichte Wiegen seiner Hand hin und her schwappte.

Belinda betrachtete seine Hände und sah erneut deren Bewegungen an der Flasche vor sich, die deren Inhalt auf subtile Weise verändert hatten. Unwillkürlich kam ihr der Gedanke, wie diese Bewegungen sich wohl auf ihrem Körper anfühlen würden. Doch in ihrer Vorstellung gaben sie dabei keine Kälte, sondern eine brennende Hitze ab.

Als sie zu seinen Augen aufschaute, sah sie diese Hitze in deren Tiefen wie eine blaue Flamme brennen.

Er kann Gedanken lesen, dachte sie und schalt sich erneut für eine derartig abwegige Dummheit. Es war das 21. Jahrhundert – das Zeitalter der Wissenschaft und Rationalität. Selbst wenn du es gerne hättest, so etwas wie magische Kräfte gibt es nicht.

Graf André sah sie immer noch mit merkwürdig aufgewühltem Blick an.

«Was?», fragte sie verunsichert.

«Ich habe mich nur gerade gefragt, wie Sie wohl nackt aussehen.»

«Aber Sie haben mich doch schon nackt gesehen», erinnerte sie ihn leicht beleidigt. Schließlich war es erst ein paar Minuten her, dass er sie unbekleidet in ihrem Zimmer überrascht hatte. Sollte das einen so flüchtigen Eindruck hinterlassen haben?

André schüttelte den Kopf, als wäre er verwirrt und würde versuchen, seine Gedanken zu sortieren. Dann verzog sich sein Mund zu einem entzückend schiefen Lächeln.

«Oh ja, natürlich. Und Sie sind wunderschön.» Er legte einen Moment lang die Stirn in Falten. Sein Blick verdüsterte sich, als würde eine Wolke der Traurigkeit darüber hinwegziehen. «Ihr Jonathan ist wirklich ein Glückspilz. Geradezu gesegnet, würde ich sagen ...»

Seine Augen verschwammen, als würde er durch ihren Körper hindurch in eine andere Realität blicken – auf ein anderes Wesen. Der junge Mann stellte sein Glas beiseite und ließ seine Hand unendlich langsam zu ihrem weichen Stoffgürtel wandern. Er öffnete den Knoten und die überlappenden schwarzen Seidenbahnen öffneten sich. Es herrschte Stille – eine schwere, scheinbar ewig andauernde Stille.

«So wunderschön ...», flüsterte der Graf schließlich und ließ eine Fingerspitze dicht über ihrem Bauchnabel schweben. Belinda spürte, wie sie genau dort erregt zu zittern begann. Ihre Muschi direkt darunter wurde feucht, und sie sah, wie die Nasenflügel des Grafen sich aufblähten. Er konnte sie riechen.

Der Augenblick war nur flüchtig und explosiv, als wären sie in einer wilden, heftigen Bewegung, während ihre Körper jedoch beide wie erstarrt waren. Dann fuhr die Hand des Grafen ein klein wenig nach unten und legte sich auf die sanfte Rundung ihres Bauches. Die Berührung jagte einen unmittelbaren Blitz der Lust in ihre Möse.

Belinda keuchte, und der Graf zog seine Hand blitzschnell zurück.

«Verzeihen Sie», murmelte er und griff nach den Enden ihres Kimonos, um ihn zu schließen. «Ich bin zu weit gegangen. Es tut mir sehr leid.»

Belinda war zu schockiert, um sprechen zu können. Doch die Alarmiertheit, die sie empfand, rührte nicht vom Beginn der Zärtlichkeiten her, sondern von deren drohendem Ende. Das Gefühl, das diese einzelne, hauchzarte Berührung in ihr ausgelöst hatte, war atemberaubend gewesen. Es hatte sie auf eine Art bewegt und betört, die normalerweise erst nach langem Liebesspiel einsetzte. Der Rückzug seiner Hand war geradezu unerträglich.

Als Belinda bemerkte, dass sie immer noch ihr Weinglas in der Hand hielt, stellte sie es auf den Teppich zu ihren Füßen. Dann warf sie sich ihrem Gastgeber, ohne nachzudenken, halbnackt in die Arme, sodass er unmöglich zurückweichen oder sie abweisen konnte.

Einen Moment lang blieb Graf André passiv und akzeptierte reglos den ersten Kuss und ihre Arme um seine Taille. Sein Mund schmeckte für Belindas hungrige Lippen süß wie Honig, und sein Körper roch lieblich wie eine Rose. Langsam erst bewegte er schließlich seine Arme, packte sie dann und wirbelte ihren Körper so mühelos und elegant herum, dass sie auf seinem Schoß zu sitzen kam. Belinda konnte nicht ganz nachvollziehen, wie er all das geschafft hatte, ohne sich auch nur einmal von ihren Lippen zu lösen. Sowohl ihr Oberkörper als auch ihre Schenkel boten sich jetzt unbedeckt seiner Berührung dar.

«Du bist eine sehr direkte Frau», flüsterte er, einen kurzen Moment von ihren Lippen ablassend.

Belinda sah zu seinem Gesicht auf, musste den Blick aber sofort wieder abwenden. Seine Augen waren zu strahlend, um ihr Funkeln aus dieser Nähe ertragen zu können. Voller Faszination öffnete sie bei der Berührung seines Mundes erneut die Lippen.

Ohne zu zögern, glitt seine Zunge in die weiche Höhle, umspielte ihre Zähne und lieferte sich ein tänzelndes Duell mit ihrer Partnerin. Er schmeckte nach Wein, Mandeln und etwas, das nur schwer zu identifizieren, aber überaus köstlich war. Die erregte Frau stöhnte atemlos. Noch nie hatte ihr Körper sich so voller Leben gefühlt.

Während der Graf ihren Mund weiter spielerisch erkundete, wanderte seine Hand erneut zu Belindas Bauch. Die gespreizten Finger streichelten sanft über ihre Rundung, und obwohl sie noch weit von ihrer Möse entfernt waren, schwollen die zarten Falten bereits an und wurden feucht.

«Soll ich dich dort unten auch anfassen?», fragte er und ließ seine Worte Teil des Kusses werden. Seine Hand hielt inne und wartete nur auf ihre Erlaubnis.

Belinda konnte kaum glauben, was sie da tat. Fast unmittelbar nachdem sie mit dem einen Mann im Bett gewesen war, gab sie ihren Körper schon dem nächsten hin. Es war ihr unmöglich, diesem faszinierenden Aristokraten zu widerstehen. Diesem Fremden, der so ehrlich und doch so geheimnisvoll war. «Ja», flüsterte sie unter seinen Lippen und spreizte die Schenkel, um ihm Einlass zu gewähren. Während seine Hand nach unten glitt, hörte sie ihn so eindringlich seufzen, dass es fast einem Schluchzen gleichkam.

«Es ist schon so lange her», murmelte der Graf mit dem Mund gegen ihre Wange gepresst. «So viele Jahre ...» Voller Zärtlichkeit bahnten sich seine Fingerspitzen ihren Weg durch ihre Schamhaare. Ganz vorsichtig, so als wäre ihr Fleisch aus Kristall und könnte unter groben Berührungen zerspringen.

Belindas Lust hatte sich mittlerweile ins Unermessliche gesteigert, und seine Annäherung war nach ihrem Geschmack viel zu sanft. Sie wollte, dass dieser merkwürdige Mann vehementer Hand an sie legte, um ihn durch den Kontakt enträtseln zu können. Sie wollte ihn in sich aufnehmen, ihn trinken und endlich verstehen, wieso er sie trotz der kurzen zusammen verbrachten Zeit so gut kannte. Voller Geilheit ritt sie auf seinem Knie und warf sich mit kreisenden Hüften seiner Hand entgegen.

«Halt», wisperte er ihr mit kaltem Atem ins Ohr. «Nicht so hastig. Ich werde dir die Freuden der Lust schenken, meine süße Belle, aber wir müssen uns Zeit lassen und es langsam tun. Wir haben viel zu lange gewartet, um unsere Freuden jetzt zu überstürzen und damit zu verschwenden.»

Belinda verstand nicht recht, was er da vor sich hin flüsterte. Wer hatte gewartet? Und wieso hatte er sie plötzlich «Belle» genannt? Ihre Mutter hatte sie vor vielen Jahren als Kind so genannt. Aber sie war tot, und seitdem hatte niemand den Namen mehr benutzt. Nicht mal ihre Freunde. Für Jonathan war sie in solchen Momenten immer nur «Lindi».

Der Gedanke an ihren schlafenden Freund brachte sie mit einem Schock wieder in die Realität zurück. Sie saß halbnackt auf dem Knie eines Mannes, den sie vor weniger als dreißig Minuten kennengelernt hatte, und stand kurz davor, ihn ihre Muschi berühren zu lassen.

Oh nein! Oh großer Gott! Er hatte den letzten Schritt getan und fasste sie an. Belinda wollte zurückzucken, sich entschuldigen und dann so schnell wie möglich aus diesem Haus verschwinden.

Wie konnte sie nur? Wie konnte sie ihren lieben, geduldigen und schon lange leidenden Jonathan nur betrügen? Gerade jetzt, wo es zwischen ihnen besser lief als je zuvor?

Doch die Fingerspitzen des Grafen waren zu geschickt, um ihnen widerstehen zu können. Sie schnellten über ihre Haut – heiß und kalt zugleich – und erzeugten feine Wellen himmlischer Erregung in ihr. Belinda stöhnte heiser, als er ihre pulsierende Mitte streichelte, und vergrub während ihres Höhepunktes das Gesicht in seinem weißen Hemd.

Sie war kaum auf die überwältigende Intensität ihrer Lust vorbereitet gewesen, so schnell und ohne Vorwarnung war alles geschehen. Die Tränen liefen ihr übers Gesicht, und ihr Körper zuckte und glühte, während sie sich an den Grafen, an André, klammerte, als ob ihr Seelenheil von ihm abhinge. Die Erlösung und die damit einhergehenden Gefühle standen in keinem Vergleich zu ihrer bisherigen Beziehung.

Welche Beziehung?, dachte Belinda, als sie nach und nach wieder zu sich kam. Ihr wurde fast schwindelig von seinem Rasierwasser, das sie gegen seine Brust gekuschelt tief in sich aufsaugte. Es duftete stark und sinnlich nach Rosen, passte aber trotz seiner weiblichen Lieblichkeit sehr gut zu ihm. Ich habe keine Beziehung mit diesem Mann, sagte sie sich. Ich kenne ihn ja nicht einmal richtig. Ich muss den Verstand verloren haben, ihm zu erlauben, mich anzufassen.

«Es tut mir leid.»

«Verzeih mir.»

Die Worte der Entschuldigung kamen gleichzeitig über ihre Lippen, und auch wenn Belinda nicht gerade nach lautem Lachen zumute war, so trat jetzt doch die vergnüglichere Seite ihrer Begegnung in den Vordergrund. Sie setzte sich auf, rutschte ein Stückchen nach hinten und schaute ihm recht schamvoll in die Augen.

«Was, um Himmels willen, musst du jetzt von mir denken?», sagte sie und schloss den Kimono. «Obwohl wir uns gerade erst kennengelernt haben, lasse ich mich von dir streicheln. Das muss ja auf dich wirken, als wäre ich total leicht zu haben. Ich habe mich dir ja buchstäblich an den Hals geworfen. Ich kann's selbst kaum glauben!»

Der Graf strich mit trockenem Lächeln über ihr Gesicht, nahm dann die Enden des Sashs in die Hände und band sie für sie zusammen.

«Nein, Belinda. Die Schuld lag allein bei mir», erwiderte er. Sein Blick war von irgendeinem undefinierbaren, aber eindeutig schmerzhaften Gefühl erfüllt. «Du hast mich an jemanden erinnert, den ich sehr vermisse. Einen Moment lang dachte ich, du wärst sie, und da habe ich völlig die Kontrolle über mich verloren.» Er starrte nach unten auf die lose Schleife, die er gebunden hatte. Belinda hätte schwören können, Tränen bei ihm gesehen zu haben, doch als er wieder nach oben schaute, waren seine Augen meeresblau und sorglos. «Ich muss dich nochmals um Verzeihung bitten.» Ohne Vorwarnung legte er die Hände um ihre Taille, erhob sich und stellte sie mühelos auf die Füße. «Kannst du es vergessen? Wollen wir vergessen, was hier gerade passiert ist, und nochmal von vorne anfangen – als Freunde?» Er streckte ihr die Hand entgegen. Dieselbe Hand, die sie auf so zärtliche und wunderbare Weise berührt hatte. «Ich verspreche, dass ich von jetzt an versuchen werde, mich zu benehmen.»

Und wieder geschah der Wandel seines Verhaltens erstaunlich schnell. Belinda verspürte einen starken Drang, den Kopf zu schütteln, um ihre Gedanken zu sortieren. Hatte sie sich das, was da eben geschehen war, etwa eingebildet? Vielleicht war es ja nur reine Phantasie. Irgendein Traum. Der liegengebliebene Wagen, das Unwetter und überhaupt alles hatten sie ziemlich ermüdet und auch durcheinandergebracht. Vielleicht hatte das, was sie da meinte erlebt zu haben, doch nur in ihrem Kopf stattgefunden?

Belinda war nicht in der Lage, irgendetwas darauf zu entgegnen, und ließ stattdessen André erneut ihre Hand ergreifen. Doch diesmal küsste er sie nicht, sondern drückte sie bestärkend.

«Ich glaube, es wird jetzt Zeit, sich zum Abendessen umzuziehen», stellte er mit energischer Stimme fest und bot seinem Gast den Arm an. «Darf ich dich auf dein Zimmer bringen?»

«Ja, gewiss», antwortete die junge Frau, immer noch ganz verwirrt von dem fliegenden Wechsel zwischen Intimität und formvollendeter Höflichkeit. Sie hakte sich bei ihm unter und ließ sich genau den Weg zurückführen, den sie vorhin gekommen waren.

«Du kannst so lange hierbleiben, wie du möchtest», bot er ihr an, als sie die Treppe hinaufstiegen. «Das gestrige Gewitter war ziemlich ungewöhnlich. Ansonsten hatten wir in letzter Zeit nämlich sehr viel Glück mit dem Wetter. Ich bin überzeugt, dass du einen längeren Aufenthalt sicher sehr genießen würdest.» Er drehte sich mit einem leichten, aber latent bedeutungsvollen Lächeln zu ihr um. «Und ich auch.»

«Das ist sehr nett von dir, aber ...» Die Worte erstarben auf ihren Lippen. Vor ihrem inneren Augen blitzten Bilder von den Orten auf, die sie eigentlich mit Jonathan besuchen wollte, und sie musste auch an Paula denken, die sicher schon ratlos auf ihren Anruf wartete. Doch schon in der nächsten Sekunde interessierte sie all das nicht mehr. Belinda sah sich um, betrachtete das polierte Holz des Treppenabsatzes, die antiken Möbel und die großartigen Bilder. Als ihr Blick wieder bei dem Lächeln ihres geheimnisvollen Gespielen landete, hörte sie sich plötzlich die Einladung annehmen. «Ich würde sehr gern bleiben – und Jonathan sicher auch. Gerade gestern hat er erst gesagt, dass er keine Lust mehr auf die Fahrerei hat. Es ist sehr freundlich von dir, uns einzuladen.»

«Es ist mir ein Vergnügen», erwiderte André, trat einen Schritt zurück und vollführte eine weitere seiner winzigen Verbeugungen. «Es ist schon lange her, dass ich in solch ...»

Er hielt kurz inne, und seine Augen schienen noch heller zu leuchten. «… dass ich in solch entzückender Gesellschaft war.» Er entfernte sich weiter, ohne den Blick von ihr zu wenden. «Bis zum Abendessen dann. Das Speisezimmer befindet sich direkt gegenüber der Bibliothek. A bientôt!»

Französisch kann er auch noch, dachte Belinda bei sich, als ihr Gastgeber sich wie ein Kavallerieoffizier auf den Hacken umdrehte und in Richtung der Treppe verschwand, die zu der langen Galerie und seinem Turm führte. Was für Fähigkeiten und Talente er wohl noch besitzen mochte? Sie drehte den riesigen Türknauf aus Kristall und öffnete die Tür zu ihrem Zimmer.

Du Narr! Du verdammter Narr!

André verfluchte sich selbst, während er die Treppe zu seinen Gemächern erklomm. Die Ungeduld und die augenblickliche Stärke, die er in sich spürte, ließen ihn zwei Stufen auf einmal nehmen.

Die Versuchung durch Belinda Seward war so groß gewesen, dass er ihr in seinem neuerwachten, aber noch ungewohnten Begehren nicht hatte widerstehen können. Der liebliche, an Brust und Hüfte zart gerundete Körper – er war dem von Arabelle so ähnlich, dass er fast das Gefühl hatte, seine Geliebte wieder zu streicheln. Beim Eintritt in sein Zimmer schnaufte er vor Sehnsucht laut auf und betete, dass er nicht zu schnell zu weit gegangen war und damit alles verdorben hatte. Er schaute auf die Rosenholzschatulle von Belle – wie immer, wenn er nach Versicherung suchte –, doch das blaue Glühen war gedämpft und kaum noch zu erkennen.

Konnte Belinda Seward wirklich die Richtige sein?, dachte der Graf bei sich. Er zog die Vorhänge seines Bettes beiseite und befestigte sie. Hatte er endlich eine Frau gefunden, die voll und ganz zu ihm passte? Er warf sich auf das Bett und dachte über diese Aussicht nach.

Er und Arabelle waren sich ab und zu schon nahe gewesen und hatten ein paar viel zu kurze Momente verstohlener Gemeinschaft geteilt. Doch diese Episoden waren fast so schmerzvoll, wie sie tröstend waren. Nichts würde André mehr bedeuten, als Belle wieder in seinen Armen zu halten, sie zu berühren und zu verwöhnen. Doch bei jeder ihrer Begegnungen hatte er gewusst, dass ihr Glück vergänglich war. Immer stand das Wissen im Raum, dass es in ein paar Minuten wieder vorbei sein würde, dass ihre Umarmung sich lösen würde, weil sie fortmusste. Es schien grausam, unter solchen Umständen mit ihr zusammen sein zu wollen, doch ihre Abwesenheit schmerzte ihn auf so erschütternde Weise, dass er der Versuchung auf dieses bisschen Glück nicht widerstehen konnte.

Sollte er Belle wecken und ihr mitteilen, was er entdeckt hatte? Der Graf blickte erneut zu der Schatulle und der darin befindlichen Kristallphiole, aber seine Gedanken waren immer noch voller Zweifel. Es wäre zu unbarmherzig, ihre Hoffnungen jetzt schon zu schüren. Vielleicht wäre es besser zu warten, bis er ganz sicher war, dass er in Belinda Seward die Frau gefunden hatte, die ihm helfen konnte. Sicher auch, dass er nicht alles verderben würde, indem er zu gierig nach den kräftigenden Vergnügungen griff, die er so sehr brauchte. André legte die Hände vors Gesicht und versuchte, seinen angespannten Körper weich zu machen. Er musste die Ruhe und die Beherrschung finden, die er brauchte, um klar denken zu können.

Doch dieses Gefühl des Friedens war nur schwer zu erlangen, und die Gedanken rasten ununterbrochen in der Dunkelheit hinter seinen Augenlidern. Und wieder verspürte er das dringende Bedürfnis, nach Belle zu greifen …

Plötzlich jedoch bemerkte der Graf eine Veränderung in der Atmosphäre des Raumes. Er nahm die Hände vom Gesicht, setzte sich auf und blickte auf die Schatulle. Das übersinnliche blaue Licht wurde wieder stärker, und damit flammte auch seine Hoffnung wieder auf. Plötzlich wurde die Stille im Raum durch eine Antwort auf seine Beschwörung zerrissen.

Du bist wach, mein Liebster. Hast du Sorgen?

Ihre Stimme war genauso zärtlich und lebhaft wie zu ihren Lebzeiten. Sie beruhigte seinen aufgewühlten Geist mit einem Frieden und einer Gelassenheit, die er ob der Ungreifbarkeit ihrer ätherischen Existenz kaum fassen konnte.

«Ja, ich habe Sorgen», antwortete der Graf mit lauter Stimme, so als wäre ihre Anwesenheit völlig selbstverständlich. «Ich glaube, ich habe sie gefunden, meine Liebste. Die Frau, die uns helfen kann. Sie scheint perfekt zu passen, aber dennoch kann ich ein Gefühl der Angst nicht recht verscheuchen.»

Angst vorm Sterben?, fragte Arabelle. Ihre Stimme klang sanft und fest in seinem Kopf.

«Nein, das nicht», erwiderte André. «Ich werde froh sein, wenn meine Zeit gekommen ist … Nein, ich habe Angst davor, dass ich dieser Belinda vielleicht schaden könnte. Sie ist dir so ähnlich, mein Liebling. Wenn du nie existiert hättest, könnte sie mir vielleicht wirklich etwas bedeuten. Und daher muss ich mich fragen, ob ich das Recht habe, ihr Leben zu gefährden.»

Arabelle blieb stumm, doch er spürte deutlich, dass sie aufmerksam zuhörte und ihm alle Zeit der Welt ließ.

«Doch wenn ich es nicht versuche, kannst du niemals befreit werden, meine Liebste», weinte er, als würden seine Gefühle ihn in tausend Stücke reißen.

Pst, mein André. Mach dir keine Sorgen, beruhigte ihn

seine geisterhafte Gefährtin. Wenn es geschehen soll, wird es auch geschehen. Wenn du vielleicht ganz offen zu ihr wärst … Wenn du ihr unsere Lage schildern und sie selbst entscheiden lassen würdest, vielleicht hilft sie uns dann aus freien Stücken.

«Vielleicht hast du recht», murmelte der Graf und betrachtete seine Hände. Bevor diese Finger Belinda berührten, hatten sie viele Jahrzehnte zuvor Arabelle gestreichelt. Er konnte sich noch gut an ihre unglaublich weiche Haut erinnern, an ihr Stöhnen, wenn er sie berührte, und an ihr Erröten, wenn er sich Freiheiten herausnahm. Arabelles erotisches Verlangen war gerade erst erweckt worden, als ihre Wege sich trennten. Der Graf hatte damals genau gespürt, dass sie ihn wollte und mit jeder Begegnung wagemutiger wurde. Immer wieder war es ihnen verwehrt worden, endlich eins zu sein, und es fühlte sich an, als würde jemand einen Dolch in seine Brust rammen – wieder und wieder, mit Stichen, die schmerzten und bluteten, ihm aber nie die Erlösung schenkten, nach der er sich so sehnte.

Quäl dich nicht, mein Liebster. Gedenke unserer gemeinsamen Stunden mit Freude und nicht mit Traurigkeit. Arabelles Stimme klang wie ein Echo in seinem Kopf. Wie eine klare, helle Glocke, deren liebreizender Klang ihn etwas aufmunterte. Schau mit Hoffnung nach vorn, mein André, und genieße den Trost, den du finden kannst. Ich glaube fest daran, dass alles gut wird.

Da hatte André allerdings seine Zweifel. Und er spürte, dass auch seine weise Geliebte sich dieser Bedenken bewusst war. Doch als seine Gedanken durch die Jahre zurückwanderten und er sich ihren lieblichen Körper in seinen Armen vorstellte, wurde sein Herzschlag ruhiger. Er schloss die Augen und lächelte.

Kapitel 6

Die Rivalin

Isidora Katori ließ sich in die weichen Ziegenledersitze ihrer Limousine fallen, schloss die bemalten Augen und lächelte voller Zufriedenheit. Ihre schmalen Hände wanderten kurz zu ihrem Dekolleté, wo unter der Kleidung ihr Talisman, Astarte, ruhte.

Für einen außenstehenden Beobachter wirkte die Frau ruhig wie immer. Doch in ihrem Inneren herrschte ein Chaos umherwirbelnder Leidenschaften.

Sie hatte ihn wiedergefunden! Ihren gefallenen Engel. Das Objekt ihrer Begierde und ihres Hasses. Isidora ließ die Finger über das kostbare Medaillon gleiten und dachte über den einzigen Mann nach, der sie jemals besiegt und in Gedanken über Jahrzehnte verfolgt hatte. Sie hatte André von Kastel für immer verändert und für immer verflucht.

Nach einem anstrengenden Flug und einem ebenso anstrengenden Aufenthalt in Paris hatte sie sich in den opulenten Kokon ihres langen schwarzen Wagens zurückgezogen und ihre Gedanken durch den Äther wandern lassen. Und ganz plötzlich war sie auf das mentale Erkennungszeichen gestoßen, nach dem sie die ganze Zeit gesucht hatte: André war irgendwo ganz in der Nähe erwacht! In diesem Land. In England. Sein Bewusstsein war wie ein Leuchtfeuer, dem sie folgen konnte.

Isidora sah jenes Gesicht noch deutlich vor sich, das sich ihr bei der letzten Begegnung mit André in jedem wunderschönen Detail ins Gedächtnis gebrannt hatte. Immer noch konnte sie den Zorn in seinen blauen Augen sehen, seinen

Kummer und seine verzweifelte Verwirrung auskosten. Während er sie schon hasste, hatte er sie immer noch aufs äußerste begehrt. Und das war für Isidora der reinste, befriedigendste Triumph gewesen.

«Ist alles in Ordnung?», erkundigte sich eine Stimme neben ihr und störte ihre Gedanken an Andrés gequälte Gesichtszüge.

Isidora öffnete die Augen und betrachtete ihren Gefährten mit vorübergehender Genervtheit.

Wer war dieser Wurm? Wie war sein Name? Nicht einmal daran konnte sie sich erinnern. Er war einfach nur ein attraktives Gesicht im Flugzeug gewesen. Ein ganz gewöhnlicher Yuppie, der zweifellos gerade ein erfolgreiches Geschäft abgeschlossen hatte und sich nach dem berüchtigten Glas Champagner zu viel nun auf einen anderen Eroberungsfeldzug traute. Zwar war Isidora nach den Ausschweifungen in Paris etwas müde gewesen, doch seine unbeholfenen Annäherungsversuche hatten sie ausgesprochen amüsiert. Sein Gesichtsausdruck beim Anblick ihrer Limousine war für die Götter gewesen.

«Ja, danke …» Sie musste sich kurz seinen Namen in Erinnerung rufen. «… Miles. Ich bin nur ein bisschen müde. Das ist alles. Paris war anstrengend. Herrlich, aber anstrengend. Aber keine Sorge …» Sie zögerte erneut und legte ihre Hand vorsichtig und ziemlich weit oben auf seinen Schenkel. «… ich bin sehr belastbar.»

«Oh … äh … großartig», erwiderte Miles mit strahlendem, aber etwas verwirrtem Blick. Isidora war klar, dass er keinerlei Ahnung hatte, was sie da mit ihm tat und wie leicht sie ihn manipulieren konnte.

Sie zog ihre Hand weg und lehnte sich wieder zurück. Dabei betrachtete sie ihr Opfer durch lange schwarze Wimpern.

Sie fand ihn recht ansehnlich. Verglich man ihn allerdings mit André, erschien er fade und charakterlos. Miles war schlank, aalglatt und gut gebaut. Unter normalen Umständen war er sicher ein Musterbeispiel männlichen Selbstbewusstseins. Doch dies waren keine normalen Umstände, dachte sie voller Gemeinheit und stellte sich ihren Begleiter nackt, verletzbar und abhängig von ihrer Gnade vor – genau der Zustand, in dem André hätte verbleiben sollen, anstatt sie zu verfluchen, zu betrügen und die Flucht zu ergreifen.

Aber genug von diesen negativen Gedanken. André war ganz nah. Näher, als sie jemals zu hoffen gewagt hatte. Und da er über keine mentale Verbindung zu ihr verfügte, konnte er unmöglich ahnen, dass sie ihn aufgespürt hatte. Isidora konnte sich mit ihrem Vernichtungsschlag also alle Zeit der Welt lassen und sich ihrem Opfer zuwenden, wann immer sie es wollte. Sie würde sich ihm mit aller verfügbaren List nähern und sich erst zu erkennen geben, wenn es für eine Flucht zu spät wäre.

Und bis dahin hatte sie den attraktiven Yuppie. Als Kennerin der stets wechselhaften Mode bewunderte Isidora Miles' locker geschnittenen Anzug und die Art, wie er sich an seinen gutgebauten Körper schmiegte. Sie stellte sich vor, wie er in irgendeinem exklusiven Fitnessstudio trainierte, wo er zweifellos nur Designerschweiß transpirierte. Schon bald genug würde er auch für sie schwitzen, dachte die unbarmherzige Frau und weidete sich an dem Szenario, das langsam vor ihrem geistigen Auge entstand. Er würde schwitzen, er würde laut stöhnen, und er würde die Macht über seinen eigenen Körper verlieren. Sie würde das Zusammensein mit ihm genießen, und wenn es vorbei war, würde der junge Mann sie anbeten.

«Wartet zu Hause irgendjemand auf dich, Miles?», erkundigte sie sich und wandte sich dem jungen Mann so zu, dass er die volle Macht ihrer strahlenden grünen Augen zu spüren bekam.

«Ja, um ehrlich zu sein», erwiderte der Angesprochene ein wenig großspurig.

Isidora hätte am liebsten laut über seine selbstgefällige Art gelacht. Er schien damit zu prahlen, ein Mann von Welt zu sein, der es gewöhnt war, seine Partnerin zu betrügen. Doch es sollte nicht mehr lange dauern, bis sich seine Großspurigkeit gelegt haben würde.

«Wieso rufst du sie nicht an?», schlug seine Verführerin vor. «Sag ihr Bescheid, dass sie noch ein wenig auf dich warten muss.»

Miles legte die Stirn in Falten. Isidoras Bemühungen, ein Schuldgefühl in ihm auszulösen, hatten offensichtlich Früchte getragen. Er nahm ein winziges Handy aus seiner Aktentasche und wählte eine Nummer. Isidora behielt ihn das ganze Gespräch über im Auge und genoss das elektrisierende Gefühl, das sein Unbehagen und die sexuelle Verwirrung bei ihr auslösten. Die kaum hörbaren, aber eindeutig scharfen Worte, die der verworrenen und ganz und gar unglaubwürdigen Begründung für sein Zuspätkommen folgten, ließen eine äußerst verstimmte Person am anderen Apparat vermuten. Isidora spürte genau, wie zwiegespalten Miles war.

«Okay, alles geregelt», verkündete er schließlich und ließ das Telefon launig zuschnappen, als wollte er ihr beweisen, dass er ganz sein eigener Herr war.

«Ich habe dir nie versprochen, dass du die ganze Nacht mit mir verbringen kannst», erklärte sie und freute sich an der Röte, die ihre Bemerkung in seinem Gesicht erzeugte.

«Aber …»

«Na ja, wir werden sehen», unterbrach sie ihn. «Wenn

du mir Freude bereitest, werde ich dich vielleicht noch länger bei mir behalten.»

Er öffnete den Mund, um zu protestieren, doch Isidora kam ihm zuvor und presste ihm die Zunge zwischen die Lippen. Völlig schockiert ließ er sie gewähren und ergab sich wie gelähmt ihrem aggressiven Kuss. Ihre Zunge schmeckte nach dem Champagner, den die beiden vorhin getrunken hatten.

Als ihre Lippen sich voneinander lösten, wandte Isidora sich etwas ab und holte lächelnd ein spitzenbesetztes Taschentuch aus ihrer Handtasche, mit dem sie ihren rotbemalten, aber völlig unverschmierten Mund trocknete.

«Wir sind da», verkündete sie ausdruckslos und drückte ihm das Taschentuch in die Hand, als die Limousine vor ihrem Haus hielt. Und dort blieb es auch, als der Chauffeur die Wagentür öffnete und ihr beim Aussteigen half.

Die Tatsache, dass die Dame ein vornehmes Penthouse in einem vornehmen Gebäude in einem vornehmen Stadtteil von London besaß, beeindruckte den jungen Mann sichtlich. Während die beiden in dem kugelähnlichen Lift nach oben fuhren, sah er sich aufgeregt grinsend um. Er genoss einen der exklusivsten Blicke auf die Stadt und die zurückhaltenden Symbole des Reichtums, die ihn umgaben.

Als sie schließlich in Isidoras Wohnzimmer standen, versuchte er sie zu küssen. Doch sosehr sein ungeübter Mund sie auch entzückte, die geheimnisvolle Frau ließ ihn trotzdem allein mit seinem Aktenkoffer stehen – wie einen Schüler an seinem ersten Morgen in der neuen Schule.

«Vielleicht einen kleinen Drink?», erkundigte sie sich und ging in Richtung einer buntgemischten Sammlung von Alkoholika und anderen Drogen.

«Oh. Ja! Gern!», entgegnete ihr Besucher und ließ die Aktentasche von einer Hand zur anderen wandern, als wüsste er nicht recht, was er damit anfangen sollte. Isidora machte keinerlei Anstalten, sie ihm abzunehmen, und so stellte er sie nach einiger Zeit einfach neben einen Stuhl.

«Wein?», fragte sie und griff, noch bevor er eine Sorte wählen konnte, nach einer Flasche Rotwein.

«Darf ich das übernehmen?», fragte Miles, als sie den Korkenzieher ansetzte. Seine Bemühungen, weltmännisch zu wirken, amüsierten Isidora. Wusste er denn nicht, dass er keinerlei Chance hatte?

«Nein», entgegnete sie und sah ihn mit festem Blick an, während sie den Korken mit einem entschlossenen Ruck aus der Flasche zog.

Sie spürte genau, wie er hinter ihrem Rücken unruhig herumzappelte, während sie die Gläser füllte. Was würde er wohl tun, wenn ich einen Tropfen hiervon dazugeben würde? Isidora betrachtete die winzigen Fläschchen, die außer Sichtweite auf einem tiefergehängten Regal standen und mit ihren selbstgemischten Zaubertränken gefüllt waren: Aphrodisiaka, stimmungsverändernde Mixturen, Tränke, die der sexuellen Leistungsfähigkeit dienlich waren oder ein Opfer in den Schlaf schicken konnten. Während sie noch darüber nachdachte, ob sie Miles etwas geben sollte, das ihn noch beeinflussbarer machte, fiel ihr eine weitere ihrer alchemistischen Kreationen ein, die sie lange vor seiner Geburt das letzte Mal angewandt hatte.

Nein! Sie brauchte keine esoterische Hilfe, um mit diesem jungen Kavalier des 21. Jahrhunderts fertigzuwerden. Und sie würde auch nicht mehr an die blaue Flüssigkeit denken, die sie einst benutzt hatte.

«Hier», sagte sie und hielt Miles einen großen, mit Wein gefüllten Kristallkelch hin.

Miles nahm das Glas, nippte dankbar daran und schien dann zu merken, dass er wohl erst hätte anstoßen sollen.

Isidora sagte nichts, nahm einen Schluck aus ihrem eigenen Glas und stellte es beiseite. Dann begann sie – weder zurückhaltend noch überschwänglich – sich in aller Ruhe ihrer Kleidung zu entledigen.

Erst kamen die Handschuhe, dann ihr eleganter Hut mit Schleier und schließlich die Jacke, unter der sie eine schwarze Moirébluse trug. Sie sah Miles direkt in die Augen, während ihre Finger nach der Reihe von schwarzen Perlknöpfen suchten.

«Oh ja, phantastisch!», nuschelte er, stürzte seinen Wein hinunter und stellte das Glas ab, bevor er sich am Revers seines Sakkos zu schaffen machte.

«Warte», befahl Isidora mit sanfter, aber gleichzeitig drohender Stimme.

Miles leckte sich, immer noch breit grinsend, die Lippen. Dass seine vermeintliche Eroberung einen Strip für ihn hinlegte, war eine wahre Freude für den jungen Mann, und er machte Anstalten, sich auf einem ihrer tiefen Ledersessel niederzulassen, um die Vorstellung von dort aus zu genießen.

«Ich sagte, du sollst warten», wiederholte sie. «Bleib, wo du bist.» Sie genoss sein Aufstöhnen, als sie die Bluse über ihre Arme streifte.

Darunter trug sie ein eisgraues Bustier. Ein einfaches, aber elegantes Modell, das die meisten Frauen sicher als unbequem einstufen würden. Doch Isidora mochte die feste Umarmung des eng zusammengezogenen Stoffes und die Art, wie ihre Brüste durch die Viertelkörbchen zur Schau gestellt wurden. Doch noch viel köstlicher war ein weiterer Effekt der rigiden, unnachgiebigen Schnürung: Ihre Organe waren so eingezwängt, dass sie einen schweren Druck von innen auf ihre Lustzonen ausübten. Ihre Möse fühlte sich wie eine reife, offene Frucht an und ihr Kitzler wie eine herausgedrückte Knospe. Die durch den vielen Champagner prallgefüllte Blase erhöhte die dunkle, erotische Spannung nur noch.

«Wow!», entfuhr es Miles, als sie wieder nach ihren Handschuhen griff und das dünne Leder vorsichtig über ihre Finger zog.

«Ich würde es vorziehen, wenn du nicht sprichst», ordnete Isidora im Plauderton an. Dann umfasste sie ihre überquellenden Brüste mit beiden Händen und zwirbelte mit ledrigen Fingern ihre Nippel. «Ich brauche Konzentration und Ruhe, Miles. Deine ungeteilte Aufmerksamkeit.» Als die ersten Gefühle der Lust durch ihren Körper strömten, schloss Isidora die Augen und ließ auf spitzen, hochhackigen Schuhen stehend elegant die Hüften kreisen.

Obwohl sie ihn nicht sehen konnte, studierte die erregte Frau den sprachlosen Bewunderer doch mit ihrem inneren Auge. Er starrte sie an wie ein Schuljunge, zu dem sie ihn soeben gemacht hatte. Seine Hose hatte sich im Schritt bereits zu einem Zelt aufgestellt, und sie konnte die Nerven in seinen Fingern förmlich zucken fühlen. Er sehnte sich danach, sie zu berühren. Und wenn er das schon nicht konnte, dann doch wenigstens sich selbst.

«Das würde ich nicht tun, wenn ich du wäre», sagte sie, als er eine Hand bewegte, um sie zwischen seine Beine zu legen. Ihre Augen öffneten sich und durchbohrten ihn geradezu.

«Isidora?», hub er leicht gereizt an. «Was ist denn los? Ich wollte nicht …»

«Ruhe!», schnitt sie ihm das Wort ab. Sein wie vom Donner gerührter Blick erregte sie.

«Aber …»

Diesmal brachte sie ihn allein mit der Kraft ihrer blitzenden Augen und ihrer wilden Schönheit zum Verstummen. Er blickte sie voller Scham an und ließ die Hände sinken.

«Schon besser», lobte sie, zwickte sich ein letztes Mal in die Brustwarzen und machte sich dann an ihrem engen Rock zu schaffen. Sie hakte das Bündchen auf, öffnete den Reißverschluss und ließ das Kleidungsstück dann auf ihre Füße fallen

Noch einmal musste sie Miles mit einem eiskalten Blick zur Ordnung rufen. Sie sah, wie er sich auf die Lippen biss, um seine Begeisterung nicht laut herauszuschreien.

Isidora wusste, dass sie in dem wirren Leinen- und Satinhaufen stehend wie die emporsteigende Venus selbst aussah. Das stahlfarbene Bustier endete knapp über ihrem Nabel, und ihre langen Beine steckten in Strümpfen, die von Strapsen gehalten wurden. Dazwischen trug sie nichts. Sie spürte, wie Miles konzentriert auf ihren üppigen Schamhaarbusch und die schimmernden Tropfen ihrer Lust starrte, die zwischen ihren Locken glitzerten. Sie sah, wie er sich die Lippen leckte, so als würde er sich vorstellen, wie sie wohl schmeckte.

Keine Sorge, mein kleiner, naiver Miles, du wirst mich schon noch kosten. Denk an meine Worte. Isidora trat aus Rock und Schuhen heraus, steckte ihre Füße aber gleich wieder in die eleganten High Heels. Du wirst mir mit diesem weichen Mund so lange zu Diensten sein, bis dein Kiefer schmerzt.

«Bleib dort stehen», wies sie ihn an, als er Anstalten machte, sich erneut zu bewegen. Die geheimnisvolle Frau nahm einen erfrischenden Schluck von dem Wein und zog dann einen ihrer Handschuhe aus. Nachdem sie einen Finger mit der kühlen Flüssigkeit benetzt hatte, spreizte sie die Beine ein wenig und rieb ihren pulsierenden Kitzler.

Der schwache Alkohol kitzelte nur ein wenig, doch der Druck allein reichte aus, um sie zum Höhepunkt zu bringen. Isidora gab ein kehliges Stöhnen von sich, als die Wellen der Lust sie erfassten. Ihre gefüllte Blase sorgte dafür, dass jede dieser Wogen von einem köstlichen Schmerz begleitet wurde.

«Danke, meine Göttin», murmelte sie nach dem Abklingen der Lustexplosion in Richtung der Gottheit, deren Abbild zwischen ihren Brüsten hing. Isidora zog ihre duftenden Finger aus der Spalte zwischen ihren Beinen, hob den Talisman an und führte ihn zu den Lippen. «Für alles», fügte sie in Gedenken an den Erzfeind mit den blauen Augen hinzu, dessen Seele schon bald ihr gehören würde.

Als sie die Augen wieder öffnete, sah sie ihren angenehmen, wenn auch recht unscheinbaren Gefährten vor sich. Ach, was soll's, ein bisschen Zeit würde sie mit ihm schon rumkriegen.

«Komm», flüsterte sie und streckte Miles mit einem leichten Lächeln ihre linke Hand entgegen.

Und dieser kam wie ein williges Lamm auf sie zu, das gleich geopfert werden sollte.

Wo zum Teufel ist er nur geblieben?, dachte Belinda, als sie in das Schlafzimmer trat. Jonathan war nirgendwo zu sehen. Das Bett war gemacht, und ihre Kleider waren aufgehoben und weggeräumt worden. Die Fensterflügel standen offen und ließen das sepiafarbene Licht der Dämmerung in den Raum, der von dem starken Duft eines Potpourris erfüllt war. Jetzt roch das Zimmer nicht mehr nach schwitzigem Sex.

«Dann mache ich mich wohl besser mal zum Essen fertig», murmelte sie und fragte sich gleichzeitig, wer wohl hier gewesen war und aufgeräumt hatte. Vielleicht eine von Jonathans blonden Freundinnen oder der stumme, aber merkwürdig freundliche Oren?

Belinda war gerade dabei, den schwarzen Morgenmantel

auszuziehen und sich zu überlegen, was sie wohl zu einem Dinner mit einem Blaublut tragen konnte, als es auf einmal leise an der Tür klopfte.

Nicht schon wieder, dachte sie und war versucht, nicht darauf zu reagieren. Wer war es wohl diesmal?

Die Tür ging auf, und zwei junge Frauen traten ein. Zwei wunderschöne Blondinen, die warm lächelten, aber kein Wort sagten. Eine hatte einen Notizblock mit Stift dabei, die andere den Arm voller Kleider.

Belinda ahnte sofort, dass es sich bei den beiden um Jonathans Gespielinnen handelte – die beiden Waldfeen, mit denen er sich am Fluss vergnügt hatte.

«Äh ... hallo», begrüßte die junge Frau die zwei unsicher. Sie wusste nicht recht, was sie zu ihnen sagen sollte. Ob sie überhaupt hören konnten? «Mein Name ist Belinda», stellte sie sich zögernd vor und tapste sich mit der flachen Hand auf die Brust. Sie kam sich schrecklich eingebildet vor. Wenn die beiden sie nun doch mühelos verstanden und sich von der Geste angegriffen fühlten?

Doch zu ihrer Erleichterung wurde das Lächeln der beiden Mädchen noch breiter. Die Größere, deren flachsblondes Haar zu einem Pferdeschwanz gebunden war, machte eine elegante Geste mit dem Notizblock und schrieb schnell ein paar Worte auf die erste Seite. Dann hielt sie ihn Belinda hin.

Mein Name ist Elisa, hatte das Mädchen geschrieben. *Und meine Cousine heißt Feltris. Unser Herr hat uns gesandt, um Ihnen in jedweder Weise behilflich zu sein. Wir haben frische Kleidung mitgebracht, damit Sie baden und sich zum Dinner umziehen können.*

Nachdem Elisa das Notizbuch wieder an sich genommen und zur Seite gelegt hatte, trat ihre jüngere Cousine Feltris mit den Sachen im Arm schüchtern nach vorn. Genau wie das Hängerkleidchen und die French Knickers, die Belinda vorhin getragen hatte, breitete die grazile Blondine auch diese Kleidungsstücke auf dem Bett aus. Diesmal waren es allerdings mehr Dinge, und Feltris arrangierte jedes Stück mit zärtlicher Sorgfalt. Belinda war ganz erstaunt über den Anblick von solcher Schönheit.

Das erste Kleidungsstück war ein Kleid – ein himmlisch schimmerndes Etwas, das Belinda sofort zu berühren versucht war. Es bestand aus mehreren Schichten bestickter Seide in einer hinreißenden Farbmischung aus Pfirsich und Orange. Geschnitten war es im Stil der wilden Zwanziger: tiefe Taille, gerade gearbeitetes Oberteil und gebogener, welliger Saum. Das Kleid war mit Satinstoff gefüttert, und als Belinda sich zur genaueren Betrachtung vorbeugte, sah sie, dass es handgenäht und jedes Detail individuell angefertigt worden war. Es trug kein Etikett und auch sonst keinerlei Hinweise auf einen Designer oder Markennamen. Es musste sich um ein Original handeln, das tatsächlich aus dem Zeitalter des Charleston stammte. Was ihr da zum Anziehen angeboten wurde, war eine echte Haute-Couture-Antiquität und wahrscheinlich Hunderte, wenn nicht gar Tausende von Pfund wert.

«Das kann ich nicht tragen», protestierte sie. Es juckte sie in den Fingern, über den erlesenen Stoff zu streichen, doch sie brachte es nicht über sich. «Es ist zu wertvoll. Es gehört in ein Museum.»

Doch die Mädchen schüttelten nur lächelnd die Köpfe und ermutigten sie, sich das Kleid noch genauer anzusehen. Elisa nahm Belindas Hand und drückte sie sanft auf die glänzende Seide.

«Okay, wenn ihr meint», stimmte Belinda schließlich zu. Die feine Weichheit des seltenen, federleichten Stoffes erfreute ihre Sinne über alle Maßen.

Die Unterwäsche passte perfekt zu dem Kleid. Sie war raffiniert, unglaublich zart und so verführerisch, dass es der jungen Frau fast den Atem verschlug. Sie bestand aus einem elfenbeinfarbenen Hemdchen mit dem dazu passenden langen Höschen aus Seidenflor. Beide Teile waren mit weichen Spitzenrüschen und winzigen gestickten Röschen verziert. Es gab auch einen Strapsgürtel und Strümpfe aus naturweiß gewobener Seide. Für ihre Füße hatten die beiden Mädchen ein paar Satinballerinas in derselben Farbe des Kleides mitgebracht, und daneben lagen eine kleine passende Tasche, ein Spitzentaschentuch und ein parfümiertes Ansteckbukett.

«Und Aschenputtel geht auf den Ball», murmelte Belinda völlig fasziniert von den wunderschönen Kleidern und Accessoires. So viel Pracht für ein einfaches Dinner!

Aber wenn der Graf nun Gäste hatte? Wenn seine melancholische Einsamkeit nur etwas war, das sie ihm angedichtet hatte? Ganz im Gegensatz zum ersten Eindruck hatte er schließlich ein wunderschönes Heim – einen perfekten Ort für Zusammenkünfte und Partys.

Und doch wusste sie in ihrem Inneren, dass er einsam war und all diese Pracht nur dazu gedacht war, ihm zu gefallen. Also vielleicht doch nicht Aschenputtel, dachte sie und hob den Träger des Leibchens an. Er war leicht wie Luft. Ich werde nach seinem Geschmack herausgeputzt und geschmückt – wie eine Konkubine, die für ihren Herrn angekleidet wird. Doch merkwürdigerweise stieß diese Vorstellung sie gar nicht so sehr ab. Stattdessen empfand sie so etwas wie eine elektrisierende Erwartung. Eine Aufregung, die ein Pulsieren zwischen ihren Beinen auslöste. Als wäre ihre Erregung sichtbar, zog Belinda den schwarzen Morgenmantel enger zusammen und drehte sich zu den beiden wartenden Cousinen um.

«Okay, ich bin so weit. Was kommt als Nächstes?»

Elisa nahm sie als Antwort bei der Hand und führte sie in Richtung Badezimmer. Feltris folgte ihnen stumm.

Dort angekommen, arbeiteten die beiden Mädchen als Team. Sie legten frische Handtücher und offensichtlich ungeöffnete Toilettenartikel zurecht. Die bereits benutzten Dinge waren irgendwann entfernt worden. Belinda zog beim Gedanken an die so reibungslos funktionierende Servicemaschine die Stirn in Falten. Bisher war sie nur Oren und diesen beiden Wesen begegnet, aber der Haushalt des Grafen war so gut geführt, als würde er von Heerscharen von Personal betreut. Ein weiteres Geheimnis, das auf die immer länger werdende Liste gesetzt werden konnte. Noch bevor sie den Gedanken vertiefen konnte, griff Elisa nach ihrem Morgenmantel.

Belinda hatte nicht weiter darüber nachgedacht, was das Mädchen in das Notizbuch geschrieben hatte, aber jetzt geriet sie doch leicht in Panik und presste die dünne schwarze Seide an ihren Körper. Zwar hatte sie mehr als einmal an öffentlichen Orten geduscht, war aber noch nie tatsächlich von einer Frau gebadet worden – zumindest seit frühester Kindheit nicht mehr. Und Jonathans Erzählungen zufolge waren die beiden Mädchen lesbisch und würden ihren nackten Körper sicher nicht mit allzu kühler Zurückhaltung betrachten.

«Schon gut, von hier an komme ich allein zurecht», sagte sie nervös und versuchte, den Gürtel ihres Morgenmantels vor Elisas Griff zu retten. «Vielen Dank. Aber ich bin es gewöhnt, mich allein um diese Dinge zu kümmern. Wirklich.»

Doch das blonde Mädchen wollte sich nicht fortschicken lassen. Geschickt und entschlossen entriss sie Belinda den Gürtel und reichte ihn an Feltris weiter, die dicht hinter ihnen stand. Lächelnd strich sie Belinda übers Gesicht und beugte sich dann vor, um ihr einen Kuss auf die Wange zu geben. Es war ein sehr sanfter Kuss, der aber voller Beteuerung war.

Verwirrt ließ Belinda den Morgenmantel los und gestattete Feltris und Elisa, ihn auszuziehen. Ihr nackter Körper war von der kleinen Balgerei leicht gerötet. Die junge Frau verspürte einen überwältigenden Drang, sich mit den Händen Brüste und Schamdreieck zu bedecken, und gleichzeitig die Gewissheit, damit die Sache nur schlimmer zu machen. Wenn sie sich wie eine Mimose aufführte, wäre das ein klares Eingeständnis, dass die sexuelle Natur der beiden ihr Angst machte. Wenn sie sich dagegen gleichgültig gab, würden die beiden Mädchen sicher nichts von ihrer Furcht bemerken.

Als sie jedoch mit einem versuchten Lächeln nach vorne trat, wurde ihr ganz schwindelig. Wie ein Sturm fuhr etwas durch ihren Körper, und sie hatte das Gefühl, verwandelt, ja ganz und gar verändert zu werden. Für einen Moment meinte sie sogar, die blauen Augen des Grafen André zu sehen, der sie freundlich, aber mit leichtem Necken im Blick anlächelte.

«Oje», stöhnte sie und schwankte ob der sich steigernden Intensität des Erlebnisses. Ihre Unsicherheit wurde unmittelbar durch hilfreiche Arme aufgefangen, die sie sicher stützten. Es dauerte nur einen kurzen Moment, bis die beiden Nymphen sie in einen Stuhl verfrachtet hatten.

Belinda presste die Hände vors Gesicht und versuchte zu analysieren, was da gerade eben passiert war. Irgendetwas war passiert, doch je mehr sie sich mühte, ihre Gedanken zu fassen, desto weniger schien es ihr zu gelingen. Sie wusste nur, dass sie sich besser fühlte – jetzt, wo es vorbei war. Als Belinda die Hände sinken ließ, schaute sie in ein blasses und wunderschönes Gesicht.

Vor ihr kniete Feltris mit einem Ausdruck der Sorge auf den feinknochigen, elfengleichen Gesichtszügen.

Oh Gott, sie ist hinreißend, dachte Belinda ganz erstaunt über diese Offenbarung. Das jüngere Mädchen war so hübsch, so sinnlich, so begehrenswert.

Begehrenswert?

Wieso eigentlich nicht?

Zitternd glitten Belindas Finger durch Feltris' seidiges Haar und streichelten über den Hinterkopf. Ihre Blicke trafen sich, und die nackte Frau sah Zärtlichkeit und eine freundliche, ermutigende Lust in den Augen des Mädchens leuchten. Ohne weiter nachzudenken, beugte sie sich vor und fing an, sie zu küssen.

Ich küsse eine Frau, dachte Belinda und genoss den zarten, frischen Geschmack des minzigen Atems. Die Lippen des Mädchens fühlten sich weich wie Rosenblätter an und schienen unter ihrem Mund zu schmelzen und sich gleichzeitig anzuspannen. Belinda spürte, wie Feltris' Zunge in ihren Mund schoss, sich spielerisch dort umtat und dann schließlich ihre eigene Zunge berührte. Fast automatisch ergab sich ein Duell, in dem die junge Frau ihre schlanken Arme um sie legte.

Ohne nachzudenken und ohne die geringste Verlegenheit rutschte Belinda – schließlich den Mund noch immer auf Feltris' Lippen gepresst – nach vorn und ließ sich auf den Fußboden des Badezimmers legen. Die Umarmung schien in horizontaler Lage so viel einfacher zu sein. Als sie auf dem Rücken lag, spürte sie, wie Feltris sich auf sie setzte und den Kuss auf sehr dominante, männliche Weise fortsetzte.

Belinda war sich ihrer Nacktheit durchaus bewusst, ja sie bereitete ihr mittlerweile sogar Freude. Sie schlang die Arme um die junge Frau und presste ihre bloßen Brüste gegen die ihren. Mit einem leichten Wackeln ihres Hinterteils spreizte sie die Beine, was von Feltris mit einem freudig erregten Singsang kommentiert wurde.

Was ist nur in mich gefahren?, fragte sich Belinda leicht weggetreten. Ihre Möse öffnete sich wie eine von der Sonne geküsste Blume. Ich liege ohne jede Kleidung auf dem Fußboden, küsse ein Mädchen und werde von ihm geküsst … Es ist wunderschön … aber was tun wir als Nächstes?

Als hätte sie die Frage gehört, verlagerte Feltris als Antwort ihren Körper zur Seite und brachte Belinda dazu, protestierend in ihren Mund zu stöhnen. Sie fühlte sich ohne die warme Haut des stummen Mädchens auf doppelte Weise entblößt. Und dass sie sich immer noch küssten, machte ihr nur noch bewusster, wie nackt sie war. Doch so lüstern, wie Belinda war, spreizte sie ihre Beine noch weiter und hob die Hüften an.

Bald darauf spürte sie, wie Elisas erfahrene, zärtliche Hände zwischen ihre Beine glitten. Sie zitterte, als die Frau ihr Küsse auf den Schenkel hauchte und dabei ihrer Muschi immer näher kam.

Oh nein … Oh großer Gott, oh großer Gott, sie wird mich lecken, dachte Belinda, während Feltris an ihrer Zunge saugte. Die zwei schlauen Cousinen handelten jetzt wie ein einziges Wesen – nur dort, um ihr die größtmögliche Lust zu bereiten.

Belinda versuchte, einen Schrei auszustoßen, als Elisa die empfindlichen, fleischigen Falten ihrer Möse öffnete. Doch ihr ängstlicher Widerspruch wurde durch Feltris' Lippen erstickt.

Ich kann nicht … Ich ertrage das nicht … Die Worte hallten nur in Belindas Kopf, und sie war nicht in der Lage, sie auszusprechen. Sie versuchte, mit den Beinen zu strampeln, aber Elisa hielt sie mit leichtem Druck fest und versenkte dann den Mund in Belindas weichem Geschlecht.

Eigentlich fühlte es sich genauso an, als würde sie von Jonathan geleckt werden – und doch war es ein Unterschied wie Tag und Nacht. Elisas Zunge war kleiner, schneller und herrlich beweglich. Sie schien Punkte der Erregung zu finden, die weder Jonathan noch Belinda mit ihren eigenen Fingern jemals gefunden hatte. Die Zunge erforschte alle Dimensionen ihrer sexuellen Landschaft. Hier und dort verweilte sie länger, hielt sich an anderen Stellen wiederum nur kurz auf. Schon bald konnte Belinda ihren Orgasmus nicht mehr länger zurückhalten.

Die Frau hielt sie durch die Wogen dieses herrlichen Gefühls umklammert und beruhigte ihren Körper mit wortlosen Lauten der Zustimmung.

Ich kann nicht glauben, was mir da gerade passiert ist, dachte die junge Frau, als die Zuckungen nachließen und sie sich endlich wieder etwas entspannen konnte. Sie saß jetzt in der Mitte zwischen den beiden Mädchen und schnurrte fast, als Feltris ihr über eine Augenbraue strich. Es fühlte sich absolut richtig und passend an. Je mehr Belinda über das Erlebte nachdachte, desto mehr drängte sich die Frage auf, wieso sie sich noch nie dem Liebesspiel mit einer Frau hingegeben hatte.

Vielleicht war sie nur einfach nie der Richtigen begegnet? Oder sie hatte sich noch nie so empfänglich für diese Form von Zärtlichkeiten gefühlt? So empfänglich, wie sie sich an diesem merkwürdigen, aber wunderschönen Ort fühlte.

Ganz plötzlich setzte sie sich auf und begann laut zu lachen. Elisa und Feltris schauten sie einen Moment verwirrt an, stimmten dann aber in ihr Gelächter ein – ein bisschen unterdrückt zwar, dafür aber ungemein sexy. Sie lächelten und berührten ihre neue Freundin, als hätten auch sie gerade eine Offenbarung erlebt.

«André von Kastel, du Teufel!», brüllte Belinda, warf den Kopf nach hinten und starrte an die Stuckdecke. «Du warst es, hab ich recht?», fragte sie den abwesenden Adligen und hatte dabei nicht den geringsten Zweifel, dass er sie irgendwie hören konnte. «Du hast mich verändert. Du hast mich dazu gebracht, dass ich ...», sie schaute von einem der wunderschönen Gesichter zum anderen, «... dass ich Sex mit Frauen habe. Ich hatte nie den Hang dazu, aber ganz plötzlich habe ich mich verändert.»

In diesem Moment stand Elisa in einer flüssigen Bewegung auf und zog Belinda mit sich. Auch Feltris erhob sich mit graziler Eleganz.

«Was ist denn?», fragte Belinda die stumme Elisa und sah ihr dabei direkt in die Augen. «Hat dein Herr gerufen? Hat er dir gesagt, du sollst dich beeilen?»

Die blonde Frau lächelte ruhig und schaute sie mit sanften, aber tiefgründigen Augen an. Mit einer tänzerischen Bewegung zeigte sie in Richtung Badezimmer, und Feltris eilte in den gekachelten Raum, um die Wasserhähne aufzudrehen.

«Okay, ich verstehe», erklärte Belinda. Sie war sich voll bewusst, dass es ihr jetzt sicher nicht mehr gestattet war, allein zu baden – selbst wenn sie es gewollt hätte. Die Erkenntnis, dass ihre neuen Freundinnen sich nun auch im Bad zu ihr gesellen würden, zauberte ein vergnügtes Lächeln auf ihre Lippen, und als sie noch die Temperatur des Wassers prüfte, zogen die beiden Mädchen sich auch schon aus.

Eine knappe Stunde später stand Belinda vor dem Spiegel im Schlafzimmer und betrachtete das Abbild einer Frau, die sie noch nie zuvor gesehen hatte. Eine neue Frau – verwandelt durch uralten Zauber.

Theoretisch entsprach das Kleid in seinen changierenden Orangetönen überhaupt nicht ihrem Stil. Aber jetzt, wo sie es anhatte, empfand sie genau das Gegenteil. Die starken bunten Farben schienen ihr Haar, ihre Augen und ihre Lippen zum Strahlen zu bringen und verliehen ihrer Haut ein fast geisterhaftes Glühen. Wie ein Jazz-Baby sah sie in diesem Zwanziger-Jahre-Modell aus. Fast als wäre sie wie ihr geheimnisvoller Gastgeber geradewegs aus einem Bild herausgetreten. Ein Bild, das sie zwar noch nirgendwo gesehen hatte, von dem sie sich aber sicher war, dass es existierte.

«Budubidu», murmelte sie in Richtung ihres Spiegelbildes und berührte eine Haarsträhne, die über ihre Wangen gelockt war und so ihre feinen Gesichtszüge betonte. Elisa, die hinter ihr stand, zog die Stirn in Falten und rückte genau diese Locke wieder gerade.

Dass sie jetzt so besonders aussah, verdankte Belinda nur den Bemühungen von Feltris und Elisa. Sie hatten sie gebadet, sie parfümiert und herausgeputzt und ihr bei der intimen Toilette geholfen – einige Handreichungen intimer als andere. Nicht gänzlich ohne jedes Zögern seitens der so Umhegten, die immer wieder bis zum Haaransatz errötete. Doch es dauerte jeweils nur ein paar Sekunden, bis sie sich wieder entspannt hatte. Bis zum heutigen Tage wäre es ihr sehr schwergefallen, mit jemandem zu kommunizieren, der nicht sprechen konnte. Doch jetzt fand sie es ganz leicht, sich mit den jungen Frauen zu verständigen. Sie waren nicht nur freundlich, sondern ihr Schweigen hatte auch einen gewissen verstohlenen, fröhlichen Witz. Außerdem waren die beiden ausgesprochen sinnlich und sich der erotischen Möglichkeiten auch der simpelsten Handreichung bewusst. So war es zu mehr als einer leichten Verzögerung gekommen, bis ihr Kunstwerk endlich fertig war.

Belinda drehte sich vorm Spiegel, schaute ihre Freundinnen an und fragte: «Kann ich so los?»

Elisa nickte lächelnd mit dunklen, ausdrucksstarken Augen, während Feltris – offensichtlich die Überschwänglichere von den beiden – ihr einen Luftkuss auf die gepuderte Wange drückte. Elisa machte eine warnende Handbewegung, doch Feltris hatte gut aufgepasst. Weder Belindas glänzendes Haar noch ihr zartes Make-up war in Mitleidenschaft gezogen worden.

«Und?», fragte sie die beiden Mädchen noch einmal, die darauf als Zeichen der Anerkennung ihre Fingerspitzen küssten.

Belinda wandte sich wieder dem Spiegel zu.

Aber wird er auch beeindruckt sein?, überlegte sie und betrachtete die schlanke, gerade Linie ihres exquisit bestickten Kleides, das ihre Körperformen eher andeutete, anstatt sie zu stark zu betonen. Sie lächelte. Natürlich wird es ihm gefallen. Wie kann er bei so einem Anblick widerstehen?, fragte sie sich und dachte an seine verführerische Mischung aus Lausbubenhaftigkeit und Höflichkeit. Die Art, wie er ihre Hand geküsst und sie später berührt hatte …

Er?

«Großer Gott», flüsterte Belinda ganz erstaunt von ihren eigenen Gedanken. Es war Graf André, von dem sie da träumte, und nicht ihr Freund Jonathan. Sie kam sich geradezu untreu vor, konnte aber nichts dagegen tun. Ihre Vernunft hätte die Erinnerung an ihn am liebsten verscheucht, doch ihre Instinkte und das Unterbewusstsein hatten ihren Intellekt längst überwältigt. Wie sonst war es zu erklären, dass sie sich mehr Gedanken über die Meinung eines völlig Fremden machte als über die eines Mannes, dem sie seit Jahren sehr nahestand.

Dieser Ort verändert uns, dachte sie und betrachtete erneut die beiden wunderschönen Frauen neben sich. Mich und Jonathan, uns beide. Wir sind beide nicht besser als der andere. Wir wurden beide auf Abwege geleitet.

Was wohl als Nächstes auf sie wartete? Genau bei dieser Überlegung klopfte es plötzlich an der Tür. Belinda schnellte herum. Eine weitere Verführung?

André? Oren vielleicht? Jemand, den ich bisher vielleicht noch gar nicht kennengelernt habe?

Doch was sie am meisten verstörte, war die Tatsache, dass sie so gut wie gar kein Schuldgefühl empfand.

Kapitel 7

Es wird immer merkwürdiger

Als die Tür sich öffnete, war es nicht Graf André, wie sie im Stillen gehofft und erwartet hatte, sondern Oren.

Der große blonde Diener spürte nichts von ihrer Enttäuschung, denn er lächelte breit und fröhlich. Nachdem er Belinda respektvoll zugenickt hatte, schaute er mit einem unmissverständlichen Glitzern in den Augen die beiden Cousinen an.

Feltris und Elisa sind seine Gespielinnen! Das wird ja immer merkwürdiger und merkwürdiger, dachte Belinda und stellte sich die drei zusammen vor. Sie gaben ein gutes Bild ab. Alle blond, attraktiv und völlig ungehemmt gegenüber den Freuden des Lebens. Belinda konnte sich ihre drei goldenen Körper genau vorstellen – ineinander verschmolzen vor Lust. Wer tat wohl was mit wem? Oren war so groß und breitschultrig. Wie würde es wohl mit einem Liebhaber sein, der so riesig und stark war?

Auch wenn das gutmütige Objekt ihrer Phantasien bereit zu sein schien, bis zum jüngsten Tag auf das Ende ihrer Tagträumereien zu warten, gab sich Belinda schließlich einen Ruck.

«Sind Sie gekommen, um mich zum Dinner zu geleiten?», fragte sie Oren, der ihr mit einer ausholenden Geste zu verstehen gab, dass sie ihm folgen sollte.

Voller Freude über die streichelnde Berührung des schimmernden antiken Kleides an ihren in Seidenstrümpfen steckenden Waden trat Belinda auf den Flur. Sie drehte sich noch einmal um und verabschiedete sich von ihren wunderschönen neuen Freundinnen. Elisa und Feltris erwiderten ihren Gruß mit einem Lächeln und warfen ihr Handküsse zu. Ihre dunklen Augen schimmerten von den Geschehnissen im Badezimmer. Es ist noch nicht vorbei, schienen sie zu sagen. Und beim nächsten Mal wird es sogar noch köstlicher werden …

«Oh Junge», flüsterte Belinda leise, als sie mit Oren über den Flur ging. Der große nordische Diener war ihr zwei Schritte voraus, sodass sie ein leichter Schock durchfuhr, als er sich plötzlich umdrehte und sie wissend anschaute.

«Sind Sie ihr …» Wie konnte sie es formulieren, ohne dass es aufdringlich klang? «Sind Sie ihr Freund?», vollendete sie den Satz schwach.

Oren sah sie mit leichtem Spott über ihre Naivität an.

«Dann also ihr Cousin?» Belinda brachte es einfach nicht über sich, noch deutlicher zu werden.

Er nickte und machte dann eine merkwürdige kreisende Geste mit den Fingern, die «ein bisschen mehr als das» zu bedeuten schien.

«Oh … Ich verstehe», murmelte Belinda und fragte sich erneut, wie es wohl wäre, mit ihm zu schlafen. Er war ein Koloss, aber ganz offensichtlich rücksichtsvoll und sanft. Außerdem sah er in den Sachen, die er heute Abend anhatte, einfach zum Anbeißen aus. Er trug eine weiße Jeans mit weißem Polo-Shirt, die den bronzenen Schimmer seiner Haut aufs attraktivste betonte.

Herrgott, Seward, nun reiß dich aber mal zusammen!, schalt sie sich stumm. Was zum Teufel war seit ihrer Ankunft hier nur in sie gefahren? Sie konnte an nichts weiter als Sex und Körper denken. Körper und Sex. Sollte sie sich nicht eigentlich eher Gedanken um Jonathan machen und herausfinden, wohin er so plötzlich verschwunden war?

«Entschuldigung», sagte sie und berührte Orens muskulösen, goldenen Arm, «wissen Sie vielleicht, was aus meinem Freund geworden ist? Vorhin waren wir noch zusammen, aber jetzt scheint er verschwunden zu sein.»

Oren blieb kurz stehen, nickte, und kurz bevor sie die Treppe erreichten, lenkte er sie in einen anderen, langen Flur. Auf halbem Wege blieben sie vor einer großen, der ihres eigenen Zimmers nicht unähnlichen Eichentür stehen. Er klopfte leise und hielt ihr dann die Tür auf.

Jonathans Schlafzimmer war vielleicht nicht ganz so luxuriös wie das ihre, aber es wirkte immer noch umwerfend opulent und behaglich. Der Raum wurde von satten, männlichen Grüntönen beherrscht und beinhaltete bemerkenswerterweise keinerlei Porträts derer von Kastel. Die einzigen vorhandenen Bilder waren ein Stillleben und ein Landschaftsgemälde.

Das Bett, in dem Jonathan lag, sah wie eine mit Grünzeug geschmückte Gartenlaube aus. Sein Gesicht wirkte auf dem schneeweißen Kissenbezug geradezu engelsgleich.

«Johnny?», sprach Belinda ihn mit leiser Stimme an, als sie auf das Bett zuging. «Johnny, ist alles in Ordnung?»

Jonathan bewegte sich ein wenig und murmelte etwas Unverständliches. Er wachte jedoch nicht auf. Belinda drehte sich zu Oren um, der ihr in das Zimmer gefolgt war.

«Was ist denn mit ihm?», fragte sie etwas besorgt. Es war für Jonathan kein Problem, mal eben ein Nickerchen einzulegen, aber so tief hatte sie ihn noch nie schlafen sehen. Außerdem war es mittlerweile Abend, wie die auf den Himmel herabsinkende Dämmerung verkündete. Jonathan aber war ein ausgesprochener Nachtmensch, der erst um diese Zeit so richtig aufdrehte.

Oren lächelte ruhig und beschrieb ihr dann mit einer weiteren seiner eloquenten Pantomimen, wie er Jonathan vor kurzem auf dem Treppenabsatz begegnet war. Der junge Mann hatte offensichtlich mit einem starken Schwindelgefühl zu kämpfen gehabt.

«Und dann haben Sie Graf André gebeten, nach ihm zu sehen?», fragte Belinda. Sie verstand wohl, was Oren ihr sagen wollte, war aber dennoch etwas verwirrt. «Was konnte er denn tun?»

Oren machte erst eine umrührende Geste, dann ein paar langsame, fließende Bewegungen mit den Händen und zeigte auf einen weißen Becher, der auf dem Nachttisch stand. Mit einem Stirnrunzeln erinnerte Belinda sich an Andrés merkwürdige Vorführung mit der Weinflasche und nahm das Gefäß alarmiert in die Hand.

Der Becher roch immer noch stark nach Kräutern – ein minziger, recht angenehmer Geruch. Belinda nahm an, dass es sich wohl um Kräutertee gehandelt hatte.

«War das irgendeine Medizin?», fragte sie.

Oren nickte.

«Etwas, das der Graf angerührt hat?»

Er nickte wieder.

Das wird ja immer verrückter, dachte sie und strich über Jonathans Stirn. Jetzt ist der Mann nicht nur Zauberer, sondern auch Arzt.

Und ganz offensichtlich ein guter, denn Jonathans Temperatur fühlte sich völlig normal an, und er schien friedlich zu schlafen. Es wäre eine Schande gewesen, ihn einfach so ohne Grund zu wecken.

«Er muss die Ruhe wohl nötig haben», stellte sie fest, beugte sich dann über ihn und gab ihrem Freund einen zarten Kuss auf die Wange.

Während Oren sie zurück zur Treppe führte, beschlich Belinda ein leichtes Schuldgefühl, dass ihr Jonathans Erschöpfung nicht selbst aufgefallen war. Bis jetzt hatte er auf ihrer Reise so gut wie die ganze Strecke hinterm Steuer gesessen, und diese Belastung hatte ihm ganz offensichtlich recht zugesetzt.

Im Erdgeschoss angekommen, wurde sie wieder in die große Bibliothek geleitet, wo der Anblick des Ledersofas sie tatsächlich zum Erröten brachte. Es schien nur einen kurzen Moment her zu sein, seit sie hier halbnackt auf dem Schoß von André von Kastel gesessen hatte.

Der Graf wartete schon auf sie. Er stand vor einem der großen Regale und hielt ein in Leder eingeschlagenes Buch in der Hand. Der Mann schien völlig in Gedanken versunken zu sein. Plötzlich runzelte er die Stirn und überblätterte mehrere Seiten. Belinda nutzte diesen Moment, um sich durch ein Räuspern bemerkbar zu machen.

Als André aufsah, fiel ihr zuallererst die Ernsthaftigkeit in seinen blauen Augen auf. Das Schelmische, das sie zuvor in seinem Blick gefunden hatte, war verschwunden und hatte erneut jener obskuren Aura der Traurigkeit Platz gemacht, die aus der Tiefe seiner Psyche aufzusteigen schien. Zwar lächelte er sie zur Begrüßung an, doch die Betrübnis war weiterhin spürbar.

«Guten Abend, Belinda», hieß er sie willkommen, legte das Buch weg und kam auf sie zu. «Hinreißend sehen Sie aus. Bei Ihrem Anblick hebt sich auch die trübste Stimmung.»

Wie zuvor schon beugte er sich über ihre Hand und schlug die Hacken zusammen. Belinda schlug das Herz bis zum Hals, als seine Lippen ihre Finger berührten.

Auch André hatte sich umgezogen und war jetzt von Kopf bis Fuß in Schwarz gekleidet. Schwarzes Seidenhemd, schwarze Hose und schwarze Schuhe. Eine Krawatte hatte er erstaunlicherweise nicht umgebunden, aber er trug eine überaus elegante, altmodische Smokingjacke, die ihm so gut stand, dass es Belinda fast den Atem verschlug. Sein seltsames, gesträhntes Haar hing lose bis auf die Schultern herunter und wirkte trotz der hellen Farbe glänzend und gesund. Belinda hätte schwören können, dass es sogar noch blonder als zuvor war.

«Danke», erwiderte sie auf sein Kompliment und war etwas verwirrt, weil er ihre Hand gar nicht mehr freigab.

«Sie machen sich Sorgen um Ihren Freund, nicht wahr?» Er drückte ihre Finger kurz, bis er sie schließlich losließ.

Und schon wieder las er ihre Gedanken. Belinda konnte immer noch seinen festen, kühlen Griff spüren. «Ja, ein wenig. Johnny ist normalerweise immer fit. Es sieht ihm gar nicht ähnlich, dass er sich irgendwas einfängt.

«Machen Sie sich keine Sorgen», sagte André und schaute sie mit hypnotischem und gleichzeitig beruhigendem Blick an. «Ich habe ihn mir angesehen, und er scheint recht gesund zu sein. Wahrscheinlich ist er einfach nur ein bisschen übermüdet.» Sein Mund verzog sich etwas, so als wollte er andeuten, dass sie der Grund für Jonathans Müdigkeit war. «Ich habe ihm einen Kräutertrunk verabreicht. Etwas, das ihn ganz tief schlafen lässt und ihm seine Stärke und Energie zurückgibt.»

«Danke», murmelte Belinda erneut. Sie musste die Augen von André abwenden, denn sie ertrug die Intensität seines Blickes nicht mehr. Stattdessen betrachtete sie die unzähligen Bücher in den Regalen. «Ich wusste gar nicht, dass Sie Arzt sind.»

Der Graf zuckte mit den Schultern und schaffte es irgendwie, ihre Augen erneut zu fixieren. «Bin ich auch nicht.» Er lächelte etwas schief. «Ich habe zwar ein wenig medizinisches Wissen, aber ein Arzt bin ich beileibe nicht. Ich kenne mich lediglich mit gewissen ...» Er zögerte. Seine glitzernden Augen tanzten. « ... Heilmethoden aus, die sich über die Jahre bewährt haben.»

«Ich interessiere mich sehr für alternative Medizin. Kräuter und Aromatherapie und dergleichen», beeilte Belinda sich ihm mitzuteilen. Das war auch nicht gelogen, denn jetzt, wo sie hier mit André stand, interessierte sie sich wirklich dafür. «Kennen Sie irgendwelche guten Rezepte oder Tränke, die Sie weitergeben können?»

Während dieser Sätze schien erneut dieser seltsame Schatten über sein Gesicht zu huschen, der sofort verschwand, als er ihr antwortete.

«Rezepte würde ich es nicht gerade nennen», sagte er lächelnd. «Aber es gibt vielleicht doch ein oder zwei Dinge, die ich Ihnen zeigen könnte. Allerdings erst nach dem Essen.» Er sah zu Oren hinüber, der auf Weisungen zu warten schien. «Jetzt sollten wir erst mal ein Glas Champagner trinken.»

Diesmal stand die Flasche merkwürdigerweise in einem Eiskühler, den Belinda bislang gar nicht bemerkt hatte. Oren entkorkte den edlen Tropfen gewohnt elegant und füllte ihre beiden Gläser, ohne auch nur einen Hauch zu verschütten.

André nahm die beiden Kristallflöten, reichte eine davon Belinda und entließ seinen Diener mit einem leichten Nicken. «Diesmal leider nicht aus meinem Heimatland», klärte er sie auf, als sie anstießen. «Dennoch überaus köstlich. Auf Ihre Gesundheit, Belinda», murmelte er. «Und auf Ihr Glück.»

«Was ist mit einem langen Leben?», fragte sie, als sie sich gemeinsam setzten. Ein Schluck reichte, und sie fühlte sich benommen. «Gehört das normalerweise nicht zu einem Trinkspruch dazu?»

Der Graf schaute zur Seite und stellte sein Glas dann zu den Füßen ab. Als er sich ihr wieder zuwandte, stand ihm eine ganze Reihe unterschiedlicher Gefühle ins Gesicht geschrieben. Seine kultivierten Züge zeigten Spuren von Ironie, Nachdenklichkeit und Humor. Hinzu kam die leichte, aber offensichtlich allgegenwärtige Melancholie.

«Möchten Sie das denn wirklich?», fragte er mit tiefer, forschender Stimme.

«Was? Ein langes Leben?», konterte sie, ganz überrascht von dem plötzlichen Feuer in seiner Frage. «Na ja, schon, denke ich. Will das nicht jeder haben?»

Der Graf schwieg einen Moment, sodass Belinda schon glaubte, ihn irgendwie verloren zu haben. Irgendwie oder irgendwo. Er saß direkt neben ihr – attraktiv, charismatisch und begehrenswert –, doch es fühlte sich an, als würde sie ihn über einen riesigen Abgrund hinweg betrachten. Durch eine Kluft aus Zeit und Raum, die sich unmöglich überbrücken ließ.

Belinda hatte Angst. Trotz allem, was hier auf der Couch vor sich gegangen war, kannte sie diesen Mann doch überhaupt nicht. Und sie bekam zudem das Gefühl, ihre gegenwärtigen Befürchtungen würden sich als harmlos entpuppen, wenn sie die ganze Tiefe seines Wesens ausgelotet hätte.

«Es gibt Menschen, für die ist ein langes Leben ein Fluch», sagte er mit ruhiger Stimme. Dann griff er nach seinem Weinglas und stürzte dessen Inhalt in einem langen Zug hinunter. «Noch mehr Champagner?», erkundigte er sich und sprang dabei so schnell auf die Füße, dass Belinda fast erschrak.

Belinda schaute auf ihr Glas. Sie hatte noch so gut wie keinen Tropfen davon getrunken. Also nahm sie einen schnellen Schluck und hielt ihrem Gastgeber das Glas zum Auffüllen hin. «Ja, bitte», sagte sie und lächelte, so breit sie konnte, um die plötzlich düstere Atmosphäre ein wenig aufzulockern.

«Entschuldigen Sie», begann sie, als André mit der Flasche zurückkehrte, «ich glaube, ich habe etwas gesagt, das sie aufgeregt hat. Aber ich bin mir nicht sicher, was es war.»

«Ich bin derjenige, der um Verzeihung bitten sollte», erwiderte er mit wiederkehrendem Lächeln und offenem Blick. «Ich bin ein schrecklicher Gastgeber. Ich lasse es zu, dass meine Sorgen in den unpassendsten Momenten stören.»

«Wenn Sie reden wollen, ist das völlig okay», hörte Belinda sich mit einem Mal sagen. «Ich weiß, ich bin eine Fremde ...» Ihre Wangen wurden von einem dunklen Rot überzogen. Vorhin hatte sie sich keineswegs wie eine Fremde benommen – als sie ihm erlaubte, ja ihn sogar ermutigte, sie zu berühren. «Aber manchmal ist es leichter, einem Fremden von seinen Sorgen zu erzählen als einem Freund oder einer Geliebten.»

André starrte sie, ohne zu blinzeln, mehrere Sekunden an. Belinda hatte das Gefühl, als würde er jeden Aspekt ihres Daseins genauestens unter die Lupe nehmen. Ihre Gedanken, ihre Erinnerungen, ihre Hoffnungen und ihre Sehnsüchte. «Sie sind eine sehr liebenswerte und sensible Frau, Belinda», sagte er sanft. «Vielleicht werde ich mich Ihnen wirklich anvertrauen – irgendwann.» Er lächelte erneut. Seine Augen leuchteten fröhlich und voller Versprechen. «Aber erst mal sollten wir unser Abendmahl genießen.» Er trank sein Glas leer, stand auf und streckte ihr wie der höfische Edelmann, der er höchstwahrscheinlich einst war, eine helfende Hand entgegen.

Vielleicht ein Prinz im Exil, dachte Belinda, während sie André in das Speisezimmer begleitete. Ein zügelloser Prinz, verbannt für ein unaussprechliches Verbrechen der Leidenschaft und für den Rest seiner Tage zur Einsamkeit verurteilt. Sie wusste, dass dies ein unglaublich glamouröses Bild war, das ihn für Frauen überaus anziehend machte – besonders für phantasievolle Frauen wie sie, die romantische Geschichten und Gruselerzählungen mochte.

Als sie ihr Ziel erreichten, musste sie lachen. André warf ihr einen amüsierten Blick zu, so als wüsste er auch diesmal, was in ihrem Kopf vor sich ging.

«Okay, ich geb's zu», sagte sie, als André ihren Stuhl vorrückte und so lange mit dem eigenen Hinsetzen wartete, bis sie es sich auf ihrem Platz bequem gemacht hatte. «Sie und dieser Ort ... ich gestehe es mir nur ungern ein, aber irgendwie übt das alles hier eine große Faszination auf mich aus. Ich habe ein ganz normales Leben, einen ganz normalen Job, und meistens lerne ich nur ganz normale Leute kennen. Verglichen damit könnte das Ganze hier auch aus einem Roman stammen. Ein ausländischer Adliger. Ein altes, aber hinreißendes Haus. Antiquitäten. Großartige Bilder.» Belinda machte eine Pause, denn sie hatte bemerkt, dass sie schwärmerisch abschweifte. Das gefiel ihr nicht. «Ich komme mir hier wirklich ein bisschen im Nachteil vor.»

Der Graf lachte – ein fröhliches, tiefes Lachen, das auch den letzten Widerhall seiner Traurigkeit auszulöschen schien. «Ich bin es, der benachteiligt ist», entgegnete er und legte eine Hand auf seine Brust. «Ich bin Ihrer Schönheit, Ihrer Leidenschaft und Ihrer Zugänglichkeit ausgeliefert.» Er zögerte, so als würde er über irgendeinen heiklen Punkt nachdenken. Fast schien es, als wollte er ihr etwas offenbaren. Etwas, von dem Belinda spürte, dass es überaus wichtig war. «Sie haben so vieles, was ich begehre, Belinda. So vieles, was ich brauche. Ich bin Ihr Diener, glauben Sie mir.» André beugte ein wenig den Kopf. «Und ich würde alles tun, um Sie hier bei mir zu halten. Alles.»

Der Mann verlieh seinen Sätzen ein derartiges Gewicht,

dass es Belinda ganz merkwürdig zumute wurde. Das Wort «alles», obwohl er es nur leise ausgesprochen hatte, schien durch den Raum zu schwirren und sie zu umfangen. So war es eine Erleichterung, als Oren eintrat und auf einem großen Silbertablett den ersten Gang hereintrug.

Das Essen war leicht und köstlich, doch die raffinierte Küche fiel Belinda gar nicht weiter auf. Es war, als hätte André sie mit einem Zauber in Bann geschlagen. Sie konnte eigentlich nichts weiter tun, als ihn zu beobachten, seiner Stimme zu lauschen und jede seiner Fragen zu beantworten. Es gelang dem Grafen, absolut nichts weiter von sich preiszugeben und sie gleichzeitig mühelos auszuhorchen. Sie sprachen über ihre Vergangenheit, ihre momentanen Gedanken, ihre Hoffnungen und Träume für die Zukunft. Fast jeder Bereich ihres Lebens wurde bei perfektem Essen und schwerem Wein besprochen – bis hin zu einigen der intimsten Details, die sie bisher noch vor niemandem ausgebreitet hatte. Und als sie fertig waren, konnte Belinda kaum glauben, was sie da offenbart hatte.

«Hat er mich hypnotisiert?», fragte sie sich, während sie die winzige Tasse in ihren Händen betrachtete und das göttliche Aroma des Kaffees in sich aufnahm. So auf jeden Fall schien es. Sie hatte geredet und geredet, und André hatte zugehört – geheimnisumwoben, wie gehabt.

Hinzu kam, dass er das exzellente Essen fast gar nicht angerührt hatte. Nur ein paar Happen hier und dort, die er anscheinend nur um ihretwillen zu sich nahm. Als der starke, aber köstliche Kaffee etwas Ordnung in ihre verwirrten Gedanken gebracht hatte, kam Belinda mit einem Mal die außergewöhnlichste Idee überhaupt: Er ist kein Mensch, dachte sie und sah zu, wie André seinen Teller wegschob und die Serviette zusammenfaltete.

Plötzlich schienen alle Bücher, die sie je gelesen, und alle

Filme und wahnwitzigen Fernsehsendungen, die sie je gesehen hatte, eine Schlussfolgerung nahezulegen: Graf André von Kastel war entweder ein Vampir, ein Geist oder ein sonst irgendwie Untoter, der merkwürdige Kräfte besaß und keine normale Nahrung zu sich nahm.

Alles schien darauf hinzudeuten – er schlief am Tage, aß kaum etwas, und sie war ziemlich sicher, dass er den Wein von heute Nachmittag mit irgendeinem Zauber belegt hatte. Hinzu kam die Tatsache, dass er in völliger Abgeschiedenheit allein lebte. Er hatte nur drei stumme Bedienstete und wohnte in einem Haus, das mit merkwürdigen Gegenständen bestückt war. Selbst der Teil Europas, aus dem er stammte, schien zu ihrer Theorie zu passen.

Belinda fing an zu zittern, als der Graf sich erhob und um den Tisch herum auf sie zukam. Sie kam sich völlig idiotisch vor, weil sie ihre Gefühle nicht kontrollieren konnte, doch als er mit leichtem Lächeln über ihr stand, konnte sie keinen Muskel bewegen und kein Wort sagen.

«Was ist denn los?», fragte er mit sanfter Stimme und streckte ihr seine Hand entgegen. «Haben Sie Angst vor mir?»

Belinda leckte sich über die Lippen. Sie war in der Gewalt eines Wesens, das die sexuelle Anziehungskraft einer ganzen Legion von Film-Draculas hatte. Und selbst wenn er nur ein normaler Mann aus Fleisch und Blut sein sollte, konnte diese Tatsache ihre wachsende Angst nicht mindern.

«Belinda?», fragte er mit einer winzigen, ermutigenden Geste seiner Fingerspitzen.

«V-v-verzeihen Sie, ich glaube, ich habe zu viel Wein getrunken», antwortete sie und fand endlich die Stärke wieder, seine Hand zu ergreifen. «Mir sind nur gerade die albernsten Gedanken durch den Kopf gegangen.» Als sie aufstand, rechnete die junge Frau fast mit einer Ohnmacht, stand zu ihrer Überraschung aber recht fest auf den Beinen.

«Erzählen Sie mir davon», forderte André sie auf, klemmte ihre Hand unter seinen Arm und führte sie zur Tür. «Unterhalten Sie mich, während wir über die Terrasse schlendern. Ich tue gern ein paar Schritte nach dem Essen.» Er tätschelte mit kühlen, aber wenig geisterhaften Fingern ihre Hand.

«Das waren alberne Gedanken. Ich kann sie Ihnen unmöglich verraten», sträubte sie sich, während er sie über einen unbekannten Flur führte, der anscheinend direkt zum Mittelpunkt des Anwesens führte.

«Versuchen Sie es doch», drängte er, als sie eine eisenbeschlagene Tür erreichten, die nur jemand von der Größe Orens öffnen konnte. «Ich habe zu meiner Zeit mancherlei haarsträubende Geschichten gehört ... Und nicht nur das, ich habe auch welche erzählt.» Grinsend ließ er ihren Arm los. Dann öffnete er ohne jede sichtbare Kraftanstrengung die riesige Tür.

Die Terrasse war sehr breit – eingefasst von einer Steinbrüstung und mit einer ganzen Reihe von Öllampen beleuchtet. Der Himmel leuchtete mittlerweile in einem tiefen Dunkelblau, in dem sich nur die hellsten Sterne behaupten konnten. Über ihnen hing wie ein geblähtes Segel der Dreiviertel-Mond. Belinda atmete tief ein und sog den Duft der vielen Blumen in sich auf, der eine vollendete Harmonie mit Andrés Rasierwasser bildete.

«Das ist ja hinreißend», murmelte sie und eilte dann zu dem kunstvoll ornamentierten Steingeländer, um einen Blick auf den Garten unter ihnen zu erhaschen.

Wieso habe ich die Terrasse vorhin noch nicht gesehen?, fragte sie sich, als sie in einiger Entfernung zu ihrer Linken den Pavillon entdeckte. Sie hatte das Anwesen heute Morgen bei hellem Tageslicht betreten und keine Spur von dieser langen Terrasse entdeckt. Das ganze Haus schien sich mit jeder Stunde zu verändern.

Als die junge Frau sich über die Brüstung lehnte, spürte sie Andrés Gegenwart, noch bevor sie ihn hörte. «Sie wollten mir doch erzählen, was Sie gerade eben gedacht haben», sagte er und legte den Arm um ihre Taille. Obwohl sie eigentlich völlig Fremde waren, wirkte es wie die natürlichste Sache der Welt, und Belinda hatte das Gefühl, sie würden genau dort weitermachen, wo sie heute Nachmittag in der Bibliothek aufgehört hatten. Da spürte sie auch schon, wie sein Mund über die heiße Haut an ihrem Hals fuhr.

«Ich …» Fast schwankend lehnte sie sich gegen ihn. Seine Lippen waren immer noch auf ihren Hals gepresst, und ihre wirren Gedanken von vorhin ließen sie befürchten, dass er jeden Moment über sie herfallen würde.

«Wieso haben Sie Angst vor mir, Belinda?», flüsterte er und hauchte einen federleichten Kuss auf ihre Wange. «Ich bin nicht das, wofür Sie mich halten. Ich bin nur ein Mann, der von Ihrer Schönheit entzückt ist.»

Er weiß, was ich denke, stellte Belinda bestürzt fest, während André sie geschickt umdrehte und die Arme um sie legte. Er weiß, dass ich ihn vorhin für einen Vampir gehalten habe. Er weiß, dass ich immer noch glaube, er könnte einer sein.»

Der Graf hielt ihren Kopf in den Händen und presste seine Lippen auf ihren Mund. Seine Zunge verlangte nach Einlass, doch Belinda versuchte, die Lippen geschlossen zu halten. Der Verstand zumindest schickte diese Nachricht an ihren Mund, doch plötzlich spürte sie, wie er sich halb seufzend, halb stöhnend doch öffnete und ihn seine feuchte Wärme erkunden ließ.

Der Kuss dauerte sehr lange, und Belinda genoss ihn sehr. Dabei stieg vor ihrem inneren Auge ein ganzer Schwall von Bildern auf – erotische Bilder von ihr selbst und von dem Mann, der sie umschlungen hielt.

Das erste der Bilder stammte vom heutigen Nachmittag, wo sie halbnackt und keuchend und stöhnend auf seinem Schoß gesessen hatte, während er sie streichelte. Eine Sekunde später schien sie schon auf der Terrasse vor dem Grafen zu knien und seinen mächtigen, steifen Schwanz in den Mund zu nehmen. Die junge Frau konnte fast seine Finger spüren, die ihren Kopf entschlossen festhielten, während er enthemmt in sie hineinstieß und ihren Rachen suchte. Sie meinte sogar, den salzigen Geschmack seines Lustsaftes zu schmecken. Doch dieses Bild veränderte sich schnell, bis Belinda sich schließlich über ein Bett gelehnt wiederfand – wahrscheinlich in dem rotgoldenen Zimmer – wo André ihren nackten Po liebkoste. Er neckte sie und spielte mit ihr. Er stieß von hinten die Finger in ihren Schlitz, zog sie aber gleich darauf wieder zurück, um ihren bereitwilligen Anus zu streicheln. Zu ihrem Entsetzen schien die winzige Öffnung ihn willkommen zu heißen, denn ihre Rosette entspannte sich mit jedem Finger, den er in sie hineinsteckte.

Die Phantasiebilder waren so real und lebendig, dass ihr Körper gar nicht anders konnte, als darauf zu reagieren. Sie stöhnte gegen Andrés eindringende Zunge an und rieb sich unwillkürlich an seinem Körper. Seine langen, eleganten Hände glitten in Erwiderung ihrer Lustgeräusche sofort zu ihrem Po, den er durch das Kleid hindurch umfasste und sie so noch enger an sich zog.

Welcher Natur sein merkwürdiges Wesen auch war, der Mann hatte die Erektion eines realen Menschen. Das spürte Belinda genau, denn sein Fleisch presste sich in seiner herrlichen Härte fest gegen ihren Bauch. Zwar lagen mehrere

Bahnen Stoff dazwischen, aber dennoch waren dies die aufregendsten Gefühle, die Belinda jemals empfunden hatte. Sein Organ war hart wie Stein – wie Stahl, wie ein Diamant –, und trotz der Barriere zwischen ihnen meinte die junge Frau seine Form genau erspüren zu können.

Während sie ihn mit ihrem Körper massierte und seine streichelnden Hände weiterhin ihren Po verwöhnten, sah Belinda plötzlich ganz andere Bilder vor sich aufsteigen. In ihrer jetzigen Phantasiewelt war André allein in seinem Turmzimmer und rieb seinen Schwanz, bis es ihm kam. Erneut sah sie detailliert vor sich, wie er sich vor Lust aufgebäumt und dann wild in die Laken gepresst hatte. Fast meinte sie, die zusammenhanglosen Schreie, das Gemurmel und die Ausrufe in seiner Sprache zu hören. Sie sah, wie er sich unaufhaltsam seinem Höhepunkt näherte und sein Körper sich auf dem Weg dorthin immer mehr anspannte. Doch in dem Moment, als er ihn erreichte, verblasste das Bild. Als Belinda enttäuscht aufstöhnte, unterbrach der Graf den Kuss.

Nach Luft schnappend sank sie gegen Andrés aufrechten Körper und war in ihrer Schwäche unendlich dankbar für seine Stärke. Ihr innerer Aufruhr war so mächtig gewesen, es fühlte sich fast an, als hätte sie selbst gerade einen Orgasmus erlebt. Auf jeden Fall war sie noch nie so geküsst worden, und zu ihrem Unbehagen spürte sie Tränen in ihren Augen aufsteigen.

Verwirrt kuschelte Belinda sich noch enger an den Grafen. Als sie ihr Gesicht in der Höhle seiner Schulter vergrub, fuhr seine Hand hoch, und er strich ihr beruhigend übers Haar. Sie hörte ihn etwas flüstern. Die Worte klangen ein bisschen deutsch, wenn sie auch mehr Fließendes hatten. Er sprach eindeutig in seiner Muttersprache zu ihr, um sie zu trösten.

«Was machen Sie nur mit mir?», fragte sie fast verzweifelt und wich dann ein paar Zentimeter zurück, um ihn ansehen zu können.

André schaute sie mit festem Blick an. Im flackernden Licht der Öllampen wirkte sein Gesicht sehr scharf geschnitten und in seinen Augen brannte ein Feuer, das ebenso strahlend und hell wie tief und dunkel war.

«Ich will Ihnen nicht wehtun», erwiderte er schließlich und wischte ihr mit dem Daumen die Tränen vom Gesicht. «Ich will Sie nur erregen und erfreuen, damit Sie ...» Er hielt inne, und in seinem Blick formte sich langsam eine Bitte heraus. « ... damit Sie mir helfen können.»

Belinda schniefte. Der Graf förderte sofort ein blütenweißes Taschentuch zutage und drückte es ihr in die Hand. Sie tupfte sich die Augen ab und versuchte Klarheit über die Bedeutung seines Satzes zu erlangen.

Dies war schon das zweite Mal, dass der Mann andeutete, er würde sie in irgendeiner Weise brauchen. Doch sosehr sich Belinda auch mühte, sie kam einfach nicht dahinter, was er von ihr wollte. Sie zerknüllte das Taschentuch entnervt, aber gleich darauf glättete sie es wieder. Belinda wusste, dass sie diese brennende Frage nicht länger zurückhalten konnte.

«Was sind Sie, André? Und wieso um alles in der Welt sollten Sie mich für irgendwas brauchen?»

Der Graf schaute in Richtung der entfernten Wälder, so als suchte er nach dem geeigneten Weg, eine schwere Frage richtig zu beantworten.

«Ich bin nur ein Mann, Belinda», sagte er schließlich und starrte weiter in den Park. «Ich brauche Sie, weil ...» Pause. Er drehte sich jetzt vollends von ihr weg, legte die Hände auf die Brüstung und umfasste den Stein mit festem Griff. «Ich brauche Ihre Lust für meine Stärke.»

Jetzt war es an Belinda, in der tiefen, aber schönen Dunkelheit nach einer Antwort zu suchen. Was meinte er mit «Ihre Lust für meine Stärke»?

«Ich verstehe nicht», sagte sie mit leiser Stimme und betrachtete die Schatten der Nacht. «Sie sagen, Sie brauchen meine Lust. Heißt das, Sie sind ein …» Sie konnte das Wort nicht sagen. Es klang einfach zu lächerlich. Solche Wesen existierten doch nur in Büchern oder Filmen.

«Ein Vampir?», vervollständigte er ihren Satz und glitt wie Nosferatu mit dem Mund über ihren Hals.

«Ja.» Sie schwankte erneut und griff wie André nach der Brüstung. Belinda konnte spüren, wie sein Atem über ihre Nackenhaare strich und wie sein Herz in der Brust klopfte – beides schien ihren verrückten Vermutungen zu widersprechen.

«Nein, ich bin kein Vampir», antwortete er und hauchte ihr einen Kuss auf das Ohrläppchen. «Obwohl ich mir gut vorstellen kann, wie es wohl wäre, einer zu sein.»

Belinda konnte nichts erwidern. Ihr Schaudern wurde immer heftiger. Sein Ausweichen legte nahe, dass mit ihm wirklich etwas nicht stimmte. Sie hatte das Gefühl zu straucheln und sah sich schon über die Brüstung fallen. Doch da schlang André erneut die Arme um sie und drückte sie fest an seinen merkwürdig kalten Körper und seine so überaus menschliche Erektion.

Er war immer noch so hart wie zuvor und massierte mit seinem steifen Organ die Spalte zwischen ihren Pobacken. «Oh Belle», flüsterte er, «ich brauche dich so sehr.» Seine Hände wanderten von ihrer Taille weg. Die eine fuhr nach oben, um ihre Brüste zu umfassen. Die andere ging nach unten.

Belindas Angst schien wie ein Aphrodisiakum auf sie zu wirken. Zwar fürchtete sie sich noch immer schrecklich, doch gleichzeitig begann ihr Körper zu erwachen. Ihre Nippel versteiften sich unter dem zarten Stoff des Kleides, und zwischen ihren Beinen bildeten sich die ersten seidigen Lusttropfen. Als André seine Handfläche gegen ihre Scham drückte, zuckte und wimmerte sie.

«Ich … ich kann nicht», schluchzte Belinda und hatte keine Ahnung, wieso sie sich sträubte. Was hatte es schließlich für einen Sinn, eine Grenze einzuhalten, die bereits überschritten war? Hatte er sich nicht schon heute Nachmittag an ihr gelabt? Hatte er noch nicht genug Stärkung durch ihren vorherigen Orgasmus erfahren?

«Doch, du kannst», entgegnete er im vertraulichen Du und setzte sein Streicheln und Massieren arglistig fort. «Es ist doch so einfach. Und ich würde dir niemals etwas zuleide tun.»

Belinda wurde schwach in seinen Armen. Ihr Körper schien in den immer heißer brennenden Gefühlen förmlich zu schmelzen. Ihre Brüste schwollen unter der Seide ihres Hemdchens fast schmerzhaft an, und ihre Möse war nur noch ein Becken siedender Hitze.

«Oh André! André!» Der Zeitpunkt war gekommen. Ihr war jetzt völlig egal, wer oder was er war. Sie spürte nur noch die zärtlichen Hände und den herrlich starken, duftenden Körper.

Mit einem Mal fühlten sie sich durch die vielen Stoffbahnen doch behindert. Immer noch in seinen Armen liegend, zappelte Belinda, um an den Verschluss des unbezahlbaren historischen Kleides zu kommen.

«Halt», murmelte er. «Lass mich. So ist es einfacher.» Er ließ sie unvermittelt los und machte sich daran, voller Entschlossenheit die winzigen Knöpfe auf dem Rücken ihres Kleides zu öffnen.

Ohne Andrés Hände auf ihrem Körper fühlte Belinda

sich etwas fiebrig und forderte stöhnend seine herrliche Umarmung ein.

«Geduld», flüsterte er ihr ins Ohr, während das Kleid auf den Steinboden unter ihnen fiel und einen blassen, flüssigen Teich um ihre Knöchel herum bildete. Belinda war sogar zu ungeduldig, um aus dem Stoffhäuflein herauszutreten, und presste ihren leichtbekleideten Körper erneut an ihn. Sie ließ die Hüften kreisen und rieb ihr Hinterteil an seinem harten Riemen.

«Berühr mich», bettelte sie und zerrte an dem feinen Leibchen und dem Höschen. «Ich will, dass du mich anfasst. So wie du es vorhin getan hast. Ich möchte deine Finger zwischen meinen Beinen spüren.»

Irgendwo in ihrem Unterbewusstsein war Belinda entsetzt. Sie bettelte und stöhnte wie eine hilflose Nymphomanin, die einen Fremden auffordert, seine Hände auf ihre Möse zu legen. Das sah ihr in keiner Weise ähnlich, und doch schien es in diesem Moment keine Rolle zu spielen. Hier war sie ein anderer Mensch. Ihr Zauberer, André, hatte sie in ein pures Objekt der Lust verwandelt. In ein Wesen, das nur zu seiner Befriedigung da war. Als seine Finger schließlich unter das Hemdchen wanderten, stieß sie ein grunzendes «Ja!» aus.

Durch die Schichten der zarten Seide hatte der Graf sich schon bald den Weg in ihr Höschen gebahnt, wo er mit unfehlbarem Geschick endlich auf ihre Muschi stieß. Einer seiner Finger durchforstete ihren durchweichten Schamhaarbusch, und als er ihn zuletzt tief in ihr Loch hineinstieß, brüllte Belinda vor Lust und Triumph.

«Oh Gott! Oh Gott!» Ihre Schreie gellten in der mystischen blauschwarzen Nacht. Ihr Körper zuckte wie wild, als André über ihren Kitzler strich. Belinda war nur einen Atemzug von ihrem Orgasmus entfernt. Nur noch ein

Herzschlag, und sie würde sich endlich einem wundervollen, befreienden Höhepunkt hingeben können. Doch er hielt sie mit Berührungen in der Schwebe, die so verführerisch und leicht wie eine Schwanendaune waren.

«Oh bitte», bettelte sie erneut und trat ungeachtet einer Gefährdung für das unbezahlbare Kleid wild um sich. «Oh bitte, André. Bitte! Ich muss kommen. Ich kann nicht mehr warten. Ich werde verrückt, wenn ich jetzt nicht komme!»

Einer seiner Arme hielt sie weiterhin umschlungen, während der andere zärtlich zu ihrer Seite wanderte. «Keine Sorge, meine hinreißende Belinda», schnurrte er ihr ins Ohr. «Du wirst deine Erleichterung schon noch erfahren. Aber sie wird umso vieles süßer sein, wenn du ein wenig wartest und dich ein wenig danach verzehrst.»

Belinda trat weiter um sich, und ihre Tritte sorgten dafür, dass das Kleid über die Steinfliesen rutschte. «Du Biest! Du Mistkerl! Du bist wirklich ein Monster», rief sie und rieb sich umso verzweifelter an ihm. Ihre Muschi brannte und war so geschwollen, dass es wehtat. «Ich hasse dich!», zischte sie, als er sie gegen das Geländer drückte.

«Sei still», befahl der Graf mit sanfter und zugleich fester Stimme. Belinda spürte seine Hand auf ihrem Rücken, und obwohl er sie nur ganz leicht festhielt, schien sie jeden freien Willen verloren zu haben.

Die junge Frau zitterte, als er sie mit dem Bauch über die Brüstung drückte. Auch wenn sie sich innerlich wütend dagegen auflehnte, war sie doch noch nie in ihrem Leben so erregt gewesen. Belinda biss sich auf die Lippe, denn sie spürte genau, wie André ihren Po begutachtete. Nach einer kurzen Pause machte er sich schließlich sachte an ihrem Höschen zu schaffen und zog das feine, glatte Material langsam nach unten.

Als er das Höschen bis zu ihren Knöcheln geschoben

hatte, hob er das schöne bestickte Hemdchen bis zu ihren Schultern hoch, wo er es mit ein paar geschickten Handbewegungen fixierte. Dann trat er zurück und betrachtete sein Werk voller Zufriedenheit.

«Oh Gott», stöhnte Belinda erneut auf, als sie sich den schockierenden Anblick vorstellte, den sie jetzt seinem Auge bot.

Po und Schenkel waren in aller Deutlichkeit zu sehen, und ihre Nacktheit wurde durch die Strümpfe mit den Strapsen noch betont. Sie spürte, wie die herrliche Abendluft spielerisch um ihre Möse wehte. Ihr kühles Streicheln wirkte wie ein Balsam auf das brennende Fleisch dort.

«Was machst du da nur mit mir?», fragte sie herausfordernd, aber mit großer Anstrengung, sich das Zittern in ihrer Stimme nicht anmerken zu lassen. «Willst du mich schlagen oder so was? Mir eins auf den Hintern geben? Ich bin sicher, es macht dekadenten Aristokraten großen Spaß, jemanden aus der Unterschicht zu demütigen.»

«Wie sehr du dich doch irrst», entgegnete André mit sanfter Stimme, die weitaus näher war, als sie gedacht hatte. «Ich will dir nur Freude bereiten.» Belinda hätte schwören können, seinen Atem auf ihrem Rücken zu spüren. «Aber wenn dir ein paar Schläge Freude bereiten, bin ich nur allzu gern bereit, sie dir zu verabreichen.»

«Jetzt sei mal nicht albern!», jammerte sie, stellte sich gleichzeitig aber auch vor, wie seine Hand auf ihrem Hinterteil niederging. Die Vorstellung hätte eigentlich furchterregend, ja sogar abstoßend sein sollen. Doch plötzlich, gegen ihren Willen, schien es genau das zu sein, was sie wollte. Belinda spürte genau, wie ihr lüsternes Fleisch bei dem Gedanken an einen Schlag von André zu pulsieren und zu beben begann. Ihre Hüften wiegten sich bereits im eigenen Rhythmus. Die hilflose Frau biss die Zähne fest zusammen, um ihren lüsternen Sehnsüchten keinen weiteren Ausdruck zu verleihen.

«Ich weiß, ich weiß.» Seine Stimme war beruhigend. Der Stoff seiner Smokingjacke strich über ihre Schenkel. «Vielleicht sollte ich dich doch schlagen.» Der Graf schien einen Moment nachzudenken. «Aber jetzt noch nicht. Heute Abend werden wir uns leichteren Vergnügungen hingeben.»

Er weiß es tatsächlich, dachte Belinda und merkte, wie sie einen köstlichen Tiefpunkt der Scham erreichte. Er versteht, was ich will, noch bevor ich es weiß. Er greift meinen Gedanken und meinen Gefühlen vor. Wie kann ich in seiner Gegenwart nur jemals etwas geheim halten?

Kapitel 8

Dunkelblaue Geheimnisse

«Ganz ruhig. Ganz ruhig», flüsterte André. Sein langes Haar kitzelte auf ihrem Rücken, als er neben ihr auf die Knie sank. «Es besteht kein Grund, etwas vor mir geheim zu halten. Ich habe nicht vor, dir etwas zuleide zu tun.»

Belinda versteifte sich unfreiwillig. Je mehr Beweise der Graf für seine Fremdartigkeit erbrachte, desto mehr wuchs ihre Angst vor ihm – und mit dieser Angst ihre Erregung.

Er muss doch sehen können, wie sehr ich ihn begehre, dachte sie und konnte ihre Schenkel einfach nicht vom Zittern abhalten. Belinda spürte seinen Atem auf sich. Seinen kühlen Atem, der ihren nackten Po wie eine Brise streichelte. Sein Gesicht war nur Zentimeter von ihrer Muschi entfernt. Sie stellte sich vor, wie er seine Nasenlöcher aufblähte und ihren starken weiblichen Geruch einsog. Sie konnte ihn selbst riechen, also musste André förmlich darin ertrinken. In ihrer Vorstellung betrachtete er die geschwollenen Falten ihrer Möse und streckte dann die Zunge heraus, um sie zu lecken und zu schmecken. Obwohl das Bild sie vor Scham zusammenzucken ließ, war es doch genau das, wonach sie sich sehnte. Und sie ahnte, dass auch er genau wusste, was sie wollte.

Dennoch hielt er eine gewisse Distanz. Zentimeter schienen jetzt Meter zu sein. Zwar fühlte sie sich schon durch seinen Atem und seine maskuline Aura liebkost, doch weder Finger noch Zunge kamen zum Einsatz.

«Nun mach schon», rief sie, unfähig, das Warten noch länger zu ertragen. Sie fühlte sich wie ein Ausstellungsgegenstand in einer Galerie oder irgendein Opfer demütigender Untersuchungen. Wartete er etwa so lange, um zu sehen, wie feucht sie ohne jede Berührung werden würde? Wartete er darauf, dass sie schlappmachte und selbst Hand an sich legen würde? Oder vielleicht darauf, dass sie aufgrund reiner Geilheit einen Orgasmus bekam?

«Geduld», flüsterte er erneut und legte die Finger auf ihre Flanken. «Du bist so wunderschön. Ich will dich erst einen Moment bewundern, bevor ich dir Freude bereite.»

Belinda stieß einen tiefen, frustrierten Laut aus. Ihre geschwollene Möse rief nach ihm, bettelte nach ihm. Die hilflose Frau strampelte mit den Beinen. Zunächst wurden sie noch durch das Höschen behindert, doch es rutschte schnell hinunter auf ihre glänzenden Satin-Ballerinas. Belinda stieß es fort und rückte näher an die Brüstung heran, um ihre Scham gegen den Stein pressen zu können.

Die Hand auf ihrem Oberschenkel wanderte mittlerweile nach innen. Die Finger spreizten sich, und der Daumen begann sein rhythmisches Werk. Er bewegte sich weniger als einen Zentimeter von ihrem Anus entfernt vor und zurück und glitt mit unsagbarer Leichtigkeit über die sensible Haut. Als die erregte Frau laut zu stöhnen begann, machte seine linke Hand es der rechten nach, sodass beide Daumen synchron arbeiteten und die Gegend um ihren rosigen Hintereingang mit größter Vorsicht verwöhnten.

Belinda warf sich ihrem Gespielen entgegen. Sowohl ihre Muschi als auch ihre Rosette standen unanständig weit offen. Ihr Körper schien seine eigene Sprache zu sprechen: Entscheide dich!, verlangte er von André. Nimm mich! Nimm, was immer du willst! Es gehört dir! Nimm alles!

Die Daumen trafen sich in ihrer Spalte. Ihre weichen Kuppen strichen über die verbotene Öffnung. In ihrer Möse sammelte sich der Saft, wie er es noch nie zuvor getan hatte, und floss schließlich über. Sie spürte genau, wie ihre Lustsäfte über ihre Oberschenkel liefen und einen klebrigen Teich auf den Steinen bildeten. Ihr ganzer Körper wurde rot vor Scham, doch das spielte keine Rolle. Die Flüssigkeit lief schneller denn je und tröpfelte wie Honig aus ihr heraus.

«Oh bitte! Oh bitte!» flehte sie erneut. Belinda ertrug diesen Zustand nicht länger. Sie hielt es nicht mehr aus, berührt, aber doch nicht berührt zu werden. Beobachtet zu werden, aber nicht kommen zu dürfen. So nass zu sein, dass es wie ein Wasserfall aus ihr herauslief. «Oh bitte!», grunzte sie, warf André ihren gesamten Körper entgegen und hob die Hüften an.

Er antwortete mit seinen Daumen, die er hart im Fleisch ihres Hinterns versenkte und dabei einen gezielten, teuflischen Druck ausübte. Als er sie wieder nach außen gleiten ließ, zog er dabei ihre Arschbacken auseinander, wie man einen reifen Pfirsich zerteilt. Je weiter ihre Körperöffnungen gedehnt wurden, desto intensiver empfand sie auch das Gefühl der Entblöstheit. Doch Belinda wollte mehr. Sie streckte ihren Po so weit nach hinten, dass sie noch offener stand.

Als seine Zunge ihre Möse berührte, fiel sie fast in Ohnmacht.

Zunächst war es nur eine ganz leichte Berührung. Seine eingerollte Zungenspitze schnellte auseinander und bohrte sich dann pfeilartig in ihr Allerheiligstes. Das leckende Organ bewegte sich wie ein sirrender Kolibri auf der Suche nach Nektar, umkreiste den engen Mund ihrer Vagina und leckte dann ihre überlaufenden Säfte auf. Das Gefühl war so unbeschreiblich und so herbeigesehnt, dass Belinda unwiderruflich auf den Höhepunkt zusteuerte.

Als das Pulsieren ihre Möse erfasste, spürte sie, wie Andrés Griff fester wurde und seine Zunge noch tiefer in sie hineinstieß. Winselnd griff sie zwischen ihre Beine und rieb sich den Kitzler.

«Ja!», bestärkte der Graf sie, den Mund noch immer gegen ihren Po gepresst und daher kaum zu verstehen.

Belinda rieb fester. Ihre Geilheit wurde immer größer, und ihr gesamter Körper zuckte wie besessen. Sie konnte sich schluchzen, brüllen und grunzen hören. Ihre Möse schien meterweit offen zu stehen. Eine weite Landschaft purer, obszöner Lust. Jeder Zentimeter des empfindlichen Fleisches pochte hart wie ein rasendes Herz.

Im nächsten Moment spürte sie, wie André seine Zunge aus ihrem Loch zog und sie von dort zu ihrem Anus wandern ließ.

Oh nein!, schrie eine ängstliche kleine Stimme in ihrem Kopf. Doch im nächsten Moment war es exakt diese Stimme, die in völliger Ekstase losheulte. Seine Zunge war so hart und entschlossen wie zuvor und teilte die puckernde Öffnung zwischen ihren Pobacken.

«Oh nein! Oh nein! Oh nein!», gab sie in leisem Flüsterton von sich. Die Wucht der Erfahrungen schreckte sie. Diese Praktik war ein großes, fast unaussprechliches Tabu für Belinda. Sie durfte nicht zulassen, dass er das mit ihr tat. Es durfte nicht sein, dass sie so viel Lust dabei empfand. Sie durfte unmöglich noch heftiger kommen als vorhin schon …

Nach einer Weile schien Belinda schluchzend aus einem wirren, desorientierten Traum zu erwachen. Zwar war sie sich bewusst, was da gerade passiert war, doch ihr Kopf weigerte sich, es zu glauben. Noch nie hatte ein Mann so etwas mit ihr gemacht, und ihre starke Reaktion darauf verwirrte und verblüffte sie. Scham und Schrecken, gepaart mit köstlicher Verwunderung. Belinda wusste nicht, was sie denken sollte, aber sie konnte nicht leugnen, was sie gefühlt hatte. Die intimen Küsse hatten ihr den höchsten Gipfel der Lust beschert.

Ihre Schultern hoben und senkten sich, und Tränen tropften auf den Boden unter ihr. Sie spürte, dass André sich hinter ihr erhob. Eigentlich müssten seine Aktionen ihn doch erniedrigt haben. Doch Belinda ahnte, dass genau das Gegenteil der Fall war. Ihre Bewunderung für ihn war nur noch größer geworden. Er war bemerkenswert. Hemmungslos bis zum Exzess. Ein Geschenk, das sie nicht verdient hatte.

«Nicht weinen», flüsterte er und beugte sich über sie. «Es ist doch keine Schande, die *feuille de rose* zu genießen.» André legte die Arme um sie, half ihr hoch und drehte sie dann langsam zu sich um. Ihre Tränen wischte er mit seinen Fingerspitzen fort. «Und es hat mir große Freude bereitet, dich dort zu küssen. Dein *cul* ist hinreißend. Ich könnte mir keinen Mann vorstellen, der seiner zarten Schönheit und Enge widerstehen könnte.»

Belinda vergrub ihr Gesicht im Revers seiner Smokingjacke. Sie war sich ihrer Verletzbarkeit durchaus bewusst. Ihr schönes Hemdchen war zwar wieder heruntergerutscht, doch ihre Pobacken waren immer noch nackt. Sie spürte, dass sie schon wieder rot wurde, wenn sie an Andrés kühles, aristokratisches Gesicht zwischen ihren Hinterbacken dachte.

«Schhh … schhhh …» Eine lange elegante Hand legte sich auf ihren Hinterkopf und strich durch ihr kurzes Haar. Belinda spürte, wie sie von einer großen Entspanntheit erfasst wurde. Ein Gefühl, in diesem Moment genau am richtigen Ort zu sein. Was André da getan hatte, war himmlisch gewesen. Wie konnte sie das auch nur im Ansatz für schlecht gehalten haben?

«Das ist ein schöner Name dafür», sagte sie schließlich

nach längerem Schweigen und schaute in seine leuchtenden blauen Augen.

«*Feuille de rose?*»

«Ja. Die Franzosen wissen schon Bescheid.» Sie musste plötzlich lachen.

Auch André kicherte. «Ja. Sie haben Talent für das *bon mot*», stellte er fest und lächelte sie breit an. «Aber die Bezeichnung ist wirklich passend. Hast du noch nie einen Spiegel zur Hand genommen und dich selbst dort betrachtet?» In seinen Augen blitzte es. «Der Eingang ist zart und dunkel. Ein dunkles Rosa. Labyrinthisch wie eine aufblühende Rose.»

«Ich, ich habe mich dort noch nie angesehen», stammelte sie nervös. Würde er sie als Frau weniger wertschätzen, wenn sie mit ihrer eigenen Anatomie nicht vollends vertraut war? Bis jetzt hatte sie ihren Körper immer als selbstverständlich erachtet und ihn vielleicht nicht so sehr genossen, wie sie es eigentlich sollte.

«Noch nie?»

«Noch nie.»

«Wieso fangen wir dann nicht gleich heute Abend damit an?» Seine Frage klang eher wie ein Befehl, und er sah sie eindringlich an.

«Ich ...», begann Belinda, verstummte aber gleich darauf, als André seine Finger unter den Saum ihres dünnen Hemdchens legte und es ihr über den Kopf zog.

«Aber wie kann ich mich hier selbst betrachten?», protestierte sie, als auch ihr Leibchen über die Steinfliesen der Terrasse wehte. Belinda kämpfte gegen das Verlangen, sich zu bedecken – besonders ihre Nippel, die hart und dunkel wie Pflaumenkerne waren.

«Gar nicht», erwiderte er und umfasste zärtlich ihre Brüste. «Aber ich kann.» Er beugte sich leicht vor, küsste die beiden harten Spitzen und blickte sie erneut an. «Und dieses Privileg habe ich mir selbst schon den ganzen Abend versprochen.» Der Graf zog sie in seine Arme und presste ihren fast nackten Körper an seinen voll bekleideten.

Wenn Belinda sich zuvor verletzbar gefühlt hatte, so vervielfachte sich das Gefühl in diesem Moment. Sie stand mitten in der Nacht so gut wie nackt auf einer offenen Terrasse. Der winzige Strapsgürtel, die Strümpfe und die Ballettschuhe boten ihr keinerlei Schutz – besonders nicht vor diesem geheimnisvollen, dreisten Mann, der sie in seinen Armen hielt. Jeden Moment würde er sie über die Brüstung legen und mit ihrem schutzlosen Körper anstellen, was er wollte. Dieses Mal würde er vielleicht mit mehr als nur seiner Zunge in sie eindringen. Und doch sehnte sie sich nach dieser Form der tiefsten Abgründigkeit und kuschelte sich enger an ihn.

Eine Zeit lang hielt er sie nur und küsste sie. Vorsichtig wanderte sein Mund über ihr Gesicht, erkundete es kurz, kehrte aber immer wieder zu ihren Lippen zurück. Ab und zu murmelte er gegen ihre Haut gepresst einen Satz in seiner Muttersprache. Zwar verstand sie nicht, was er da sagte, aber dennoch erregte es sie über alle Maßen.

Schließlich blieb sein Mund permanent auf ihre Lippen gepresst und forderte Einlass. In dem Moment, als sie sich ihm öffnete, übermannte er sie vollends. Seine Hände strichen über ihren ganzen Körper, über Brüste, Schenkel und Po. Mit kreisenden Bewegungen rieb und erregte er sie. Seine Finger fuhren immer wieder in die Höhle zwischen ihren Beinen, berührten ihre Möse und die empfindliche Rosenknospe ihres Hinterteils. Belinda war aufs Neue entflammt und konnte nichts anderes tun, als ihr Verlangen stöhnend herauszupressen.

«Du willst mich», sagte er. Er hatte von ihrem Mund abgelassen und sah jetzt auf sie hinab. Sein Satz war eine Feststellung und keine Frage.

Belinda versuchte, ihren Blick abzuwenden, doch er hielt ihr Gesicht fest in seinen Händen.

«Du willst mich. Das weiß ich genau», wiederholte er mit einem seltsamen Gesichtsausdruck, der sie verwirrte. Sie sah, wie er sich perplex auf die Lippen biss, und hörte ihn dann aufstöhnen.

Belinda spürte die plötzliche Rückkehr seiner Melancholie und lehnte sich einladend gegen seinen Körper. Zwar fand sie es schwierig, ihm mit Worten zu antworten, doch die Taten fielen ihr nicht sonderlich schwer. Sinnlich rieb sie ihren Bauch an der harten Beule seiner Erektion.

«Wären die Dinge doch nur anders ...», sagte er leise, den Blick auf sie geheftet. Das glänzende Blau seiner Augen hatte unvermittelt einen tieferen, dunkleren Ton angenommen. Die Tatsache, dass er seinen harten, geschwollenen Schwanz gegen sie presste, war nicht zu leugnen. Doch genau das schien ihm Sorge anstatt Freude zu bereiten.

«Was ist los?», fragte Belinda sehr verwirrt über diesen Widerspruch. Ihr war mit einem Mal klargeworden, dass sie wahrscheinlich noch nie in ihrem Leben einen Mann so sehr gewollt hatte und dass sie es nicht ertragen konnte, jetzt abgewiesen zu werden. Vor einer Sekunde war sie sich seines Begehrens noch völlig sicher gewesen.

«Ich werde es dir sagen», begann er, legte beide Hände auf ihre Wangen und zwang sie so, ihn anzusehen. «Aber vorher werden wir uns, so gut es geht, gegenseitig Freude bereiten.» Er ließ sie los, trat einen Schritt zurück und griff dann nach ihrer Hand. «Komm. Wir gehen in dein Schlafzimmer. Dort ist es bequemer.» Er warf ihr ein kleines, fast nervöses Lächeln zu und führte sie von der Terrasse zurück ins Haus.

«Aber meine Kleider …» Belinda blickte zurück auf den Haufen blasser Seide. «Und ich habe meine Tasche und meine Blume noch im Esszimmer stehen.» Wieso protestierte sie nur? Die Sachen gehörten sowieso André. Was sollte das Ganze also?

«Du brauchst keine Kleider», sagte er und zog sie mit neugefundener Spielfreude hinter sich her. «Komm mit. Ich möchte, dass du nackt durch mein Haus läufst. Ich will deine Brüste und deinen Po schwingen sehen. Tu einem alten Mann den Gefallen, Belinda. Bitte, sei so gut.»

Die junge Frau erhörte seine Bitte – allerdings verwirrter denn je. Bei jedem ihrer Schritte war sie sich ihrer hüpfenden Brüste und ihres Hinterteils bewusst, das voller Sinnlichkeit von einer Seite zur anderen rollte. Was zum Teufel hatte er nur mit «Tu einem alten Mann den Gefallen» gemeint? In den Worten schien eine seltsame, tiefe Bedeutung mitzuschwingen.

Er war nicht alt. In keiner Weise. Wirklich nicht. Doch als sie länger darüber nachdachte, fragte Belinda sich doch, wie alt ihr Gastgeber eigentlich tatsächlich war. Es war schwer, sein Alter zu schätzen. Seine Gesichtszüge waren merkwürdig alterslos – weder alt noch jung. Er hätte alles sein können. Von Mitte zwanzig bis Ende dreißig. Sein meliertes Haar machte die Sache sogar noch schwieriger.

«Wieso runzelst du die Stirn?», fragte André plötzlich, als er ihr den Vortritt in die große Halle ließ. «Bitte verdirb ein Meisterwerk nicht durch einen derartigen Blick.»

Belinda fragte sich, was er wohl genau damit meinte. Sie fuhr herum und sah sich und den Grafen auf einmal in einem großen Spiegel, der ihr bisher nicht aufgefallen war.

Der Unterschied zwischen ihnen beiden war erstaunlich. André war in seiner dunklen Kleidung eine dramatische, ominöse Erscheinung, während sie ein blasses, strahlendes

Bild zarter Kurven abgab. Der winzige Spitzenfetzen um ihre Hüften und die hauchdünnen Strümpfe schienen ihre Nacktheit eher zu betonen, als sie zu bedecken. Zwischen den Beinen fiel die Aufmerksamkeit sofort auf ihr bernsteinfarbenes Schamdreieck. Und wieder verspürte sie das starke Bedürfnis, sich zu bedecken. Doch noch bevor sie diesen Gedanken in die Tat umsetzen konnte, packte André sie bei den Armen.

«Versteck dich nicht, Belinda», flüsterte er, drückte ihre Arme nach hinten und brachte sie so dazu, ihre Schultern gerade zu machen. Dabei richteten ihre Brüste sich auf. «Dein nackter Körper ist hinreißend. Ein Schatz. Du solltest ihn so oft zeigen, wie es dir möglich ist.» Belinda wurde wieder rot und schaute weg. Doch André forderte sie auf, sich wieder umzudrehen. «Da, schau. Schau in den Spiegel», murmelte er. «Sieh dir deine Schönheit an.» Seine Hände strichen über ihre Brüste, dann hinunter zu ihrem Bauch, um dann kurz auf ihrer Scham haltzumachen. Der dunkle Ärmel seiner Jacke ließ ihre Haut in einem perlweißen Ton erstrahlen. Von ihrer Urlaubsbräune schien jedenfalls nichts übrig zu sein. «Möchtest du gerne zusehen, wie ich dich liebkose?» Seine Stimme klang tief und drang wie Samt in ihr Ohr. Der Ausdruck auf seinem Gesicht glich fast dem eines Raubtiers. «Würdest du gerne dein Gesicht sehen, wenn du dich auf dem Höhepunkt der Ekstase befindest? Willst du sehen, wie es immer wilder wird, während du den Gipfel der Lust erklimmst?» Sein Mund war gegen ihren Hals gepresst – sie konnte seine Zähne spüren. «Möchtest du das, Belinda? Willst du es?»

«Nein, ich kann nicht! Ich will nicht!» Sie machte sich von ihm los. Sie wusste durchaus, dass sie log, aber sie hatte Angst. Bei dem Gedanken an nackte, zuckende Hüften und ihr lustverzerrtes Gesicht wurde ihr gesamter Körper feucht vor Verlangen. Ihre weitgespreizten Schenkel mit einer starken, erbarmungslosen Hand dazwischen. «Bitte, nein», wisperte sie, drehte sich zu ihrem Gespielen um und brach, gegen die dunkle Silhouette seines Körpers gepresst, fast zusammen.

Er hielt sie beruhigend in seinen Armen. «Mach dir keine Sorgen.» Sein Mund war in ihrem Haar verschwunden. «Es gibt keinen Zwang. Du musst nur das tun, was du auch wirklich tun willst, Belinda. Ich würde dich niemals gegen deinen Willen zu etwas zwingen.»

Belinda kuschelte sich an ihn und atmete sein schweres Rosenrasierwasser ein. Sie spürte, wie sich in ihrem Inneren die Tränen in ein starkes Verlangen verwandelten. Es lag ihr auf der Zungenspitze, ihm zu sagen, dass sie ihre Meinung geändert hätte und sie seine Wünsche nur allzu gern erfüllen würde. Doch da klopfte er ihr schon zärtlich auf den Rücken und entließ sie aus seinen Armen.

«Komm mit auf dein Zimmer. Dort können wir uns in aller Ruhe entspannen.»

Belinda nickte und warf ihm ein kleines, schüchternes Lächeln zu. Wie hatte sie sich nur so schnell von einer ziemlich egoistischen und rechthaberischen Frau in ein derart fügsames und unterwürfiges Wesen verwandeln können? Es war noch keinen Tag her, seit sie André von Kastel das erste Mal begegnet war, und dennoch gehorchte sie ihm schon aufs Wort.

Das Paar schritt Arm in Arm die Treppe hinab. Ihre Brüste strichen über den feinen Stoff seiner Smokingjacke. Am merkwürdigsten war, wie mühelos sich alles ergeben hatte. André war nicht nur sexuell ein Rätsel für sie – alle Eindrücke von ihm standen nebeneinander wie Puzzleteile, die einfach nicht zusammenpassen wollten. Und dennoch fühlte sie sich in seiner Gegenwart merkwürdig geborgen.

Zwar spürte sie durchaus, dass er Geheimnisse vor ihr hatte – und davon eine ganze Menge –, aber sie wusste auch, dass er ihr nicht wehtun würde. Zumindest nicht absichtlich.

Sie lächelte ihn an, als sie den Treppenabsatz erreichten. Er erwiderte ihr Lächeln und nickte fast unmerklich.

Belinda zuckte mit den Schultern. Wann würde sie sich endlich an die Tatsache gewöhnen, dass André seine Geheimnisse mühelos vor ihr verbergen, sie selbst aber wie ein offenes Buch lesen konnte?

Als sie an Belindas Zimmertür ankamen, öffnete er sie und trat einen Schritt zurück, um sie mit einer leichten Verbeugung vorgehen zu lassen.

Der Raum war erfüllt mit Kerzen, deren Flackern zitternde Lichtschleier auf die Wände warf. Einige der Kerzen steckten in großen Kandelabern aus glänzendem Metall. Andere, dünnere Kerzen waren in eine ganze Reihe von kleinen, einzelnen Haltern aus Porzellan, Kristall und Messing gesteckt worden. Auf fast jeder freien Fläche stand eines der Lichter. Der Anblick hatte etwas Unheimliches, zugleich aber auch sehr Freundliches. Belinda schnappte nach Luft und war überaus fasziniert von dem magischen Effekt.

«Wie hinreißend!»

«Meine Bediensteten wissen, was sie zu tun haben», erklärte André mit einer gewissen Zufriedenheit in der Stimme.

Belinda trat weiter in den Raum hinein und betrachtete die tanzenden Lichter, die auch ein Strahlen auf ihre Haut zauberten. Dass Kerzenlicht dem menschlichen Körper schmeichelte, hatte sie immer als Klischee empfunden, doch heute wurde sie zum ersten Mal selbst Zeugin dieses Phänomens. Das schimmernde Licht schien ihre Haut zum Strahlen zu bringen und zauberte mystische Schattierungen auf ihre Gliedmaßen. Auch ihre Kurven wirkten glatter. Ohne nachzudenken, ließ Belinda die Hände zu ihren Hüften wandern und beobachtete, wie die Schatten ihrer Finger umhersprangen. Hinter ihr war ein Laut männlicher Bewunderung zu hören.

Als sie sich schließlich umdrehte, starrte der Graf sie unumwunden an. In seinen Augen stand tiefe Erregung, aber auch eine gewisse Wehmut geschrieben. Ganz offensichtlich weckte der Anblick ihres kerzenbeschienenen Körpers irgendeine Erinnerung in ihm. Eine eindringliche Erinnerung erotischer Natur. Sein Gesicht glühte. Er streckte seine Arme aus und zog sie leidenschaftlich an sich.

Was ist denn?, hätte sie ihn während des folgenden Kusses am liebsten gefragt. Woran erinnert dich das? Doch die Frage verblasste, während Andrés Kuss ihre Sinne berauschte.

Belinda war nie eine große Küsserin gewesen, doch mit André bereitete ihr dieser simple Akt wildes Vergnügen. Sein Mund war weich und doch aktiv und stark. So kalt wie Eiscreme und genauso süß. Sie schwankte schon wieder und war der Ohnmacht nahe. Belinda verlor sich völlig in dem Erlebnis mit dem Fremden. Schließlich war es André, der mit bedauerndem Seufzen die Zärtlichkeiten unterbrach.

«Brauchst du vielleicht einen Moment für dich allein?», fragte er und machte eine Geste in Richtung Badezimmer.

Sein Vorschlag irritierte Belinda zunächst etwas, doch dann war sie überaus dankbar für die Idee.

«Ja. Es dauert nur eine Minute», sagte sie und löste sich aus seinen Armen. Da er sie beobachtete, versuchte sie ihrem Gang etwas möglichst Graziles und Elegantes zu verleihen.

Worauf lasse ich mich hier nur ein?, dachte die junge

Frau, während sie so schnell wie möglich ihren Verrichtungen nachging. Er macht mir Angst, und doch lasse ich genau das mit mir machen, was er will.

Wie kommt das nur?, fragte sie ihr Spiegelbild, dessen leidenschaftsgerötetes Gesicht sie mit wilden Augen anstarrte. Sie befand sich auf unbekanntem Terrain. Im Reich der Phantasie. Nachdem sie so viele übersinnliche Geschichten gelesen und sie teilweise auch geglaubt hatte, befand sie sich jetzt tatsächlich in der Gegenwart eines «Phänomens». Sie spielte mit einem Mann, der möglicherweise gar kein richtiger Mensch war. Und dennoch vertraute sie ihm …

Was glaubst du denn nun, was er ist?, fragte Belinda sich, sprühte ein wenig Parfüm auf und fuhr sich mit den Fingern durchs Haar, um es zu glätten. Er sagte zwar, er sei kein Vampir, aber irgendwas ist er. Kein normaler Mann kann tun, was er tut. Und kein normaler Mann kann empfinden, was er empfindet.

Sie hatte die Türklinke schon in der Hand, um das Bad wieder zu verlassen, als sie mit einem Mal ein völlig irrationales Bedürfnis überfiel. Sie wollte sich am liebsten einschließen und André anschreien, er solle verschwinden. Doch dann fielen ihr seine Küsse und Berührungen wieder ein, und sie konnte keine Minute mehr warten, in seiner Nähe zu sein. Also riss sie die Tür auf und eilte mit klopfendem Herzen zurück ins Schlafzimmer.

Der Graf wartete bereits im Bett auf sie. Seine Kleidung war auf dem Boden verstreut. Er lächelte fast schüchtern, und als sie näher kam, hielt er die blutrote Überdecke hoch, um ihr die spitzenbesetzten Laken darunter zu zeigen. Während sie neben ihm unter die Decke schlüpfte, erhaschte sie einen Blick auf seine nackten Schenkel.

«Belinda … die Wunderschöne», flüsterte er, als sie einander zugewandt auf einem großen Berg Kissen lagen. Er streichelte ihre Wange, hielt sich ansonsten aber zurück. Es hatte fast den Anschein, als würde er es nicht wagen, seinen nackten Körper gegen den ihren zu pressen. Sein Blick war ungläubig, ja fast jungenhaft verwirrt ob der einfachen Tatsache, dass sie zusammen in einem Bett lagen.

«Wieso starrst du mich so an?», fragte sie schließlich und spürte dabei, wie sich ihre Nackenhaare aufstellten. André blickte sie erstaunt, aber ausgesprochen konzentriert an. «Du sagtest, ich erinnere dich an jemanden. Liegt es daran? Sehe ich einer Frau ähnlich, für die du einst Gefühle hattest? Jemand, mit dem du bereits geschlafen hast?»

«Geschlafen habe ich nie mit ihr», sagte er ruhig, den Mund zu einem merkwürdig traurigen Lächeln verzogen. «Zumindest nicht so, wie ich es gern getan hätte.»

«Was ist passiert?» Belinda rutschte näher an ihren Gefährten heran und griff dann nach seinem Arm, damit er nicht flüchten konnte. Sie musste ein erschrockenes Zusammenzucken unterdrücken, als ihr Schenkel den seinen berührte und sie spürte, wie kalt seine Haut war. Sein gesamter Körper schien dieselbe unnatürlich niedrige Temperatur zu haben wie seine Lippen und seine Hände.

«Ist sie … Ist sie gestorben?» Belinda konnte die Frage einfach nicht unterdrücken – auch wenn sie vermutete, dass die Antwort ihm Schmerz bereiten würde.

André schaute weg und sagte lange Zeit kein Wort. Sein Körper fühlte sich neben Belinda so kalt an, er hätte ebenso gut aus Stein sein können. «Das nicht», antwortete er schließlich. «Obwohl ich mich manchmal frage, ob es nicht besser gewesen wäre, wenn der Tod sie geholt hätte. Und mich auch.»

Der kummervolle Ausdruck auf seinem Gesicht war so anziehend, dass Belinda ihre Arme um ihn schlang und ihm

Küsse auf Wange, Hals und die kalte Brust gab. Jetzt, wo sie an seine Temperatur gewöhnt war, wirkte sie geradezu erregend. Die junge Frau presste sich noch enger an ihn und drückte ihn zurück in die Kissen. Sie stöhnte vor Erleichterung, als auch sein Körper sich an dem ihren rieb. Sein Schwanz war zwar auch nicht wärmer als der Rest von ihm, doch zumindest war er beeindruckend hart.

«Du musst sie sehr geliebt haben», wisperte sie, beugte sich über ihn und sah ihm ins Gesicht. Seine Augen waren geschlossen und sein Gesichtsausdruck nicht zu deuten.

«Ich liebe sie immer noch», sagte er, während seine Lider aufschnellten. Dahinter taten sich zwei klare blaue Seen auf mit einem Strahlen wie von einem hellen Stern.

«Und du willst mich, weil ich ihr ähnlich sehe», stellte Belinda fest. Sie ließ ihr Becken kreisen und stimulierte seinen steifen Riemen mit ihrem Bauch. Sie verstand nicht recht, wieso sie keinerlei Eifersucht empfand. Unter anderen Umständen wäre sie sicher von diesem Gefühl heimgesucht worden.

«Ja …» Pause. «Und nein.» Er grinste, packte sie dann bei den Hüften und drückte sie fest an sich. «Es ist schwer zu erklären. In meinem Herzen weiß ich zwar, dass du nicht Belle bist. Aber dennoch scheinst du ihr so ähnlich zu sein.» Er runzelte die Stirn, so als wären seine Gefühle nur schwer zu verstehen. «Dich so zu halten – ich dachte, das würde mir für immer verwehrt bleiben. Und doch … und doch weiß ich, dass du Belinda Seward bist. Eine neue Freundin, deren Intelligenz und Schönheit mich bezaubert und deren nackter Körper mich über alle Maßen erregt.» Er zuckte mit den Schultern und rieb seinen Schwanz an ihrer Hüfte. «Ich weiß einfach nicht, was ich empfinde oder was ich empfinden sollte. Du musst Geduld mit mir haben, Belinda. Ich finde das alles überaus seltsam.»

«Ich auch», pflichtete Belinda bei. Sie wollte ihn berühren, seine Härte spüren und sich an etwas reiben, was normalerweise heiß sein sollte. «Hier ist alles seltsam. Das Haus ist seltsam. Deine Bediensteten sind seltsam. Selbst die Zeit an sich ist seltsam. Ich weiß, dass ich eigentlich schreckliche Angst haben sollte …» Sie hielt inne und kämpfte dagegen an, seinem strahlenden, unnatürlichen Blick auszuweichen. «Aber die habe ich nicht. Auch wenn das Allerseltsamste du bist.»

«Du hast recht, Belinda», sagte der Graf und sah sie mit starren Augen an. «So recht. Die Quelle aller Seltsamkeiten hier bin ich.» Er bewegte sich unter ihr und klemmte ein Bein zwischen ihre Schenkel. So öffnete er sie, damit sie seine Seltsamkeit direkt an ihrer Möse spüren konnte. «Und doch liegst du immer noch bei mir.» Sein Mund schnellte nach oben, er packte sie beim Schopf und überwältigte sie mit einem langen, fordernden Kuss. Seine kühle Zunge überwältigte sie. Plötzlich legte er einen Arm um sie, drehte sie mühelos auf den Rücken und drückte sie mit großer Kraft auf die Matratze.

Durch Belindas Kopf raste eine Springflut von Gedankenfetzen und Eindrücken. Die Angst, die sie spürte, strafte ihre vorherigen Worte Lügen. Gleichzeitig war da aber auch eine Erregung, die sie in dieser Wucht noch nicht erlebt hatte. Die Angst und die Erregung waren gespiegelte Gefühle, die ihr Herz und ihren Körper zutiefst erschütterten. Mit einem Mal wurde ihr bewusst, dass dieser Mann, der sie da liebkoste – dieses Wesen –, sie jeden Moment umbringen könnte. Und doch brannte ihr Körper vor Verlangen. Ihre Säfte flossen. Sie war offen. Sie war bereit.

Belinda versuchte, sich in eine bestimmte Position zu bringen, ohne dass ihre Münder sich voneinander lösen mussten. Als André das nicht zuließ, stöhnte sie aus tiefer

Kehle. Er hielt sie mit einer Stärke unter sich fest, die sicher nur einem Bruchteil seiner eigentlichen Kräfte entsprach. Ihre Weiblichkeit wurde von seinem kühlen, festen Schenkel gespreizt, an dem sie zusätzlich ihren Kitzler rieb. Nachdem seine Hände zu ihren Pobacken gewandert waren, bewegte er sie auf der festen Säule aus Muskeln und Sehnen hin und her. Zunächst langsam, doch dann immer schneller und schneller.

«Nein! Oh nein!», protestierte sie und spürte dabei die Wellen ihres Höhepunktes über sie hereinbrechen. Ihre unausgefüllte Muschi zuckte und pulsierte. Die Wollust raubte ihr fast den Verstand. Ein weißes Licht, das direkt in ihrer Mitte implodierte. Durchsetzt jedoch von der Schwärze einer bitteren Verweigerung. Sie hätte ihn bei ihrem Orgasmus so gern in sich gespürt.

«Wieso ...», hub sie an, als er sich von ihr löste. Doch ihre Frage wurde durch einen weiteren Kuss erstickt. Er war schnell und herrisch, und sie verstand, dass sie keine weiteren Fragen stellen sollte.

«Streichle mich», befahl er ihr und legte sich neben sie auf die Seite. Sein Schwanz war immer noch steinhart. Er nahm ihre Hand und legte sie um seinen Luststab. «Bitte. Oh bitte!», flehte er und klang weitaus weniger selbstsicher als eben noch. «Gewähre mir die Freude, ich flehe dich an.» Er griff ihre Hand und führte sie.

«Aber ...»

«Bitte. Tu es auf meine Weise», stöhnte der Graf und hielt ihre Hand fester, als sie versuchte, sich rittlings auf ihn zu setzen.

Verwirrt nahm sie ihn wieder in die Hand und widmete sich ihrer Aufgabe, so rhythmisch es eben ging.

Wieso will er wohl nicht in mich eindringen?, fragte sie sich, während er in ihrer Hand immer mehr anschwoll. Sein kaltes Fleisch zuckte, als wäre es schon bereit zum Abspritzen. Ob er glaubt, dass er mir wehtun würde? Oder dass ich ihm wehtun könnte?

Aber wie konnte sie so einem Organ wehtun? Sein Riemen war dick, lang und von einer Haut bedeckt, die so weich wie eingeölter Samt war. Selbst die Kälte seines Körpers machte sie an. Warm war normal. Jeder Mann konnte warm sein. Aber kühl war exotisch und verboten. Sie stellte sich vor, wie sie ihren heißen Mund gegen seine Eichel presste.

«Bald», keuchte André, während er sich aufbäumte und seinen Schwanz durch ihre Finger rasen ließ. «Aber noch nicht jetzt.»

Oh Gott, dachte Belinda. Er kann meine Gedanken sogar kurz vorm Kommen lesen.

«Ja ... Oh ja ... Ja!» Der Körper des Grafen zuckte immer wilder, und er stieß sein Organ immer wieder in ihre Hand hinein.

War das eine Antwort auf ihre unausgesprochene Vermutung? Oder brüllte er nur vor Lust? Aber das spielte jetzt keine Rolle.

Nach einem kurzen Moment schrie André laut auf und blieb – sein Schwanz wie ein Kristallzepter in Belindas Hand – starr neben ihr liegen. Zunächst waren seine Geräusche unverständlich, doch dann ließ er einen Schwall von Worten in seiner Muttersprache heraus. Gleichzeitig zuckte er wild zur Seite, sodass die junge Frau seinen Schwanz während des Höhepunktes loslassen musste. Belinda nahm nur eine kalte silberne Glitschigkeit wahr – eine seidenähnliche Flüssigkeit, die fast verdampfte, als sie gegen ihr Handgelenk spritzte. Dann drehte ihr Gespiele sich zur Seite und bedeckte sich mit den zerknüllten Laken.

«Was bist du?», flüsterte sie in die Stille hinein, die sich danach über das Paar legte. Sie erinnerte sich wohl, die Frage vor unendlich langer Zeit schon einmal gestellt und auch dort schon keine befriedigende Antwort bekommen zu haben. Würde er sie weiter im Dunkeln lassen? Selbst jetzt?

André glitt aus dem Bett und stand auf. Mit dem Gesicht zu ihr gewandt brachte er seine bloßen Beine in eine yogaähnliche Position und legte die Hände lose auf seine Schenkel. Sein Blick war zärtlich, entspannt und durch und durch menschlich. Ob sie sich da nur etwas eingebildet hatte? Selbst sein erschlaffter Schwanz sah genauso aus wie der eines normalen Mannes.

Völlig abrupt schaute der Graf plötzlich zu dem Porträt auf, das über dem Bett hing. Das Bild war Belinda gar nicht aufgefallen, als sie den Raum betreten hatten. Doch jetzt schien das Kerzenlicht es mit größerer Kraft zu beleuchten und jedes Detail der dargestellten Person zu offenbaren.

«Das ist es, was ich bin. Oder sollte ich sagen, wer ich bin?»

Sie starrte das Bild an. Zwar fiel ihr auch eine gewisse Ähnlichkeit auf, doch die altertümliche Kleidung verwirrte sie etwas.

«Ich dachte, das wäre ein Vorfahre von dir. Genau wie die Leute auf den anderen Bildern.»

«Alle Porträts stellen mich dar», erklärte André mit sanfter Stimme und einem zarten Lächeln um die Lippen, das ein wenig traurig wirkte.

«Ich ... ich nehme nicht an, dass du dich für die Bilder verkleidet hast», stellte Belinda fest. Sie lächelte beklommen, denn nach und nach beschlich sie eine Ahnung von der Wahrheit.

«Nein, ich fürchte nicht», antwortete der Graf und zuckte mit den Schultern. «Das sind einfach nur Sachen, die mir zur damaligen Zeit gefielen. Oder besser gesagt: zu damaligen Zeiten.»

«Dann bist du also doch ein Vampir?» Belinda musste das Thema jetzt einfach ansprechen. Besonders jetzt – nach dem, was zwischen ihnen gewesen war. Richtigen Sex hatten sie zwar nicht gehabt, aber es war dicht genug davor gewesen. Würde sie schon in einer Minute unter seinem betörenden Bann stehen?

«Nein. Wie ich dir schon sagte, ich bin kein Vampir», erwiderte er, griff nach ihrer Hand und drückte sie versichernd. «Glaub mir, es gibt zwar durchaus Vampire, aber ich gehöre nicht dazu. Ich teile ein ähnliches Schicksal wie sie, aber meine Bedürfnisse sind bei weitem nicht so gefährlich.» Er hielt einen Moment inne. Belinda spürte einen gewissen Zweifel in sich aufsteigen. Log er sie etwa an, um sie in falscher Sicherheit zu wiegen? «Meines Wissens bin ich immer noch ein Mensch», fuhr er schließlich fort und rieb mit dem Daumen so über ihre Fingerknöchel, wie es ein zärtlicher Liebhaber aus Fleisch und Blut auch tun würde. «Verändert zwar, aber ich bin immer noch ein Mann.» Diesmal lächelte er etwas breiter, so als würde ihn die Tatsache aufmuntern, dass er immer noch sterblich war.

«Wie alt bist du?»

André schien scharf nachzudenken. «Geboren wurde ich 1760. Dann wäre ich also …» Er zählte leise. «Dann wäre ich also über 200 Jahre alt.» Der Daumen unterbrach seine Zärtlichkeiten, und ihre Blicke trafen sich.

Belinda schluckte. Ihr Kopf fühlte sich ganz leicht an, und sie spürte eine plötzliche Distanz zur Realität – fast als hätte sie geträumt und wäre zu schnell aufgewacht. Was André ihr da gerade erzählte, war mehr oder weniger das, womit sie gerechnet hatte, schien ausgesprochen aber völlig absurd zu sein.

«Wirst du ewig leben?»

«Das glaube ich kaum», antwortete er nüchtern. «Ich habe zwar ein ausgesprochen langes Leben, ja, aber da ich seit meinem Unglück vor vier oder fünf Jahren doch leicht gealtert bin, nehme ich an, dass auch ich älter werde und einmal sterbe. Aber das dauert noch ein paar Jahrhunderte.»

Belinda fehlten die Worte. Doch irgendwo tief in ihrem Inneren fand sie noch eine Frage.

«Du sagtest, du bist kein Vampir und deine Bedürfnisse seien nicht gefährlich ...»

Der Graf unterbrach sie. «Hast du mir denn nicht zugehört, als wir uns auf der Terrasse unterhielten?» Er drehte ihre Hand, küsste sie auf die Innenfläche und leckte dann langsam und sinnlich über ihre Haut.

Belinda erinnerte sich an die Terrasse. Sie erinnerte sich, wie sie dort von Scham und anderen heftigen Gefühlen überfallen wurde. Irgendetwas hatte er ihr dort erzählt. Doch sie hatte ihn zu sehr begehrt, um klar denken zu können.

«Mein Bedürfnis ist ganz einfach», erklärte er und zog sie mit Küssen den Arm hinauf näher zu sich heran. «Und genau so, wie ich es dir beschrieben habe.» Er ging ein wenig in die Knie und küsste erst ihre Schultern, dann ihre Brüste. «Ich nähre mich von deinen Sinnen, Belinda. Deiner Ekstase, deiner Erfüllung, deiner Befriedigung.» Seine Lippen streiften über ihre Nippel, während er mit der Zunge ihre Brust leckte. «Den erotischen Freuden, die du erlebst, wenn du mit jemandem schläfst.»

Kapitel 9

Japanisches Geflüster

Ob sie mich verstanden hat?, dachte der Graf. Er legte sich zwischen die Bücher und Handschriften, die über sein Bett verstreut lagen, und deckte sich mit seinem sternenbesetzten Umhang zu. Es war kurz vor Sonnenaufgang, und schon bald würde er wieder schlafen gehen müssen. Doch bis dahin konnte er seinen Hoffnungen und Träumen weiter nachhängen.

Zu Andrés großer Erleichterung hatte Belinda Seward keinerlei Schrecken über seine ungewöhnliche Lebensdauer gezeigt. Auch Angst schien sie nicht gehabt zu haben. Doch er spürte ebenso, dass seiner neuen Bekanntschaft vieles durch den Kopf ging. Vor allem Fragen – und ein unbewusstes Gefühl ihrer Wichtigkeit bei dieser ganzen Geschichte. Eine Wichtigkeit, die über eine einfache Liebelei weit hinausging.

Nicht, dass ihr Liebesspiel unbedeutend für ihn gewesen wäre. Mitnichten. Der Graf streckte sich aus, zog seinen Seidenumhang fester zu und gab sich den Erinnerungen hin. Er dachte an die Lust, die er gerade erst vor ein paar Stunden erlebt hatte.

Belinda Seward anzufassen und zu streicheln glich seinem immer wiederkehrenden Traum von Arabelle auf frappierende Weise. Ihre Körper und Gesichter waren sich sehr ähnlich. Oder zumindest so ähnlich, dass man Belinda für eine erwachsene Version seiner Arabelle halten könnte. Wäre Belle ihm nicht vor ihrem zwanzigsten Geburtstag genommen worden, hätte sie sicher so ausgesehen wie Belinda jetzt. Er lächelte und überlegte, ob Belle sich wohl jemals von ihrem schimmernden tizianroten Haar getrennt hätte, um sich für einen kurzen, elfengleichen Schnitt zu entscheiden, wie Belinda ihn trug. Er würde sie fragen müssen. Zweifellos aber hatte sie dieselbe sinnliche Natur. Dieselbe liebliche Mischung aus Naivität und Wagemut. Eine Verbindung des Reinen mit dem Profanen.

Als sein Schwanz sich durch die Lust von eben und den Gedanken an lange verlorengeglaubte Träume wieder versteifte, setzte André sich auf, machte die Schultern breit und griff nach einem Buch. Es war ihm immer merkwürdig vorgekommen, aber in der Erregung konnte er noch am klarsten denken. Wann immer er einen Zauber aussprach, erlebte er eine Leidenschaft, die entweder durch stimulierende Gedanken oder durch eigene Berührungen verstärkt wurde. André nahm an, dass ein Großteil seines magischen Könnens erst von der Macht der Lust erzeugt wurde.

Und er würde jedes bisschen dieses Könnens brauchen, um an sein fast unerreichbares Ziel zu gelangen. Er öffnete das Grimoire, eine mittelalterliche Sammlung von Zaubersprüchen, wo er schnell das entscheidende Kapitel aufschlug. Dort wurde ein Ritual beschrieben, welches er zwar in- und auswendig kannte, aber es war so gefährlich, dass man ihm nie einen Namen gegeben hatte.

Würde es funktionieren? Er kräuselte die Nase über dem altbekannten, aber verhassten Parfüm, das von den Seiten des uralten Buches aufstieg. Zwar mochte dieses Grimoire der einzige Schlüssel sein, der ihm und Arabelle doch noch eine gemeinsame Zukunft öffnen könnte, die Herkunft des Buches löste gleichzeitig aber auch einen tiefen Ekel in ihm aus. Es schein fast eine Ewigkeit her zu sein, dass er es sich von dem Haufen auf Isidoras Schreibtisch genommen hatte und damit in die Nacht geflohen war. Nur dieses Buch und Arabelles Kristallphiole hatte er damals mitgenommen.

Das Buch mit den Zaubersprüchen war allerdings nicht rechtmäßig in Isidoras Besitz gekommen. Das wusste er. Wahrscheinlich hatte sie es aus der okkulten Sammlung eines ihrer früheren Opfer gestohlen. Schon damals, vor über zweihundert Jahren, war es ein antiker Schatz gewesen. Ein Schatz, auf dessen verwitterten Seiten das erprobte Wissen von mehr als einem Dutzend geachteter Zauberer geschrieben stand. Alchemisten, die nach dem ewigen Leben und dem Geheimnis der Goldherstellung gesucht hatten. Und selbst das Wissen dieser Meister stammte aus noch früheren Zeiten und fernen Gegenden, wie dem Nahen und dem Fernen Osten, aus Ägypten, wo Tod, Wiedergeburt und erotische Rituale im Mittelpunkt eines spirituellen Pharaonenkults gestanden hatten.

Wohin würde es ihn und Arabelle verschlagen, wenn das Ritual aus dem Grimoire erfolgreich wäre? In den Sternenhimmel, wie die ägyptischen Gottkönige glaubten? Oder in eine völlig andere Welt? Vielleicht sogar ins Nichts? Es ließ sich unmöglich vorhersagen, aber er wusste, dass sie in irgendeiner Form zusammen sein würden – endlich befreit von den Qualen ihrer Trennung.

Es lauerten jedoch auch viele Gefahren. Das Ritual konnte fehlschlagen und ihn dazu verdammen, mit beschädigtem Geist und schwachem Körper noch länger zu leben. Vielleicht würde er sogar den Geist von Arabelle verlieren und sie in irgendeiner dunklen und unbekannten Leere zurücklassen müssen. Die größte Gefahr jedoch bestand darin, dass auch Belinda als sein geliebtes, sterbliches Wirtswesen ausgelöscht würde. Viele Zutaten des Elixiers waren äußerst giftig, wenn man sie unter normalen Umständen einnahm. Tollkirsche, Quecksilber und auch Arsen – all diese Stoffe wirkten in ihrer unverzauberten Form meist schon in geringer Dosis.

Hatte er das Recht, Belindas Leben aufs Spiel zu setzen? Und wenn er sie über die Gefahren des Rituals aufklärte, konnte er ihr dann noch so viel bedeuten, wie das Ritual es verlangte?

André konnte es ihr auf keinen Fall verschweigen. Schon jetzt, nach nur einem Tag der Bekanntschaft, empfand er eine seltsame Zuneigung für sie. Und außerdem würde jede Täuschung den Zauber zunichtemachen. Das Werkzeug musste sich der Vorgänge bewusst und durch und durch willens sein.

Der Graf schob seine Zweifel einen Moment beiseite und dachte darüber nach, welche anderen Elemente er für seine Bestrebungen zusammentragen musste. Heilige Erde war nicht schwer zu finden. Dafür war die heruntergekommene Kapelle des Anwesens genau der richtige Ort. Kerzen, Räuchermittel, Bänder? Ja, all das hatte er im Überfluss. Alles war in Erwartung der Ankunft eines passenden Wesens seit Jahrzehnten vorbereitet. Was ihm einzig noch fehlte, war eine beaufsichtigende Zauberin, die der letzten Stufe des Zaubers beiwohnte – eine entscheidende Voraussetzung.

Michiko, seine liebe Freundin und Trösterin, hatte ihm einst versprochen, immer auf Nachricht von ihm zu warten. Doch war er schon stark genug, sie zu rufen? Über weite Entfernungen war ihre geistige Verbindung nur schwach. Und selbst wenn er sie erreichen würde, wie schnell könnte sie wohl bei ihm sein?

«Michiko», murmelte er, schloss das Grimoire und legte es beiseite. «Michiko-San … Wo bist du? Ich brauche dich … Komm zu mir …»

Schon bald stieg ein Bild vor seinen Augen auf. Es war kein Bild der Gegenwart, sondern viele Jahrzehnte alt. Er sah Michiko in dem wunderschönen, festlichen Kimono, den sie bei ihrer ersten Begegnung in Japan getragen hatte. Das war zu einer Zeit der relativen Stärke gewesen, in der er ständig herumgereist war, um der Entdeckung durch Isidora zu entgehen.

Um an seine ganz bestimme Form der «Nahrung» zu gelangen, hatte sich der Graf einer berühmten Kurtisane vorstellen lassen – Madame Michiko, eine Dame, die zur Elite ihrer Profession gehörte. Nachdem sie ihn in ihr Boudoir gebeten hatte und die beiden sich mit überkreuzten Beinen auf der Tatami-Matte gegenübersaßen, bemerkte er sofort, was sie wirklich war: eine Miko, eine weiße Zauberin, die mit demselben langen Leben wie er gesegnet – oder geschlagen – war.

«Ich fühle Euer Dilemma, Mylord», hatte sie hinter ihrem flatternden Fächer in seiner Muttersprache gesagt. André war beeindruckt von ihrer Sprachbegabung. Auch wenn sie aufgrund ihrer geistigen Gabe wenig Grund zum Sprechen hatte. «Bitte nehmt meine bescheidene Hilfe in dieser Angelegenheit an. Ich werde alles in meiner Macht Stehende tun, um Euch zum Erfolg zu verhelfen.» Mit diesen Worten hatte die Dame ihren Fächer zuklappen lassen, war aufgestanden und mit grazilen Schritten auf ihn zugekommen. Dann hatte sie ihn mit flinken Fingern seiner Kleidung entledigt.

«Michiko …», flüsterte er in die Gegenwart hinein. André erinnerte sich noch genau an ihre Phantasie und ihre sanften, geheimnisumwobenen Talente. Vor allem ihre Haltung war das reinste Wunder. Die Japanerin war eine Künstlerin der sinnlichen Freuden.

Jedes Kleidungsstück, das sie ihm auszog, wurde von ihr gefaltet und auf einen niedrigen Tisch aus Zedernholz gelegt. Sie behandelte jedes Accessoire mit ehrfürchtiger Eleganz. Sein steifer Kragen diente als Umrahmung seiner silbernen Kragenknöpfe, und die Manschettenknöpfe wurden jeweils neben dem Kragen positioniert. Zunächst schien es dem Grafen fast, als würde Michiko sich mehr um seine Kleidung als um das Verwöhnen seines Körpers kümmern, doch das sollte sich bald als Irrtum herausstellen.

«Entspannt Euch, Mylord», hatte sie geflüstert, als er endlich nackt vor ihr stand. «Ich bin hier, um Euch zu dienen und Eurem hungrigen Fleisch Erlösung zu verschaffen.»

Obwohl André schon hundert Jahre Erfahrung mit Frauen hatte, machte ihn die Gegenwart dieses klugen, exotischen Wesens doch recht nervös. Er fühlte sich benachteiligt. Zwar war auch ihm ein übermäßig langes Leben vorherbestimmt, doch die magischen Kräfte der Frau waren eindeutig größer als die seinen. Michikos Schönheit verdammte ihn zu ihrem Sklaven – etwas, das er seit der Verführung durch Isidora nicht mehr erlebt hatte.

Ihr ovales Gesicht war im klassischen Geisha-Stil kalkweiß geschminkt. Doch das schwere Make-up wirkte in keiner Weise maskenhaft. Im Gegenteil. Es schien die erlesenen Gesichtszüge, die darunterlagen, noch zu verschönern – genau wie die Glasur von kostbarem Porzellan. Ihr Mund war in einer lebendigen blutroten Farbe bemalt, und die dunklen Augen wurden von schwarzem Khol umrahmt. Das Haar der Dame war unter einer kunstvollen, traditionellen Perücke verborgen, in der Elfenbeinkämme und Papierblumen steckten. André wusste sofort, dass das echte Haar darunter lang, schwarz und glänzend war. Und obwohl ihr Körper durch einen mehrlagigen Kimono mit riesigem Obi bedeckt war, glaubte er zu wissen, dass sie schlank und überaus wohlgeformt war.

Er beobachtete mit steifem Schwanz, wie sie einen dünnen Futon aus dem Schrank holte, auf der Matte ausrollte und ihn dann aufforderte, sich hinzulegen.

«Ihr seid sehr feurig, Mylord», sagte Michiko mit sanfter Stimme und ließ sich in einer Wolke aus Seide neben ihm nieder. Ihre bemalten Augen ruhten mit intensivem Blick auf seinem Luststab.

«Mein Name ist André», stellte er sich vor. Ihre Blicke ließen seinen Körper schmelzen. «Ihr seid die wunderschönste Frau, die ich je gesehen habe.»

«Das glaube ich nicht», erwiderte die Japanerin mit schiefem Lächeln. In ihren Augen stand große Sympathie für ihn geschrieben. «Es gibt da noch eine andere … Ihr liebt sie. Und doch befindet sie sich an einem Ort, der weder Erde noch Himmel ist. Ich glaube, dass sie die Schönheit ist, die ihr am meisten anbetet.»

André drehte sich für einen Moment entmutigt beiseite. Wie schon so oft in solchen Momenten wurde ihm wieder bewusst, dass er nie ganz nackt vor Arabelle gestanden hatte und ihr nie das Geschenk seines ungezügelten Fleisches machen durfte. Natürlich kannte sie seinen unbekleideten Körper – schließlich war sie stets anwesend, wenn er sich in seinem Zimmer auszog. Doch sie hatte seine Nacktheit nie mit leibhaftigen Augen, sondern nur mit ihrem merkwürdig starken Geist gesehen.

Als Michikos schmale Hand sich auf seinen Oberschenkel legte, zuckte André kurz zusammen.

«Ich kenne Euren Schmerz, André-San», sagte sie mit einer Stimme, die wie ein Glöckchen im Wind klang. «Und ich weiß auch, was ihn lindern kann.» Ihre Finger wanderten nach oben. «Sorgt Euch nicht um die Gefühle Eurer Geliebten. Mein Geist hat den ihren berührt. Ich spüre sie, und sie fordert mich auf, mich Eurer Bedürfnisse anzunehmen.

Der Graf rollte sich mit einem großen, erleichterten Seufzer auf den Rücken. Er glaubte seiner klugen exotischen Gespielin und konnte Arabelles Zustimmung spüren. Sie drängte ihn sanft, sich durch Sex wieder zu Kräften zu bringen.

Eigentlich hatte André damit gerechnet, Michiko würde es ihm gleichtun und sich entkleiden. Umso überraschter war er, als sie ihn weiter streichelte. Ihre Finger flatterten mit flinker Zielstrebigkeit über seine Haut. Obwohl sein Schwanz stolz aufrecht stand, berührte sie ihn nicht sofort. Stattdessen streichelte sie die zarten Falten seines Schritts. Ihre Berührungen waren leicht und wirkungsvoll zugleich und fanden in solch unmittelbarer Nähe zu seinem Lustzentrum statt, dass er es fast als schmerzhaft empfand. Er keuchte und hätte alles gegeben, wenn sie ihre schlanke Hand endlich um seine schmerzende männliche Härte gelegt und mit den zarten Fingerspitzen seine Eichel gekitzelt hätte.

Doch Michiko verweigerte sich immer noch und erkundete stattdessen seinen Bauch und die Seiten mit wohlüberlegter Gründlichkeit. André versuchte, sie mit einer Stärke und Schnelligkeit zu packen, dass er selbst staunte. Aber sie schob seine Hände weg und packte sie. Mit einem geschickten Griff nahm sie beide seiner Gelenke in eine ihrer langfingrigen Hände und drückte sie auf den Futon. Er war jetzt ganz hilflos und völlig ihrer Gnade ausgeliefert.

«Denkt daran, was ich bin, Mylord», sagte sie leise und schaute ihn mit ihren fast schwarzen Augen durchdringend an. «Ich besitze alle Kräfte, die auch Ihr besitzt. Und noch vieles mehr, was Euch unbekannt ist und mich von Euch unterscheidet. Ich bin Euresgleichen und werde tun, was ich für richtig halte.»

Ihre Entschlossenheit erinnerte den Grafen auf einmal an Isidora. Es schauderte ihn.

«Und wie sie bin ich auch», verkündete Michiko sofort

und demonstrierte damit ihre mentalen Fähigkeiten. «Ich möchte Euch auch gern eine Weile kontrollieren, André. Ich will mit Euch spielen und uns beiden dabei Lust bereiten.» Ihre freie Hand berührte seine Wange. «Aber wenn ich damit fertig bin, werdet Ihr der Souverän sein, und ich werde Euch dienen.»

Erleichtert entspannte André sich auf dem Futon. Er rechnete mit einer augenblicklichen Lösung ihres Griffs. Doch die Dame schien sich vorgenommen zu haben, so viel wie möglich von seinem Körper mit ihrer einen freien Hand zu erkunden. Der junge Mann war festgesetzt. Er drehte seinen Körper peinlich berührt zur Seite, doch das Gefühl, von ihrer Hand fixiert zu sein, war auf heimtückische Weise köstlich. In der Vergangenheit hatte er grundsätzlich die Vormachtstellung bei solchen Spielen eingenommen. Allerdings war auch das Gefühl, unter fremder Kontrolle zu stehen, ein pikantes Vergnügen.

Michiko schaute ihm während ihrer Berührungen tief in die Augen und strafte den Ruf japanischer Frauen damit Lügen, stets unterwürfig zu sein. Zwar hatte sie versprochen, ihm zu dienen, aber sie hatte so gar nichts Sanftes und Fügsames an sich. Ihre wilden dunklen Augen waren von einem fast kriegerischen Eifer erfüllt, und André war sehr froh, dass sie ihn offensichtlich mochte. Wäre die Japanerin mit ihren Kräften und der unbezähmbaren Persönlichkeit seine Feindin gewesen, hätte selbst Isidora kein leichtes Spiel mit ihr gehabt.

«Ihr habt ganz recht, Mylord Gaijin», murmelte sie, ihr blutroter Mund nur einen Zentimeter von seiner Kehle entfernt. «Ich könnte Euch sehr wohl vernichten – oder gar Euren andauernden Schmerz tausendfach verschlimmern.» Ihre Lippen näherten sich auf Haaresbreite seinem Kiefer, während ihre Fingernägel gleichzeitig über seinen zuckenden Schwanz wanderten. «Aber ich mag Euch. Und ich biete Euch meine Hilfe an.»

André stöhnte. Sein Körper war in der Gewalt seiner schlanken Nippon-Göttin, während sein Geist über allem schwebte und ihren Namen segnete. Was für eine großartige Verbündete würde sie doch abgeben!

Mit ungeschickten Bewegungen versuchte er sich an ihrem Kimono zu reiben. Der Druck in seinem Organ wurde zu einer Qual. Er war jetzt so weit, um ihre Berührung zu bitten, sie anzuflehen und um jedwede Art von Stimulation zu betteln.

«Oh nein, Mylord!», rief Michiko mit heller Stimme und entzog ihm ihren buntgekleideten Körper. Die heiligen Reiher auf ihrem Kimono schienen seiner Gefangenschaft zu spotten, und die schimmernde Seide ließ den Eindruck entstehen, als würden sie sich jeden Moment in die Luft erheben. Plötzlich zauberte Michiko aus dem Nichts eine gewebte weiße Schnur. Noch bevor André sich bewusst werden konnte, dass seine Hände frei waren, hatte die junge Frau sie auch schon wieder fixiert – diesmal hinter seinem Rücken. Er wand sich verzweifelt, stellte aber schnell fest, dass die einfachen Fesseln unnachgiebig waren. Ungleichmäßig keuchend sank er auf den Futon zurück. Michiko beugte sich über ihn und umwickelte seine Fußknöchel mit derselben widerstandsfähigen Schnur.

«Was werdet Ihr jetzt mit mir tun?», fragte er, als sie sich mit einem listigen Blick auf ihrem perlweißen Gesicht neben ihn kniete.

«Was wäre denn, wenn ich gar nichts täte?», fragte sie mit trockenem Lächeln. «Was wäre, wenn ich Euch jetzt ignorierte und mich meiner Toilette widmete?» Eine ihrer Hände glitt unter die Falten des Kimonos, wo sie eindeutig eine ihrer festen Brüste umfasste. Von ihren Lippen drang ein winziges Stöhnen, und sie neigte elegant den Kopf zurück, so als würde ihn die schwere, formelle Perücke nach hinten ziehen. Ihre schmalen Augen schlossen sich, um das überaus intensive Gefühl auszukosten. André bemerkte kleine, aber deutliche Bewegungen unter der dicken, brokatartigen Seide.

Die pure Sinnlichkeit ihrer Handlungen ließ seine eigene Erregung auf alarmierende Weise ansteigen. Sie streichelte sich völlig unverhohlen und zwickte sich in die empfindlichen Spitzen ihrer Brust, während er völlig unbeweglich blieb und nichts gegen seine immer größer werdende Sehnsucht nach Erlösung unternehmen konnte.

«Was wäre, wenn ich mich nun selbst zum Orgasmus brächte, Mylord? Wenn ich meinen eigenen Körper berühren und ihn langsam zum Höhepunkt der Lust bringen würde? Könntet Ihr das ertragen und nichts weiter von mir erwarten?» Michikos tiefe, sanfte Stimme klang verwaschen, und die Bewegungen unter ihrem Kimono wurden immer schneller und wilder – fast als wären kleine Tiere dort gefangen, die sich strampelnd zu befreien suchten. Der Rest ihres Körpers war bewegungslos. Eine ruhige, in farbige Seide gewandete Statue.

«Ich … ich weiß es nicht …» André biss die Zähne zusammen, als er sich vorstellte, welche Pein ihn erwarten könnte. Die Vorstellung war einfach schrecklich, Michiko dabei zuzusehen, wie sie sich wieder und wieder berührte, während seine Erregung immer unermesslicher wurde. Und doch labte er sich daran und kostete Vergnügen oder Versagung voll aus. Sein Fleisch wurde immer steifer, und das Blut pochte in seinem Schaft. Die Qual zwischen seinen Beinen brachte ihn an seine Grenzen. Ihm war ganz schwindelig vor Gier. Es war die reine Folter, doch irgendetwas Düsteres in ihm frohlockte.

«Vielleicht s-sollten wir erst mal sehen, wo Eure Grenzen liegen.» Michikos telepathische Fähigkeiten waren zwar immer noch ausgezeichnet, doch sie bekam langsam Probleme mit ihrer Stimme. Die Worte schienen ihr im Hals steckenzubleiben, als säße dort ein dicker Kloß von Emotionen. Die Bewegungen unter ihrem Kimono waren klein, aber rhythmisch. Gegen seinen Willen stellte André sich vor, wie sie in ihre Nippel kniff und die Fleischknospen ihrer Brüste wieder und wieder zwickte, um ihre Erlösung durch Schmerzen zu beschleunigen.

«Amida … Amida …», flüsterte sie. Michikos freie Hand flatterte in einer Geste, die seltsam liturgisch wirkte. Sie hielt für einen Moment inne und machte dann eine Faust. Ihr gesamter Körper versteifte sich, doch schon eine Sekunde später war sie ganz entspannt und stieß einen leisen Seufzer aus.

«Das war überaus köstlich», sagte sie und zog die Finger aus den Tiefen ihres Kimonos. «Ich fühle mich erfrischt und bin jetzt bereit, Eure Fesselung zu erweitern.» Mit einer weiteren exquisiten Fingerfertigkeit zauberte sie eine dritte feingeflochtene Schnur zutage, die sie in engen Schlaufen um ihre Finger schlang.

Ihre scharfen Augen waren direkt auf sein Organ gerichtet, als sie näher an ihn heranrutschte.

André kehrte mit einem Mal in die Realität zurück. Er stöhnte laut auf und ejakulierte heftig zwischen seine Finger. Sein kühler Saft spritzte auf das Bett und die darauf liegenden Bücher und Papiere. Wie immer war seine Erinnerung so real gewesen, dass sie ihn völlig absorbiert hatte. Der Graf spürte eine vage Enttäuschung, weil sein Orgasmus den Vergnüglichkeiten abrupt ein Ende bereitet hatte.

Im letzten Jahrhundert in Japan war er nicht einmal annähernd so schnell gekommen. Michiko hatte seinen Körper fast zur Gänze mit ihren teuflischen Schnüren eingewickelt und seinen Schwanz mit einem etwas feineren Seil fest umwunden. Danach hatte sie ihn geritten. Seine Hüften waren durch ein hartes, rundes Kissen angehoben und seine fixierten Arme schmerzhaft unter den Rücken geklemmt worden. Es war ihm vorgekommen, als hätte sie ihn die ganze Nacht in dieser Stellung geritten. Er litt süße Höllenqualen, während sie zahllose Orgasmen erlebte.

Als Michiko ihn schließlich unter Tränen und Lauten glückseliger Pein befreit und seinen Stab fest gerieben hatte, war sein Höhepunkt damals so intensiv, dass er das Bewusstsein verlor.

«Michiko», flüsterte er und schickte seine Gedanken durch den Äther, um sie irgendwo zu finden.

Und zu seinem Erstaunen dauerte es nur ein paar Sekunden, bis er ihre Stimme im Kopf hörte. Es schien unglaublich, aber sie war irgendwo in der Nähe auf derselben englischen Erde.

«Mylord Gaijin», ertönte der sanfte, exotische Klang ihres so sinnlichen Geistes. «Ich bin ganz in der Nähe. In welcher Angelegenheit darf ich Euch zu Diensten sein?»

«Oh Michiko», antwortete er voller Dankbarkeit und berichtete ihr dann von seinen Träumen und Hoffnungen.

Er verschweigt mir etwas, dachte Belinda, als sie am nächsten Morgen die Augen aufschlug. Sie hatte das Gefühl, die ganze Nacht von ihrem fast unsterblichen Geliebten geträumt zu haben, der auch jetzt noch in ihrem Kopf herumzuspuken schien.

Er hatte sich wieder von ihr «genährt» – wenn man es denn so nennen wollte. Mit seinen Fingern, den Lippen und der Schwere und Kraft seines Körpers hatte er ihr mühelos mehrere Orgasmen beschert und sie dann in den Armen gehalten, bis sie in einen erschöpften Schlaf fiel. Er selbst war währenddessen nicht einmal gekommen. Ob er sich hinterher selbst Erleichterung verschafft hatte, konnte sie unmöglich wissen.

Belinda gingen so viele Fragen durch den Kopf, dass ihr Gehirn zu brummen schien.

Die dringlichste Frage war, wie André zu dem Wesen geworden war, das da nun neben ihr lag. Ihm musste etwas Ungeheuerliches passiert sein …

Und wieso betrachtete er sich als unglückselig? Belinda hatte noch nie über die Aussicht auf ein so langes oder gar endloses Leben nachgedacht. Zwar hatte sie schon oft genug in Horrorgeschichten darüber gelesen, aber erst jetzt, in der allgegenwärtigen, parfümierten Präsenz eines zweihundertjährigen Mannes, wurde ihr die Tragweite eines solchen Schicksals wirklich bewusst.

Diese vielen Jahre! Ob er sich überhaupt an alles erinnerte? An jeden Ort, an dem er je gelebt hatte? An jeden Menschen, den er je kennengelernt hatte? An jede Frau oder jedes Mädchen, das er je geliebt hatte? Wenn sexuelle Freuden die Hauptquelle seiner Stärkung waren, musste es über die Jahrzehnte doch eine ganze Menge davon gegeben haben.

Als Belinda sich streckte, merkte sie auf einmal, dass sie ein Nachthemd trug. Eine viktorianische Angelegenheit, die sie sicher zugeknöpft vom Hals bis zu den Knöcheln bedeckte und lange Ärmel mit gerüschten Manschetten hatte.

«Hast du mir das angezogen?», fragte sie in Richtung des Porträts über dem Bett, auf dem André in Kleidung aus dem 18. Jahrhundert abgebildet war. Es war zur Zeit seiner geheimnisvollen Verwandlung angefertigt worden. «So muss es wohl gewesen sein … Aber ich schwöre, dass ich mich überhaupt nicht daran erinnere.»

Die Vorstellung, dass der Graf sich ihres reglosen Körpers bemächtigt hatte, ließ sie erschaudern. Es war eine Sache, sich der Liebe mit ihm hinzugeben und sich dabei von ihm berühren zu lassen. Aber dass er anscheinend auch in ihrem Schlaf über sie verfügte, erfüllte sie mit Angst, aber gleichzeitig auch mit Erregung.

Belinda strich mit den Fingern über die feinen Smokarbeiten und Stickereien. Sie fragte sich, ob es wohl einer früheren Geliebten von ihm gehörte. Vielleicht sogar der, die er geliebt und verloren hatte?

Es gab da noch eine weitere Frage, die sie gern gestellt hätte. Die Frau, der Belinda so ähnlich sah, die Frau, der André offensichtlich noch über alle Maßen zugetan war – hatte er sie vor seiner Verwandlung kennengelernt oder erst danach?

Doch das größte Rätsel blieb immer noch sein seltsamer Widerwille, in sie einzudringen. Als er all ihre Sinne zum Leben erweckt und ihr Verlangen angestachelt hatte, schien es für Belinda nichts Erfüllenderes zu geben als die Vereinigung ihrer Körper. Es kam ihr einfach unnatürlich vor, diesen Akt nicht zu vollziehen.

Sie nahm an, dass hierin der Schlüssel zu dem eigentlichen Mysterium verborgen lag. Nichts an André von Kastel war natürlich. Oder normal. Oder gewöhnlich. Es hatte offenbar einen ganz bestimmten Grund, weshalb er nicht in sie eingedrungen war. Einen vielleicht lebenswichtigen Grund. Doch sie konnte unmöglich sagen, ob dieser Grund für ihn wichtig war oder für sie selbst.

Was für eine Schande, befand die junge Frau, als sie daran dachte, wie sich die erigierte Erhabenheit seines Schwanzes an ihr gerieben hatte. Seine sexuelle Anatomie war eindeutig in Ordnung, und es gab zumindest kein körperliches Hindernis für die Penetration, nach der sie sich so gesehnt hatte. Und immer noch sehnte, fügte sie ihn Gedanken betrübt hinzu. Käme André in diesem Moment zu ihr, sie wäre bereit.

Plötzlich, als würde ihren Gedanken eine Tat folgen, klopfte es an der Tür.

«Herein!», rief Belinda mit rasendem Herzen und zuckendem Fleisch.

Doch es handelte sich bei ihrem Besucher lediglich um Jonathan. Ihrer Frustration folgte ein sofortiges Schuldgefühl. Er sah gut und erholt aus. Eigentlich hätte sie sich freuen müssen, ihn zu sehen, und nicht enttäuscht sein dürfen, dass es kein anderer war.

«Hey du! Wie fühlst du dich?» Um es wiedergutzumachen, sprang sie aus dem Bett, lief auf ihn zu und umarmte ihn. «Du warst gestern Abend ja völlig weggetreten. Ich war in deinem Zimmer, um nach dir zu sehen. Aber du hast geschlafen wie ein Baby.» Sie schlang die Arme um ihn und genoss das sichere, bekannte Gefühl und den warmen Körper unter seinem T-Shirt und den Shorts. «Ich wollte gerade aufstehen und nachsehen, ob du wohl schon wach bist.»

Jonathan revanchierte sich mit einer ungewohnt herzlichen Umarmung und einem kurzen, harten Kuss. «Jetzt geht's mir besser. Ich muss wohl müder gewesen sein, als ich dachte. Das muss schon seltsam ausgesehen haben – ich bin plötzlich irgendwie umgefallen, und dieser riesige Kerl hat mich einfach wie eine Puppe hochgehoben ...» Er zitterte in ihren Armen, einen merkwürdigen Ausdruck auf seinem angenehmen, offenen Gesicht.

«Dann hat der starke Oren dich also zu Bett gebracht, was?» erkundigte Belinda sich freundlich. Das von Jonathan erzeugte Bild hatte eine seltsame Wirkung auf sie. Ohne groß nachzudenken, sah sie auf einmal zwei Männer vor sich: Oren, bestimmend und stumm, mit Jonathan nackt und fügsam in seinen Armen.

«Ja», antwortete Jonathan, und die beiden setzten sich nebeneinander auf das Bett. «Und ich glaube, ich habe auch den Mann kennengelernt, der hier das Sagen hat. Den Besitzer oder was immer er ist. Er muss es sein, denn er sieht dem Typen da drüben zum Verwechseln ähnlich.» Er nickte in Richtung des Gemäldes. «Das muss wohl sein Vorfahre sein oder so was ...»

«André?»

«Ist das sein Name?» Jonathan sah sie ein wenig misstrauisch an.

Belinda fühlte sich ertappt und wurde sofort rot. «Ja ... Das ist Graf André von Kastel – um seinen vollen Titel zu nennen. Ihm gehört das Kloster. Und Oren und deine beiden Mädchen, Elisa und Feltris, sind seine Bediensteten.» Sie nahm Jonathans Hand und fing an, mit dem Daumen über seine Handfläche zu streicheln. Das mochte ihr Freund, und sie hoffte, ihn damit von weiteren unbequemen Fragen abzuhalten. «Wann hast du ihn denn getroffen?»

«Eine ganze Zeit nachdem unser großer blonder Freund mich zu Bett gebracht hatte.» Jetzt war es an Jonathan zu erröten. Fast als würde er nun zweideutige Gedanken hegen. «Ich fühlte mich sehr komisch. Irgendwie weggetreten. Ich schloss die Augen, und als ich sie wieder aufschlug, war da dieser andere Mann mit im Zimmer. Langes Haar, irgendwie aristokratisch aussehend und strahlend blaue Augen. Er meinte: ‹Hier, trinken Sie das. Dann geht es Ihnen gleich besser.› Dann gab er mir irgendeinen Kräutertrank aus einem edlen Porzellanbecher. Schmeckte erst gruselig, aber nach den ersten paar Schlucken doch ganz okay.»

«Und hast du dich danach besser gefühlt?»

«Ja, ich glaube schon», erwiderte Jonathan nachdenklich und blickte auf ihre ineinander verschränkten Hände. «Ich spürte so eine warme Welle und bin dann auch sofort eingeschlafen. Es war ein richtig tiefer Schlaf und nicht so ein Dösen wie vorher.» Er führte ihre Hand zu seinen Lippen und küsste sie schüchtern. «Ich habe durchgeschlafen und bin erst vor einer Viertelstunde wieder aufgewacht. Das Erste, wonach ich suchte, warst du.» Seine grauen Augen strahlten, als er ihre Hand erneut küsste.

Ich will ihn, dachte Belinda und spürte gleichzeitig eine gewisse Distanz. Nach allem, was ich seit meiner Ankunft hier getan und empfunden habe, will ich immer noch mehr! Und das, wo ich in den vergangenen achtundvierzig Stunden mehr Sex hatte als in den letzten Monaten zusammen.

Das liegt an dir, nicht wahr?, beschuldigte sie André in Gedanken. Du hast das ausgelöst. Du hast meine Libido verstärkt, damit ich dir noch mehr von Nutzen sein kann. Sie hätte gern zu dem Porträt aufgeschaut, doch im Moment schien es ihr wichtiger, Jonathan alle Aufmerksamkeit zu schenken. Er war ein guter Mann. Ein lieber, aufregender Mann. Und das war sie ihm für ihre Untreue schuldig. Belinda war absolut sicher, dass er etwas ahnte.

«Du siehst hinreißend aus», sagte er plötzlich und berührte durch die feine Baumwolle des Nachthemds ihre Schulter. «Irgendwie ... unschuldig. Du siehst aus wie ein Mädchen aus dem viktorianischen Zeitalter. Ganz unberührt und naiv.» Er ließ seine Fingerkuppen über die Smokarbeiten und den Spitzenbesatz nach unten gleiten, bis sie ganz leicht auf ihrer Brust ruhten. Dort drehte er seine Hand und umfasste durch den feingewirkten Stoff ihre festen Kurven. «So rein wie eine Nonne, aber in deinem Inneren bist du scharf wie nie.»

Wie wahr, dachte Belinda. Ihre Brustwarzen versteiften

sich bereits unter seiner Berührung. Sie war wirklich scharf wie nie – und das alles wegen André und des Zaubers, mit dem er sie zu umgeben schien. Scharf auf alles. Schon beim ersten Aufkeimen erotischer Stimmung war ihre Lust hellwach. Sie wollte penetriert werden, wollte unkomplizierten, einfachen Sex mit dem vertrauten Körper eines Mannes, den sie mochte. Sie stöhnte leise auf und drehte sich in der Hoffnung zu Jonathan um, dass er auch ihre andere Brust streicheln würde.

«Was bist du doch für ein kleines Luder», sagte Jonathan und griff ihre Stimmung auf, indem er tatsächlich beide Brüste umfasste und ihre Nippel mit seinen Daumen bearbeitete. «Du denkst an versaute Sachen. Das merke ich genau. Darum passiert das jetzt.» Sein Kneifen und das leichte Ziehen an ihren Brustwarzen bescherten ihr einen köstlichen Schmerz.

Belinda keuchte mit geschlossenen Augen und spürte zum ersten Mal eine völlig neue Facette von Jonathans Sexualität. Wurde auch er von André beeinflusst? Ihr Hintern wand sich auf der Matratze, und sie spürte deutlich, wie ihre Möse auf das Zwicken reagierte. Sie schwebte auf einer Wolke der Wollust, und ihr Nachthemd war an der Stelle, auf der sie saß, bereits klitschnass.

«Und ich wette, du hast auch kein Höschen an, du kleine Schlampe.» Jonathans Kniffe wurden fester. Als Belinda darauf überrascht die Augen aufschlug, sah sie im Gesicht ihres Partners weder Böses noch Grausames, sondern nur einen neckenden, humorvollen Blick. Er zahlte ihr lediglich ihren kleinen Seitensprung heim. Dabei stachelte seine gespielte Strenge ihre Lust nur noch weiter an. Belinda dachte daran, wie sie sich gestern Abend auf der Terrasse für einen Moment gewünscht hatte, dass André sie schlug. Sie hatte sich nach einem Schlag auf den nackten Hintern und auch nach der damit einhergehenden Scham gesehnt. Erkundete sie gerade einen weißen Fleck auf der Landkarte ihrer eigenen Lüste? Die junge Frau konnte nicht mehr still sitzen. Ihre Schenkel spreizten sich, und ihre Möse pulsierte. War sie eine verkappte Masochistin? Würden Schmerzen sie wirklich anmachen? Echte Schmerzen und nicht nur ein leichtes Kneifen in die Brustwarzen?

«Ich würde sagen, das werde ich gleich mal kontrollieren.» Jonathan ließ von ihren Brüsten ab, legte die Handfläche auf ihren Bauch und drückte sie nach hinten auf das Bett. Mit einer Geschicklichkeit, die sie nicht von ihm erwartet hatte, packte er mit einer Hand beide ihrer Gelenke und hielt sie fest. Mit der anderen schob er schnell ihr Nachthemd hoch.

«Das dachte ich mir!», jauchzte ihr Freund, als er die weiche weiße Baumwolle über Hüfte und Bauch geschoben und Schenkel und Möse freigelegt hatte. «Du bist doch ein schmutziges, geiles Ding, Belinda Seward! Ohne Höschen ins Bett zu gehen ... Ich wette, du hast das nur getan, damit du nachts an dir rumspielen kannst. Hab ich recht?»

Belinda nickte und versank glückselig in der Rolle des «schmutzigen, geilen Dings». «Ja, genau deshalb habe ich es getan», flüsterte sie. «Es tut mir sehr leid.»

«Das will ich meinen», erwiderte Jonathan. Er genoss das Rollenspiel genauso wie sie. «Und du weißt ja, was ich davon halte, nicht wahr? Ich werde dich jetzt untersuchen müssen, um zu sehen, wie weit diese Verruchtheit schon gegangen ist.» Er zögerte. Belinda nahm an, dass er sich entweder überlegte, wie er jetzt weitermachen sollte, oder aber versuchte, ein Lachen zu unterdrücken. «Nimm bitte die nächste Stellung ein.»

Die junge Frau hatte keine Ahnung, wie die Stellung war, daher improvisierte sie. Ihr Körper zitterte. Sie schob ihren

Po bis zum Rand der Matratze, legte die Hände unter die Schenkel und hob sie dann hoch. Gleichzeitig spreizte sie die Beine. Mit den Knien gegen die Brust gedrückt war diese Haltung wohl die freizügigste Stellung, die sie aus «Untersuchungs»-Gründen einnehmen konnte, und Jonathan bestätigte ihre Vermutung mit einem tiefen, freudigen Grunzen. Ganz schwindelig vor Erregung hob sie ihr Hinterteil noch etwas höher an.

«Bist ganz geil drauf, dich zu zeigen, was?», kommentierte ihr Freund mit verräterisch heiserer Stimme. Dann beugte er sich vor, um einen besseren Blick zu haben. «So ist's gut. Schön weit aufmachen. Zeig mir alles.»

Belinda zog noch fester an ihren Schenkeln und spannte jeden Muskel an, um so viel wie möglich darzubieten. Ihr Po wanderte noch weiter nach oben, sodass Jonathan den dunklen, gekräuselten Eingang zu ihrem Anus sehen konnte. Einen Moment lang stellte sie sich vor, dass André denselben Blick nur aus einer anderen Perspektive gehabt hatte, und dieser Gedanke ließ ihre Muschi zucken.

«Dies ist eine Untersuchung», sagte Jonathan streng und mit stockendem Atem. «Das ist nichts, was du genießen sollst. Los! Weiter aufmachen!»

Belinda tat ihr Bestes, doch ihre Lüsternheit war bereits so groß, dass schmutzige, flammende Bilder in ihr aufstiegen.

Hinter geschlossenen Augen stellte sie sich vor, wie der gesamte Haushalt sich in dem Zimmer versammelte, um der Untersuchung mit großem Interesse beizuwohnen. Alle beobachteten das vulgäre Bemühen, ihre Fotze zu zeigen.

In einem der wunderschönen vergoldeten Stühle sah sie André mit gierigen Augen sitzen. Sein kühler Schwanz lag locker in seiner Hand. Vor ihm knieten die goldenen Körper von Elisa und Feltris, die Brustwarzen hart und dunkel. Und im Vordergrund kam der stattliche Oren auf sie zu.

Auch er war nackt, und seine riesige Erektion zeigte direkt auf ihre Möse. Belinda glaubte fast, die Berührung seines Schwanzes zu spüren, und dieser eingebildete Effekt brachte sie zum Wimmern.

In der Realität jedoch waren es zwei von Jonathans Fingern, die in leichten kreisförmigen Bewegungen in ihre Muschi eindrangen.

«Mmmh ... genau wie ich dachte», murmelte er und ließ die zwei Kundschafter in ihrem Inneren tanzen. «Ausgesprochen nass.» Er drückte fester zu und fand schließlich ihren G-Punkt. Belinda schrie erneut auf und spürte das eingebildete Bedürfnis zu pinkeln. Ihre Muskeln umschlossen die Eindringlinge mit gieriger Macht.

«Ich schätze, das verlangt nach einer Spezialbehandlung», stellte Jonathan nachdenklich fest und erhöhte gleichzeitig den Druck seiner Finger. «Meinst du nicht auch?»

«Ja! Oh ja!», krächzte Belinda. Sie hatte zwar keine Ahnung, was er damit meinte, wollte sich diese «Spezialbehandlung» aber auf keinen Fall entgehen lassen.

Jonathan zog seine Finger aus ihrer Mitte und packte sie mit einer Geschwindigkeit und einer Sicherheit, für die sie überaus dankbar war, bei einem ihrer Schenkel, um ihr Becken wieder etwas nach hinten zu neigen. Mit der anderen fummelte er hastig an seinem Hosenschlitz. Es dauerte nur ein paar Sekunden, bis seine Eichel an ihren Möseneingang stieß und er seinen Riemen tief in ihr versenkte.

«Oh Gott, ja!» Belindas Schrei klang erstickt, aber verzückt. Wie viele Stunden hatte sie sich nach dieser Penetration gesehnt? Es kam ihr schrecklich lange vor, ja fast wie eine Ewigkeit.

Jonathan fickte sie mit festen Stößen, und sie passte sich mit dankbaren Schluchzern seinem Rhythmus an.

Kapitel 10

Trägheit

Belinda fühlte sich, als würde eine gewaltige Trägheit sie auf die Matratze niederdrücken. Sie konnte unmöglich aufstehen, denn ihre Gliedmaßen waren zu entspannt und glühten noch viel zu sehr für irgendeine Bewegung. Es war zwar bereits zehn Uhr, doch sie konnte sich einfach nicht rühren.

Neben ihr lag ein ebenso stiller Jonathan, dessen gleichmäßiger Atem ihr aber verriet, dass er einfach noch fest schlief.

«Den Schlaf hast du dir verdient, Schätzchen», flüsterte Belinda und setzte sich auf, um in sein friedliches, jungenhaftes Gesicht zu schauen. Es war noch gar nicht so lange her, dass er sie wie der reinste Dämon geliebt und dabei eine Stärke und Autorität gezeigt hatte, die sie nicht von ihm kannte – eine dominante Aura, die sehr gut zu ihm passte.

Nachdem er es ihr so richtig besorgt hatte, während sie zusammengefaltet auf der Bettkante lag, zog er seinen immer noch knüppelharten Schwanz aus ihr heraus und befahl ihr, eine andere Stellung einzunehmen. Als sie dann in einer bequemeren, weniger beengenden Position lag, hatte er seinen Riemen ein zweites Mal in ihr hungriges Loch gestoßen. Diesmal waren seine Stöße weniger hektisch und zärtlicher gewesen – eben der rücksichtsvolle Liebhaber, als den sie Jonathan bisher kannte. Derjenige, der sie als gleichberechtigtes Wesen fickte und keinerlei Anstalten machte, in irgendeiner Weise ihren Willen zu beugen.

«Und ich mag euch beide», sagte sie und lächelte ihn liebevoll an. «Mr. Disziplin und meinen guten alten Johnny.» Sie berührte sein Gesicht, doch er murmelte nur etwas in sein Kissen hinein.

Die Versuchung war groß, dasselbe zu tun – sich einfach hinzulegen und sich gegen Jonathans nackten, warmen Rücken zu kuscheln und wieder einzuschlafen. Belinda hatte das Gefühl, in einem Becken köstlicher Lethargie zu treiben. Ihre Gliedmaßen badeten in einer schwelenden, sexuellen Seidigkeit. Wenn sie sich jetzt hinlegte, würde sie binnen Sekunden eingeschlafen sein. Doch in ihrem Kopf schwirrten noch einige Fragen umher, die nach einer Antwort verlangten. Davon getrieben, wachte sie schließlich endgültig auf.

«Wieso zum Teufel sind wir immer noch hier?», war ihre vordringlichste Frage. Vor über vierundzwanzig Stunden hatten sie und Jonathan den Mini im Regen stehen lassen. Und doch hatte sich bisher keiner von ihnen bemüßigt gefühlt, den defekten Motor zu reparieren oder sich auch nur um das Gepäck zu kümmern. Für Jonathan war dieses Benehmen nicht untypisch – er nahm es mit solchen Dingen nicht so genau –, aber Belinda war immer ausgesprochen organisiert. Dieses Benehmen sah ihr also gar nicht ähnlich. Unter normalen Umständen, mit einem fahrtüchtigen Wagen, hätte Belinda längst dafür gesorgt, dass sie aufgebrochen wären. Oder sie hätte zumindest Vorkehrungen getroffen, das Auto reparieren zu lassen.

Doch irgendwie waren die meisten ihrer formellen Qualitäten von dem Regen fortgewaschen worden, und sie wollte nichts anderes tun, als weiter in diesem seltsamen, düsteren Haus zu liegen und sich einer Vielzahl von neuen Sexspielarten hinzugeben. Belinda hatte zudem einen Verdacht, wie es zu diesem Sinneswandel gekommen war.

«Was tust du da mit mir, André?»

Während dieser Worte bemühte sie sich mit aller Kraft ihres Geistes, diese Frage in ein ätherisches Außen dringen zu lassen. Das schien zwar recht esoterisch zu sein, aber sie war sich sicher, dass ihr geheimnisvoller Gastgeber diesen Gedanken spüren konnte.

Was besaß er wohl für Kräfte – dieser attraktive, junge, zweihundertjährige Graf? Seine Behauptung, eine außergewöhnlich lange Lebenszeit zu haben, klang völlig schwachsinnig, doch irgendwo in ihrem Herzen glaubte sie ihm. Einen Teil seiner Geschichte verheimlichte er zwar immer noch, aber Belinda war sicher, dass er sie wenigstens bis dahin nicht angelogen hatte.

André?, versuchte sie es erneut, schüttelte aber schnell den Kopf und lachte leise in sich hinein. Was erwartete sie denn? Eine sofortige telepathische Antwort oder ein Klopfen an der Tür als Antwort auf ihre Rufe? Oder vielleicht sogar, dass er mitten im Raum aus einer blauen Nebelwolke aufstieg? Sie lächelte erneut und befand, dass sie eindeutig zu viele Schauergeschichten gelesen hatte.

Die übersinnliche Funkverbindung zum Grafen war heute Morgen offenbar abgeschaltet, denn nichts geschah. Ob er tagsüber schlief? Sie hatte ihn beschuldigt, ein Vampir zu sein. Und auch wenn er das abstritt, hatte er doch zugegeben, einige ähnliche Eigenschaften zu besitzen. Dazu könnte durchaus auch das Schlafen bei Tage gehören. Schließlich hatte er auch gestern geruht, als sie ihn im Turm das erste Mal entdeckte. Und den wachen André lernte sie erst kennen, als es bereits früher Abend war.

Belinda stand bedächtig auf und legte eine Hand auf ihre Stirn. Sie hatte von den vielen Gedanken über solch «phantastische» Dinge Kopfschmerzen bekommen. Sie ging ins Bad, um ihr Gesicht zu waschen und einen Schluck Wasser zu trinken.

Auf dem Weg dorthin bückte sich die junge Frau, um das viktorianische Nachthemd aufzuheben, das Jonathan während ihres Aktes triumphierend zu Boden geworfen hatte – ein weiterer Ausdruck seiner neuen sexuellen Dynamik.

Fünfzehn Minuten später entdeckte eine etwas erfrischte Belinda, dass sich in dem Zimmer keinerlei weitere Frauenbekleidung befand. Die Sachen, die sie gestern Abend getragen hatte, waren zusammen mit dem Hängerkleidchen verschwunden. Auch ihre eigenen Shorts und das T-Shirt waren nirgends zu sehen. Von irgendwelcher Unterwäsche ganz zu schweigen.

Ich bin gefangen, dachte Belinda, und ihr fiel der Verdacht wieder ein, dass André irgendetwas mit ihr vorhatte. Er hat all meine Sachen gestohlen, damit ich nicht vor ihm fliehen kann. «Na, das werden wir ja sehen», murmelte sie grimmig, entfaltete ihr Nachthemd wieder und zog es sich über den Kopf. Danach gab sie Jonathan einen Kuss, der nur von einem verschlafenen Schnüffeln kommentiert wurde, und machte sich daran, in der totenstillen Verlassenheit des Klosters nach Leben zu suchen.

Wie erwartet war der obere Flur völlig verlassen, und Belinda beschloss, über die Galerie in den Turm zu gehen, wo André schlief. Etwas in ihr wollte ihn am liebsten sofort mit ihren Vermutungen konfrontieren, doch eine Stimme in ihrem Kopf riet noch zur Wachsamkeit. Zunächst musste sie die Fakten klären und möglichst etwas mehr über ihren Gastgeber herausfinden. Eine Untersuchung des Hauses und seiner Besitztümer könnte vielleicht hilfreich sein. Besonders die Bibliothek war vollgestopft mit Büchern und Papieren. Darunter musste doch irgendetwas sein, was Licht in die Sache brachte.

Belinda stieg mit bloßen Füßen die Treppe hinab und kam sich schon jetzt überaus verdächtig vor. Im Haus war es ganz still, doch von irgendwoher strich ein kitzelnder Lufthauch über ihre Haut. Er kroch unter den Saum ihres Nachthemds und erinnerte sie daran, dass ihre Möse und ihr Po unbedeckt waren. Mit jeder Bewegung wurde ihre nackte Haut von der Brise gestreichelt.

Auf dem Treppenabsatz schien ein ausgesprochen eindrucksvolles Porträt von André sie anzugrinsen. Er trug eine Art altertümlicher Militäruniform, und seine blauen Augen brannten, als könnten sie durch den dünnen Stoff sehen, der sie notdürftig bedeckte. Als Belinda stehen blieb, um ihm einen stirnrunzelnden Blick zuzuwerfen, erschrak sie auf einmal. Das verdammte Ding glotzte sie an! Und ihr Körper reagierte auch noch auf diesen Blick. Sie spürte, wie ihre Brustwarzen so schnell steif wurden, dass es fast schmerzte und die weibliche Spalte zwischen ihren Beinen ganz feucht wurde.

«Lass mich in Ruhe!», rief sie dem lächelnden Porträt zu. «Ich ertrage das nicht! Es ist nicht natürlich, die ganze Zeit erregt zu sein!»

Schockiert von ihrem Ausbruch, sah sie sich um, ob das vielleicht jemand gehört hatte. Eigentlich lächerlich, denn Jonathan schlief fest wie wahrscheinlich auch André. Und von den drei blonden Dienstboten war nichts zu sehen. Diese seltsamen Vorkommnisse setzen mir ganz schön zu, dachte sie und strich die Baumwolle ihres Nachthemds glatt. Jetzt rede ich schon mit diesen blöden Bildern!

Voll wiedergefundener Entschlossenheit eilte sie die restlichen Stufen hinunter und versuchte dabei, die heftige Erregung zu ignorieren, die sie mit einem Mal befallen hatte. Sie konnte sie sogar schon riechen. Das dünne Nachthemd umflatterte sie, sodass unter dem Saum ein irritierend starker Moschusduft hervorquoll.

«Hör auf!», rief sie und war sich dabei nicht sicher, ob

sie den abwesenden André oder sich selbst meinte. «Es gehören immer zwei dazu ...», murmelte sie und blieb in der luftigen Halle stehen. Der steinerne Boden unter ihren Füßen war angenehm kühl. Wäre ihr Interesse an André von Kastel nicht genauso groß wie das seine an ihr, würde sie nicht so auf ihn reagieren. Sie hatte sich von ihm lieben lassen und ihm erlaubt, sich Freiheiten herauszunehmen, die sie ihrem Freund niemals zugestanden hätte. Eigentlich ungeheuerlich.

Die Terrasse ... Als würde sie durch einen Zeittunnel schreiten, sah Belinda auf einmal wieder deutlich vor sich, wie sie über die Brüstung gelehnt dagestanden und André mit Fingern und Mund Besitz von ihr ergriffen hatte. Es war geradezu unheimlich, wie ihre Sinne auf dieses Vorkommnis reagiert hatten. Unvermittelt blieb Belinda wie angewurzelt stehen und meinte erneut das feuchte Eindringen von Andrés Zunge zu spüren – erst in ihre Möse, dann in ihren Anus. Ihr Kitzler begann zu pochen.

«Nein! Oh nein!», rief sie herzzerreißend. Ihr Geschlecht fühlte sich so schwer an, dass sie kaum aufrecht stehen konnte. Um den Druck irgendwie zu lindern, spreizten sich ihre Schenkel wie von selbst. Belinda musste die Fäuste zusammenballen, um nicht das zu tun, wonach ihre Fotze lautlos schrie – nämlich sofort zwischen ihre Beine zu fassen und wie wild zu masturbieren.

Alle Porträts um sie herum schienen zu flüstern. Ein Dutzend Andrés murmelte: «Tu es! Tu es! Tu es!»

«Nein! Oh bitte, nein!» flehte Belinda, während ihr Körper sie Lügen strafte. Ihre Beine wurden weiter auseinandergedrückt. Sie schüttelte mit geschlossenen Augen den Kopf, um die Bilder nicht ansehen zu müssen. Doch die verführerischen Blicke aus den blauen Augen zogen sie magisch an. Belindas Hüften bebten, und ihre Muschi zuckte und brummte. Die ersten Lustsäfte rannen tröpfelnd durch ihr Schamhaar und die Schenkel hinab.

«Weiter», drängte die geheimnisvolle Stimme. «Unterhalte mich. Gib dich deiner Lust hin und streichle dein tropfendes Juwel.»

Der Grat zwischen Schwellung und echten Schmerzen wurde immer schmaler. Belinda trat einen Schritt vor und biss sich ob der Lustzuckungen auf die Lippen. Ihre Nippel waren so steif, dass die empfindliche Haut ihrer Brüste bis aufs äußerste gespannt war. Die Reibung an dem dünnen Stoff ihres Nachthemds war schier unerträglich. Zwar handelte es sich um feinste, leichteste Baumwolle, doch sie hätte ebenso gut ein kratzendes Büßerhemd anhaben können.

Belinda wimmerte wortlos, schlang den Arm um ihre Brust und drückte fest zu, um ihrer Qual etwas Erleichterung zu verschaffen. Sie wollte gerade ihre Möse anfassen, als eine knarrende Tür ihr Einhalt gebot. Blitzschnell drehte sie sich um. Die junge Frau stand kurz vorm Orgasmus und rechnete eigentlich damit, dass André mit triumphierendem Blick in den strahlenden Augen auf sie zukommen würde.

«Wer ist dort?», rief sie aus, während ihre Finger zu ihrem Geschlecht wanderten, als führten sie ein Eigenleben. Eigentlich war es ihr schon so gut wie egal, ob jemand anwesend war. Es machte ihr nichts mehr aus, beobachtet zu werden. Belinda war zu tief in ihrer eigenen Wollust versunken, um sich noch zurückhalten zu können.

Zu ihrer Linken schwang eine Tür leicht auf. Aber es trat niemand ein, und die Schatten zeigten keinen versteckten Voyeur. Es war niemand da. Sie war allein, die ganze Zeit schon. Doch die Unterbrechung hatte sie wieder auf den Boden der Tatsachen zurückgeholt. Sie war vom Rand des

Vulkans zurückgekehrt und hatte wieder die Kontrolle über ihre Taten und ihre Gedanken.

Zwar war Belinda noch immer erregt und sehnte sich nach Erlösung, aber sie war kein hirnloses Tier mehr, das nur von seinem Trieb geleitet wurde. Sicher spürte sie das dringende Bedürfnis zu masturbieren, aber sie würde es nicht hier tun.

«Ich hasse dich, du Mistkerl!», brüllte sie und klagte André mit jeder Faser ihres Fleisches an. Selbst wenn er nicht bei ihr war, war er doch anwesend und verfolgte sie. Er hatte die Kontrolle über sie, obwohl er wahrscheinlich nicht einmal bei Bewusstsein war.

Belinda spürte eine Welle des Zorns in sich aufsteigen. Es gab nichts, was sie mehr hasste, als die Marionette irgendeines Mannes zu sein. Zumindest dann, wenn sie es nicht wollte. Die Spiele, die sie gestern Abend genossen hatte, waren in gegenseitigem Einvernehmen geschehen und von köstlichem Wein in einer magisch-unheimlichen Dunkelheit inspiriert worden. Selbst die kleine «Vorstellung» mit Jonathan heute Morgen war von einem gewissen Spaß und ihrer gegenseitigen Nähe bestimmt gewesen.

Doch in diesem Fall wurde sie einfach nur benutzt und auf gnadenlose Weise manipuliert. Nur um den unnatürlichen Bedürfnissen eines Mannes gerecht zu werden.

Belinda war kurz davor, die Treppe hinaufzustürmen, über die verschlungenen Flure die Wendeltreppe hin zu Andrés Kammer zu laufen, als ein unwiderstehlicher Duft ihre Nase kitzelte.

Kaffee! Herrlich starker, belebender Kaffee. Welch eine Erfrischung für Körper und Geist. Belinda lief augenblicklich das Wasser im Mund zusammen. Wie sehr sehnte sie sich nach einer dampfenden Tasse des dunklen Getränks. Oder gleich ein ganzer Becher. Mehrere Becher! Die junge

Frau unterdrücke die Klagen gegen André und folgte allein ihrer Nase. Das war tatsächlich Blue Mountain, ihre Lieblingssorte – darauf wettete sie!

Die Spur führte sie auf die Terrasse. Auf der Schwelle überkam sie ein kurzes Zögern, als sie an die Ausschweifungen dachte, die hier gestern Abend stattgefunden hatten.

Von ihrem pfirsichfarbenen Kleid oder der Unterwäsche war nichts zu sehen, und in dem etwas milchigen Sonnenlicht sah die große steingeflieste Fläche nicht mehr im mindesten düster und unheilvoll aus. Die Terrasse war wie der Rest des Anwesens – ihr Charakter schien sich immer wieder zu verändern. Es war schwer, sich an einem angenehmen Urlaubsmorgen wie diesem vorzustellen, wie das Haus bei dem Unwetter ausgesehen hatte.

Am äußersten Ende der Terrasse stand jetzt ein weißer, runder Tisch, über dem ein großer Sonnenschirm thronte. Jetzt sah Belinda auch, wo sich die Quelle des köstlichen Geruchs befand, denn der Tisch war für ein Frühstück gedeckt – in der Mitte eine große Thermoskanne Kaffee.

Sie zupfte an dem dünnen Stoff ihres Nachthemds herum und wägte dessen Dürftigkeit gegen ihre Lust auf Kaffee ab. Sie ging ein paar Schritte weiter.

«Ach verdammt, was soll's», sprach sie schließlich zu sich selbst, als der aromatische Duft zu viel für sie wurde, und schritt über die warmen Steine zu dem Tisch. Schließlich hatte sie ohnehin schon jeder Bewohner des Hauses nackt gesehen. Was machte es also aus, wenn sie das Frühstück in ihrem Nachthemd einnahm?

Neben der Kanne stand ein mit einer blauen Serviette bedecktes Körbchen, dass sie nach dem ersten Schluck Kaffee sogleich einer näheren Inspektion unterzog. Und schon wieder lief ihr das Wasser im Mund zusammen:

Croissants! Dicke, leichte, sündhaft buttrige Croissants

– genau die Art von Frühstück, nach der sie sich gestern so gesehnt hatte. Wie ein heißhungriges Kind griff sie nach dem erstbesten und biss hinein. Es schien auf der Zunge zu zergehen, und Belinda seufzte vor Freude. Das Gebäck war noch warm und krümelte auf ihr Nachthemd und den Tisch. Doch der Geschmack war so herrlich, dass es ihr nichts ausmachte.

Belinda merkte erst jetzt, wie hungrig sie eigentlich war, und hätte ohne Probleme mehrere der köstlichen Croissants in sich hineinschlingen können. Doch schon beim zweiten zwang sie sich zu etwas mehr Manieren, öffnete es vorsichtig und strich ein wenig Marmelade aus einem Töpfchen darauf. Während sie zwischen köstlichen Schlucken des herrlichen Kaffees immer wieder kleine Bissen von dem Croissant nahm und sorgfältig kaute, betrachtete sie von dem idyllischen Aussichtspunkt ihre Umgebung.

Obwohl der Rasen und die Beete unter ihr üppig wucherten, wirkten sie weder allzu manikürt noch ungepflegt. In dem wütenden Gewitter hatte alles irgendwie schwarzgrau gewirkt, doch jetzt schien der Park grün, golden und lieblich zu sein. Kaum zu glauben, dass sie sich immer noch am selben Ort befand …

Als Belinda über die Terrasse hinweg nach rechts schaute, entdeckte sie ein weiteres Gebäude, dem sie bisher noch keine Beachtung geschenkt hatte. Hinter einem wildwuchernden Rosengarten stand eine kleine Kapelle mit mehr oder weniger intakten Buntglasfenstern, die eine feierliche Ausstrahlung hatte. Dort mussten wohl die Gottesdienste der religiösen Gemeinschaft stattgefunden haben, die ursprünglich in der Sedgewick-Abtei gelebt hatte. Von einer spontanen Neugier gepackt, entschied Belinda, nach dem Frühstück einen kleinen Spaziergang dorthin zu machen.

«Aber erst sollte ich mich wohl mal anziehen», murmelte sie. Die Sonne brannte immer heißer, und obwohl der Schirm einen gewissen Schutz bot und eine kühle Brise über den Tisch zog, fing Belinda langsam an zu schwitzen. Ihre sexuelle Lust hatte sich seit den getriebenen Momenten in der Haupthalle zwar etwas beruhigt, doch die Frau spürte immer noch die Glut der brennenden Sehnsucht, die nur auf einen neuen Ausbruch wartete. Sie musste einige Mühe aufwenden, um sie zu ignorieren und sich stattdessen auf ihren Kaffee zu konzentrieren.

Ich werde versuchen, von jetzt an einen kühlen Kopf zu bewahren, versprach sie sich. Und ich muss überlegter vorgehen. Sobald ich mich angezogen habe, werde ich mich auf die Suche nach dem Auto machen. Dann werde ich sehen, ob ich irgendwo das Handy aufladen kann. Wenn das nicht geht, muss ich rauskriegen, ob es hier irgendwo in der Nähe eine öffentliche Telefonzelle gibt.

Belinda wusste, dass sie diese Dinge schon längst gestern hätte tun sollen. Ihr war völlig unverständlich, wo die Zeit geblieben war. Aber heute würde alles ganz anders sein. Heute war ein Tag der Zielstrebigkeit. Noch vor Einbruch der Dunkelheit würde sie hoffentlich Kontakt zu der Welt außerhalb des Klosters hergestellt haben.

Entschlossen trank sie einen weiteren Schluck Kaffee und verputzte den Rest ihres Croissants. Sie wollte gerade aufstehen und zu ihrem Zimmer gehen, als sie ein leises Geräusch hinter sich hörte. Belinda drehte sich auf dem Stuhl herum und rechnete erneut damit, André zu sehen. Doch auch diesmal handelte es sich nur um Oren, in der einen Hand eine frische Kanne Kaffee und in der anderen ein schmales Notizbuch mit Stift. Er trug nichts weiter als ein Paar ausgeblichener Jeansshorts.

«Hallo», sagte Belinda schnell, «ist das nicht ein wunderschöner Morgen?»

Oren stellte seine Mitbringsel ab und warf ihr ein Lächeln zu, das sein sprachliches Unvermögen mehr als wettmachte. Er zeigte auf den frischen Kaffee, und Belinda ließ sich nur zu gerne nachschenken. Dann setzte der Diener sich zu ihrer Überraschung auf einen der Stühle. Sein Gesichtsausdruck war offen und fürsorglich, und schon bald wurde ihr klar, dass er wohl auf Anweisungen wartete.

«Ich bin froh, dass Sie hier sind, Oren», sagte Belinda und beugte sich vor. «Ich muss heute dringend zu unserem Wagen, um zu sehen, ob er anspringt und ob unsere Sachen noch alle da sind.»

Oren grinste breit und schüttelte den Kopf.

Was sollte das denn jetzt? «Nein, wirklich. Wir müssen zu unserem Auto und es wieder in Gang bringen», forderte sie voller Ungeduld. Wurde ihr schon wieder der Weg versperrt? Hatte André Befehl gegeben, dass sie das Anwesen nicht verlassen durfte? «Es ist wichtig. Wir sind mit jemandem verabredet.»

Oren schüttelte wieder den Kopf, griff diesmal aber gleichzeitig nach Notizbuch und Stift.

Bitte machen Sie sich keine Sorgen, stand auf dem Zettel, den er ihr ein paar Sekunden später reichte. Das Auto ist hier, und Ihre Besitztümer sind in Sicherheit.

«Aber wie kann das sein?», fragte sie und sah ihn an. «Gestern Abend wollte es nicht anspringen.» Außerdem fiel ihr ein, dass Jonathan die Schlüssel in die Tasche seiner Shorts gesteckt hatte.

Oren zuckte mit den Schultern und warf ihr einen bescheidenen Blick zu, der wohl ausdrücken sollte, dass er ein Mann mit vielen Talenten wäre.

«Tja, danke», sagte Belinda ein bisschen zittrig. Dieser sanfte Riese hatte ihr Auto also kurzgeschlossen. «Ich werde mich lieber mal anziehen und es mir dann ansehen.»

Orens warme braune Augen blickten glatt durch den unzureichenden Stoff ihres Nachthemds hindurch. Nach einem Moment zuckten seine blonden Augenbrauen, fast als wollte er sagen, sie würde ihm in diesem Aufzug besser gefallen. Belinda errötete, als sie an den durchsichtigen Baumwollstoff dachte. Der stumme Mann war sehr charmant – offenbar konnte er alles sehen.

Sie nahm einen letzten Schluck von ihrem Kaffee und stand auf. «Gut. Dann werde ich mich jetzt mal anziehen», teilte sie erneut mit und ignorierte dabei die Fröhlichkeit in Orens Augen. «Bis später dann!» Sie warf ihm eine flüchtige Verabschiedungsgeste zu und ging in Richtung Haus.

Doch auf den Steinfliesen begann sie sofort zu springen wie ein Grashüpfer.

In der Zeit, in der sie ihr Frühstück eingenommen hatte, war die Sonne recht hoch gestiegen und brachte die Terrasse zum Glühen.

«Autsch! Oh Gott!», kreischte sie und lüftete das Nachthemd, um den Weg über die Fliesen schnellstmöglich hinter sich zu bringen.

Doch sie kam nur ein paar Schritte weit, als sie hinter sich eine schnelle, katzenartige Bewegung wahrnahm und schon im nächsten Moment im wahrsten Sinne des Wortes in die Luft ging. Oren hatte sie hochgehoben und trug sie mühelos den Rest des Weges. Seine Füße waren offensichtlich zu wettergegerbt, um die brennende Hitze zu spüren.

«Danke. Vielen Dank», sagte Belinda atemlos vor Schock, während Oren einen seitlichen Schlenker machte, um mit ihr die Tür zu passieren.

Die junge Frau rechnete damit, dass er sie im Inneren des Hauses absetzen würde, doch Oren trug sie weiter durch die kühlen Räume. Ihr Gewicht schien seinem riesigen, muskulösen Körper nichts anzuhaben, und er konnte trotz der Last in seinen Armen recht schnell gehen.

Das Gefühl, mit solcher Stärke und Eleganz getragen zu werden, war so aufregend, dass Belinda zu protestieren vergaß. Die Brust, gegen die sie sich da kuschelte, war wie ein lebender Fels. Darunter konnte sie sein Herz schlagen hören. Sein Körper roch sehr frisch und sauber, aber nicht nach einem bestimmten Rasierwasser. Er war nur Mann – schlicht, ergreifend und frisch geduscht. Außerdem so stark, dass auch die lange Treppe seinem gleichmäßigen Atem nichts anhaben konnte.

«Schon gut. Von hier ab komme ich schon allein zurecht», kündigte Belinda an, als sie die oberste Stufe erreichten. Gleichzeitig war sie sich jedoch voll bewusst, dass sie ihn immer noch eng umschlungen hielt. Ihre Arme schienen diese Äußerung zu ignorieren, und anstatt ihn endlich loszulassen, umfassten sie seinen starken Hals nur noch fester.

Belinda machte sich ein wenig Sorgen, als die beiden schließlich bei ihrem Zimmer angelangten und Oren ihr Gewicht verlagerte, um die Tür zu öffnen. Was würde Jonathan denken, wenn er sah, wie sie von Oren getragen wurde?

Bin kurz duschen gegangen. Irgendwas hat mich ins Schwitzen gebracht. Ich lieb Dich total. Jonathan. Die Nachricht war kurz, lieb und mit einer langen Reihe von Kreuzchen unterzeichnet. Sie musste lächeln und dachte voller Zuneigung an ihren Freund. Das Unwetter, das Anwesen, Feltris und Elisa und André und alles – das war ein echtes Abenteuer. Aber nicht nur das. In einer bizarren Wendung hatte das Ganze sie und Jonathan einander wieder nähergebracht. Und das, wo es sie logischerweise eigentlich hätte auseinanderbringen müssen. Belinda gab den Zettel spontan an Oren weiter. Der lächelte und nickte, als wäre auch er ganz gerührt von Jonathans Gefühlsbekundungen.

Seltsam, dachte sie und betrachtete den attraktiven Hünen. Vor einer Minute noch hatte sie ihn irgendwie begehrt und ohne Zweifel auch ein Verlangen bei ihm gespürt. Und doch zeigte Oren keinerlei Ärger über Jonathans Nachricht und schien die Beziehung zu billigen, die der Inhalt nahelegte. Graf André war nicht der einzige ungewöhnliche und unergründliche Bewohner des Sedgewick-Klosters. Nein, auch seine Bediensteten waren auf ihre eigene Weise etwas ganz Besonderes.

Ich hätte ihn bitten sollen, hierzubleiben und mir den Rücken zu waschen, fiel Belinda ein wenig später ein, als sie sich anzog.

Es war eine merkwürdige kleine Gefühlsaufwallung gewesen, die sie da zwischen sich und Oren gespürt hatte – ein Schweben über einem Abgrund oder so etwas. Wäre er noch länger geblieben, um ihr bei ihrer Toilette zu helfen, hätte sie ihm bestimmt erlaubt, sie zu lieben. Doch obwohl sie ihn durchaus begehrt hatte, war sie immer noch geteilter Meinung über das Ganze. Sie konnte es doch wirklich nicht mit jedem in diesem Haus treiben. Es kam ihr schon fast wie Hausfriedensbruch vor. Und doch schien jede der bisherigen Begegnungen unausweichlich und in dem Augenblick völlig natürlich gewesen zu sein. Sie bereute es, dass sie ihre Chance mit Oren verpasst hatte.

Belinda stellte sich vor, wie er mit ihr in die seltsam altertümliche, aber doch voll funktionsfähige Dusche stieg. In dem kleinen Porzellanbecken wäre zwar nicht allzu viel Platz für sie beide gewesen, doch das hätte ihrem Vorhaben durchaus zum Vorteil gereicht. Orens massiger Körper hätte sich gegen den ihren gepresst. Seine starken Arme hätten sie wahrscheinlich erneut hochgehoben und sie mühelos auf den dicken Schaft seines harten Schwanzes gesetzt.

Oren war der jungen Frau wohl noch nicht nackt begegnet, aber sie konnte sich gut vorstellen, dass er phänomenal gebaut war. Wenn er so gut ausgestattet war, wie die Beule in seiner Hose das andeutete, würde sein großartiger Riemen eine Frau in alle Richtungen dehnen können.

«Um Himmels willen», rief sie aus und wünschte sich, sie könnte ihre Gedanken in den Griff bekommen und an etwas anderes als immer nur an Sex zu denken. Also konzentrierte Belinda sich auf ihre Kleidung und band die Kordel um ihre Taille zu einer Schleife. Der Rock, den man ihr hingelegt hatte, während sie im Badezimmer gewesen war, sah verdächtig nach einem edwardianischen Petticoat aus. Genau wie gestern waren die Kleidungsstücke eigentlich verkappte Dessous. Zwar Dessous aus vergangenen Zeiten, aber perfekt gepflegt und erhalten.

Ihr Leibchen hatte winzige Ärmel und war vorne bestickt. Es war genau wie der Petticoat aus elfenbeinfarbener, feiner Baumwolle. Ihre French Knickers waren am Bein weit geschnitten und aus demselben feinen blassen Material gearbeitet.

Als sie sich im Spiegel betrachtete, gefiel sie sich durchaus in der Rolle der Nymphe aus einem französischen Film. Auch ihr jungenhafter Haarschnitt passte perfekt ins Bild. Sie musste an ein Foto von Brigitte Bardot denken, auf dem sie in ähnlich weißer Kleidung zu sehen war, aber wahrscheinlich eine Perücke trug. Belinda machte einen Schmollmund für einen unsichtbaren Kameramann und zupfte kleine spitze Strähnen in ihren Pony.

«Das bringt mich jetzt auch nicht weiter», schalt sie sich

selbst und zog schnell ein paar flache Segelschuhe über. «Ich muss endlich nach dem Auto sehen.»

Belinda eilte an den vielen Porträts von André vorbei nach unten, lief durch die Halle und zur Vordertür hinaus. Ob Oren die Wahrheit über den Mini geschrieben hatte? Anscheinend schon, denn sie entdeckte sofort Jonathans lustigen kleinen Wagen auf der Kiesauffahrt. Das Auto wirkte so normal, so unauffällig und so sehr wie ein Teil des normalen Lebens, das sie noch vor zwei Tagen geführt hatte, dass Belinda voller Erleichterung laut auflachte.

Der Mini stand mit dem Schlüssel im Zündschloss da, doch als sie versuchte, ihn anzulassen, gab der Motor keinen Laut von sich. «Du blödes Ding!», schimpfte sie, sprang aus dem Auto und verspürte das dringende Bedürfnis dagegenzutreten. «Wieso hast du bei denen funktioniert, aber nicht bei mir?»

Belinda ging zum Kofferraum, um zu prüfen, ob mit ihrem Gepäck alles in Ordnung war. Wer hatte den Wagen wohl so weit hergefahren?

André ganz gewiss nicht. Sie wusste instinktiv, dass er schlief und sich tagsüber ausruhte, so wie es sein merkwürdiges Wesen vermutlich von ihm verlangte. Also blieben nur noch Feltris, Elisa und Oren. Die zwei blonden Mädchen sahen aus, als wüssten sie nicht mal, was ein Auto ist. Ganz zu schweigen davon, dass sie einen kaputten Wagen reparieren und dann bedienen könnten. In Belindas Vorstellung fuhren die beiden eher in einer Kutsche aus Diamanten, die von Einhörnern gezogen wurde.

Wirklich komisch, dachte sie und untersuchte das Gepäck, um zu ihrer Erleichterung festzustellen, dass nichts fehlte. Sie und Jonathan mussten so schnell wie möglich von hier verschwinden, denn Belinda konnte kaum glauben, was sie da für Bedürfnisse in sich verspürte.

«Bingo!», rief sie plötzlich und fischte Jonathans Handy aus dem Wagen. Doch ihre Freude war nur von kurzer Dauer. Als sie auf die übliche Taste drückte, erschien auf dem Display nichts weiter als ein paar seltsame Symbole, die sie noch nie gesehen hatte. Und die Geräusche, die es machte, waren nicht minder seltsam.

«Genau wie alles andere und alle anderen hier», murmelte Belinda grimmig, nahm die Ladestation aus Jonathans Tasche und ging dann zurück in Richtung Haus. Um die Kleidung und den Kleinkram würde sie sich später kümmern, denn der Kontakt zur Außenwelt hatte jetzt oberste Priorität.

In der Halle traf sie auf Jonathan, der verschlafen auf einer Scheibe Toast herumkaute.

«Die Frage ist nicht ganz neu, Schatz, aber wo bist du gewesen?», sagte er freundlich. «Auf der Terrasse steht ein großes Frühstück, falls du Hunger hast.»

«Ich habe schon vorhin gefrühstückt», erwiderte Belinda ein wenig beunruhigt über Jonathans Zerstreutheit. «Ich hab erst geduscht und bin dann runtergegangen, um das hier zu holen.» Sie zeigte auf das Handy. «Der Mini parkt draußen vor der Tür. Ist das zu fassen? Ich habe keine Ahnung, wie er da hingekommen ist, denn der Motor ist tot wie ein Türnagel.»

Jonathan verzog das Gesicht und nahm einen letzten Bissen von dem Toast. «Vielleicht sollten wir den Pannendienst anrufen?», schlug er vor. Er rieb sich die Augen und fuhr dann mit den Händen durch sein ungekämmtes Haar. Ihr Freund sah aus, als wäre er gerade eben erst aus dem Bett gekrochen. Seine Sachen waren zerknittert und die Turnschuhe nicht zugebunden.

«Ist alles in Ordnung, Johnny?», fragte Belinda und kam etwas näher. «Ja. Bestens. Ich fühle mich nur wieder ein bisschen geschafft. Das ist alles.» Er grinste sie schief an. «Das muss an dir liegen. Du machst mich fertig. Aber ich kann dir nicht widerstehen.

Seine Freundin lächelte ihn an. Er hatte im Schlafzimmer ziemlichen Eindruck auf sie gemacht. Stark und intuitiv – so gut war er noch nie gewesen. Doch jetzt, zusätzlich zur immer stärker werdenden Hitze und der nachhaltigen Erschöpfung durch die Fahrerei, schien seine hervorragende, lüsterne Vorstellung ihren Tribut zu fordern.

«Du warst wundervoll. Da kann man ruhig mal ein bisschen müde sein», sagte sie und legte ihren freien Arm um seine Taille. «Lass uns doch in der Bibliothek weiter darüber nachdenken, was wir jetzt tun. Dort ist es kühler.

«Gute Idee», erwiderte Jonathan und presste sie, wie zum Beweis seiner Vitalität, fester an sich. «Da musst du mich aber hinführen. Ich bin in diesem Haus völlig aufgeschmissen.»

«Wir sollten weiterfahren», teilte Belinda ihm mit, als sie in der Bibliothek angekommen waren. Jonathan streckte sich auf einem der Ledersofas aus, während sie nach einer Steckdose für den Handy-Lader suchte. Es gab auf jeden Fall elektrischen Strom in dem Haus. In den Deckenlampen steckten Glühbirnen, und irgendwie mussten auch die Unmengen von heißem Wasser erzeugt werden. Ganz zu schweigen von dem Strom, der den Ofen für all die köstlichen Gerichte beheizte. Sie konnte sich nicht vorstellen, dass Oren oder die Mädchen eine Küchenhexe bedienten. Trotzdem gelang es der jungen Frau nicht, irgendeine Steckdose für das Ladegerät zu finden. Also verwarf sie die Idee vorerst, setzte sich neben Jonathan und genoss die kühle, schattige Atmosphäre des riesigen Raumes.

«Wir können nicht hierbleiben», sagte sie zu ihrem schon wieder einnickenden Freund. «Hey! Hast du gehört, was ich gesagt habe?» Sie gab ihm einen sanften Stups in die Seite.

«Ja», seufzte er, «ich habe dich gehört.» Er öffnete die Augen und warf ihr sein unglaublich spitzbübisches, anziehendes Lächeln zu. «Wieso eigentlich nicht? Es ist bequem, es ist entspannend. Seine Lordschaft oder was immer er ist scheint doch ganz offensichtlich zu wollen, dass wir bleiben.» Er rutschte über das Leder und legte seinen Arm um sie. «Und es ist sehr romantisch hier», flüsterte er und rückte noch näher an sie heran. «Genau das, was wir uns erhofft hatten.» Jonathan küsste sie auf den Hals, und ehe sie sich's sich versah, hatte ihr lüsterner Gefährte auch schon den Bund ihres Leibchens aus dem Rock gezogen.

«Aber was ist mit Paula? Sie wird sich schon fragen, wo wir denn eigentlich bleiben», beharrte Belinda. Sie wollte jetzt endlich Nägel mit Köpfen machen, wurde aber von Jonathans wandernden Händen abgelenkt. Die eine strich über ihren Rücken, während die andere über ihre Rippen nach oben glitt.

«Ruf sie doch einfach an», schlug Jonathan vor, umfasste ihre Brust und schnipste gegen ihre Nippel. «Ich bin sicher, dein André hätte nichts gegen weitere Gäste. Wir könnten versuchen, sie mit Oren zu verkuppeln. Paula sucht doch schließlich einen Kerl. Und so große Typen waren schon immer genau ihr Fall.»

Das war absurd und vernünftig zugleich. Belinda wusste, dass sie trotz ihrer inneren Gegenwehr in dem Kloster bleiben wollte. Es war ebenso seltsam wie schön, und seine geheimnisvolle Aura wollte sie einfach nicht loslassen. Außerdem musste sie doch noch mehr über André herausfinden. Sie musste genau ergründen, was er war.

«Sei nicht albern», antwortete sie und wusste doch schon beim Aussprechen dieser Worte, dass ihr Widerstand längst gebrochen war. Die Berührung seiner Finger, die in geschickten Kreisen um die Spitzen ihrer Brüste strichen, ließ sie sofort wieder träge werden. Auch deshalb wollte sie hierbleiben. Für die Vergnügungen, die hier in allen Ecken auf sie lauerten. Belinda stöhnte in wiedererwachter Geilheit und fing an, mit dem Po auf dem glatten Ledersofa hin und her zu rutschen. Die lebhafte Erinnerung, genau an diesem Ort von André befriedigt worden zu sein, erregte sie. Belinda spreizte die Beine, um eine Wiederholung herauszufordern – diesmal allerdings mit einem etwas vertrauteren Liebhaber.

«Oh Lindi», keuchte Jonathan. Er verstand genau, was sie wollte. «Du bist so wunderschön.» Sie spürte, wie er ihren Rock hob und seine Hand dann unter die weite Baumwolle ihres Höschens schob. «Und so feucht», fuhr er fort, als sein Mittelfinger ihr Lustzentrum erreichte.

Während er seine Freundin vorsichtig fingerte und es ihr mit strampelnden Beinen kam, fiel das Handy unbemerkt vom Sofa.

Kapitel 11

Offenes Haus

Ein bisschen später wurde Belinda von einem bekannten Piepen aus ihrer dösend-gedankenlosen Benommenheit gerissen.

Das Handy! Großer Gott! Irgendjemand rief sie an! Eigentlich ausgeschlossen, denn der Akku war leer. Dennoch war irgendwie ein Anruf zu ihnen durchgedrungen. Sie löste sich vom ebenfalls schlummernden Jonathan, rutschte zum Sofarand und schlitterte unelegant zu Boden, um den Anruf entgegenzunehmen.

«Belinda?», fragte die Anruferin. «Hier ist Paula. Wo zum Teufel steckt ihr denn? Ich versuche seit Ewigkeiten, euch zu erreichen, kriege aber immer nur die Meldung, das Handy sei ausgeschaltet. Was ist denn passiert? Hat euch der Erdboden verschluckt?»

Was war passiert?, dachte Belinda beim Klang der angenehm normalen Stimme ihrer Freundin. Wie erklärt man jemandem, dass man bei einem zweihundert Jahre alten Adligen in einem seltsamen Kloster wohnt und in zwei Tagen mehr Sex gehabt hat als in den vergangenen sechs Monaten?

«Nun, das ist eine lange Geschichte», fing sie an und hob ihre Hüften gleichzeitig so an, dass sie ihr Höschen über den Hintern ziehen konnte. «Aber kurzgefasst sind wir mitten in der Nacht liegengeblieben und haben auf dem Gelände eines alten Klosters Unterschlupf gefunden. Und jetzt hat der Besitzer uns gebeten, eine Weile als Hausgäste bei ihm zu bleiben.»

Wieso erzähle ich ihr das nur, anstatt einen Treffpunkt auszumachen?, fragte sich Belinda.

«Ihr Glückspilze!», rief Paula und klang dabei so klar, als stünde sie mitten im Zimmer. «Heißt das, unsere Verabredung fällt aus? Ich kann stattdessen auch ein paar Tage zu Tante Lizzie fahren, wenn ihr wollt?»

«Nein! Tu das nicht!», entgegnete Belinda schnell, denn hinter ihr erwachte Jonathan mit Gähnen und Strecken langsam wieder zum Leben. «Wieso kommst du nicht auch her? Ins Sedgewick-Kloster. Es ist phantastisch hier, und es gibt jede Menge Zimmer. Ich bin sicher, Graf André hat nichts dagegen. Das ist hier ein offenes Haus. Und es gibt einen phantastischen Garten. Einen Fluss. Es ist wie im Märchen.»

«Wow! Das klingt großartig», erwiderte Paula ernsthaft beeindruckt. «Wer ist denn dieser Graf André? Der Name klingt ja ein bisschen exotisch. Ist er ein toller Kerl?»

Belinda dachte kurz über die Frage nach. War André ein toller Kerl? Irgendwie schon – aber sicher nicht nach normalen Maßstäben.

«Er ist sehr nett. Ein perfekter Gentleman.»

«Dem Klang deiner Stimme nach zu urteilen aber doch nicht allzu sehr Gentleman.» Paula lachte. «Wie sieht er denn aus? Und wie alt ist er?»

«Wie ein Engel» und «ungefähr zweihundertdreißig Jahre» wären die korrekten Antworten gewesen, doch Belinda sagte stattdessen einfach: «Er sieht sehr gut aus. Irgendwie nachdenklich. Er hat blaue Augen und gesträhntes blondes Haar.» Über die Frage nach dem Alter musste sie etwas länger nachdenken. «Ich habe eigentlich keine Ahnung, wie alt er ist», antwortete sie schließlich. «So wie er aussieht, etwa in den Dreißigern.»

«Das klingt ja toll! Und er hätte bestimmt nichts dagegen, wenn ich einfach so auftauche?»

«Nicht im mindesten. Da bin ich mir sicher.» Und das war sich Belinda auch. Sie hatte das Gefühl, André würde ihr alles gewähren, was sie begehrte. Sogar ohne dass sie darum bitten müsste ...

«Na gut», sagte Paula mit freudig-aufgeregter Stimme. «Beschreib mir den Weg, dann komme ich, so schnell ich kann. So eine Gelegenheit darf man sich doch nicht durch die Lappen gehen lassen.» Sie machte eine Pause, in der sie nur ein leises, zufriedenes «Mmmm» von sich gab. «Graf André, richtig? Oh Mann, ich kann's kaum erwarten!»

Doch für Belinda tat sich sofort ein gewisses Problem auf. Wie sollte sie den Weg beschreiben, wenn sie nicht einmal wusste, wo sie war? Die beiden hatten sich neulich Nacht schon total verirrt – noch bevor sie das Auto dann verließen. Und auf ihrer Straßenkarte war das Sedgewick-Kloster sowieso nicht eingezeichnet gewesen.

«Gib mir das Telefon», ertönte plötzlich eine Stimme hinter Belinda und brachte sie fast dazu, das Handy fallen zu lassen. Es war zwar nur Jonathan, aber seine Stimme klang ziemlich merkwürdig. Ausdruckslos, ja fast roboterhaft. Als Belinda sich zu ihm umdrehte, sah sie in ein Gesicht, das voll und ganz zu der befremdlichen Stimme passte. Jonathan streckte die Hand nach dem Gerät aus, sah dabei aber weder das Handy, sie oder sonst irgendetwas an. Er wirkte wie in Trance, und auch Belinda reichte ihm, ohne nachzudenken, das Telefon.

Was darauf folgte, war das Unheimlichste, was Belinda je gesehen hatte – und das wollte nach den seltsamen Vorkommnissen der letzten Tage schon einiges heißen.

Jonathan gab eine klare, sehr detaillierte Wegbeschreibung ab, die Paula von der letzten Stadt, die sie passiert hatten, hin zu dem Kloster führen sollte. Dabei verzog er keine Miene. Belinda hörte noch, wie Paula eine Frage stellte, auf die er nur mit «Hab ich geraten ...» antwortete und dabei immer weiter auf einen unbekannten, fernen Punkt starrte. Dann gab er das Handy ohne jedes weitere Wort zurück an Belinda.

«Ist mit Jonathan alles okay?», fragte Paula. «Er klingt ein bisschen weggetreten.»

«Er ist einfach nur müde», entgegnete Belinda und sah dabei erstaunt zu, wie Jonathan sich wieder hinlegte und sofort einschlief. «Die Fahrerei und die Hitze, weißt du. Das ist auch einer der Gründe, weshalb ich hierbleiben will. Dann kann er sich nämlich mal so richtig erholen.»

«Klingt echt super», kommentierte Paula fröhlich.

Sie plauderten noch ein paar Minuten und vereinbarten dann, dass Paula nach einem kurzen Besuch bei ihrer Tante zu den beiden stoßen würde.

Das Handy versagte genau in dem Moment, als das Gespräch der beiden Frauen beendet war. Kein Freizeichen, kein Wählton, nichts. Belinda schüttelte es kräftig und ließ es dann ein wenig ängstlich auf das Sofa fallen. Als sie sich zu Jonathan umdrehte, schlief er immer noch tief und fest.

Das ist ja gruselig, dachte sie und strich ihrem Freund eine Locke aus der Stirn. Wer zum Teufel hatte nur diese Wegbeschreibung abgegeben? Bestimmt nicht Jonathan – da war sie ziemlich sicher.

Isidora Katori zitterte vor Aufregung – auch wenn sie stark bezweifelte, dass ein durchschnittlicher Betrachter das bemerkte.

Auf ihre Kräfte konnte sie sich verlassen. Sie hatte die südliche Ausfallstraße aus der Stadt genommen und sich auf der weiteren Strecke ausschließlich von ihren Instinkten leiten lassen. Nach ein oder zwei Stunden hinterm Steuer hatte die Frau das dringende Bedürfnis verspürt, eine Weile anzuhalten, etwas zu sich zu nehmen und über ihre nächsten Schritte nachzudenken. Da kam ihr der Biergarten eines angenehmen Pubs auf dem Lande gerade recht.

Isidora war für ländliche Aktivitäten nicht unbedingt zu begeistern, spürte aber doch eine wachsende Vorfreude, während sie mit einem kühlen Getränk und einem leichten Lunch im Schatten saß. Als sich eine junge Frau mit Tablett näherte und sie höflich fragte, ob sie den einzig verbliebenen Tisch ohne direkte Sonne mit ihr teilen könnte, war ihre übersinnliche Wahrnehmung in einem Maße geschärft, dass es fast schmerzte.

«Natürlich», antworte sie gespielt gleichgültig, und ihre Ahnung sollte sie nicht trügen. Nach ein paar Minuten holte ihre Tischnachbarin ihr Handy aus der Tasche.

Bei dem folgenden Gespräch bekam Isidora genau die Hinweise, die sie sich erhofft hatte. Die Einzelheiten, die sie durch ihr außergewöhnliches Hörvermögen mitbekommen hatte, ließen sie beinahe triumphierend aufschreien. Doch sie riss sich zusammen.

Er war hier! Weniger als fünfzig Kilometer entfernt! Und diese ziemlich gewöhnliche junge Frau wurde als Gast in seinem Haus erwartet. Es wurde also höchste Zeit, sich vorzustellen.

«Ist das nicht ein herrlicher Tag», sprach Isidora ihre speisende Gefährtin mit strahlendem Lächeln an. «Diesen Teil des Landes liebe ich besonders. Sie nicht auch?» Sie rückte auf der Holzbank ein bisschen näher an ihr Opfer heran. «Ich heiße übrigens Isidora. Und Sie?»

Jonathan hatte nach dem merkwürdigen Telefonat noch eine halbe Stunde geschlafen. Erst als Oren mit Sandwiches und einer Karaffe voll Saft die Bibliothek betrat, wachte er auf und sah sich verwirrt um.

Belinda, die in der Zwischenzeit in der Bibliothek herumgeschnüffelt und dabei erotische Literatur entdeckt hatte, die ihre eigenen Taten der letzten Tage als geradezu zaghaft erscheinen ließen, setzte sich neben ihn, während Oren den Lunch servierte.

«Ich hatte einen ganz seltsamen Traum», verkündete Jonathan, nachdem der blonde Diener sich diskret entfernt hatte. «Er wirkte sehr lebendig. Ich fange schon an zu zittern, wenn ich nur dran denke. Obwohl darin eigentlich gar nicht so viel passierte.»

«An was erinnerst du dich denn?» Belinda griff nach einem Sandwich und merkte sofort, dass es sich um Räucherlachs handelte – eine Delikatesse, die sie bisher nur sehr selten genossen hatte.

«Also, ich war in einem Raum, der mit Steinen eingefasst war. Irgendwie rundlich ...» Er hielt inne, um von seinem eigenen Sandwich abzubeißen, und zog nach dem ersten Happen anerkennend die Augenbrauen hoch. «Es brannten überall Kerzen, denn der Raum war sehr dunkel. Vor den Fenstern hingen irgendwelche schweren Vorhänge.» Er aß das Sandwich auf. «Die sind ja großartig.»

«Aber was passierte dann in dem Traum?», erkundigte sich Belinda gespannt, denn sie erkannte in seiner Beschreibung eindeutig Andrés Turmzimmer wieder.

«Irgendjemand hielt eine Karte mit blauer Handschrift hoch, und ich musste sie laut vorlesen. Das ist alles, woran ich mich erinnere.» Er nahm drei weitere Brote und legte sie auf seinen Teller.

«Was stand denn drauf auf der Karte?»

«Keine Ahnung!», antwortete Jonathan unbekümmert zwischen zwei Bissen. «Ich erinnere mich an kein einziges Wort.»

Ich schon, dachte Belinda und aß ihr eigenes Sandwich,

ohne dessen Köstlichkeit wertschätzen zu können. Sie erinnerte sich genau an den Wortlaut der Wegbeschreibung – und auch auf welch gespenstische Weise sie über Jonathans Lippen gekommen war.

Nach ihrem Lunch gingen Belinda und Jonathan auf einen Spaziergang in den Park.

Belinda sagte zwar nichts zu ihrem Freund, doch der Vorfall in der Bibliothek hatte sie schockiert. Wieder hatte André sich in ihr Leben eingemischt und dafür gesorgt, dass sie dieses Haus nicht verließen. Ihr eigentliches Vorhaben schien völlig vergessen zu sein. Das Handy war wieder tot und ließ sich offenbar nirgendwo aufladen. Sie konnten also auch Paula nicht anrufen, um einen neuen Plan zu schmieden. Die beiden waren hier gefangen, bis die Freundin auftauchte und sie erlöste.

Jonathan nahm seine Zeichensachen aus dem Mini mit, und Belinda hatte sich ein Buch aus der Bibliothek gegriffen – eines der gewagteren, die sie bereits vorher entdeckt hatte. Sie wurden von niemandem aufgehalten, als sie sich in Richtung Fluss aufmachten. Es war also anscheinend in Ordnung, dass sie auf Entdeckungsreise gingen.

«Was glaubst du, wie alt André ist?», fragte Belinda Jonathan. Sie hatten den gesamten Park durchquert und saßen jetzt auf einer Bank am Flussufer. Belinda hatte die starke Vermutung, dass dies genau der Ort war, an dem ihr Freund Feltris und Elisa bei der Liebe beobachtet hatte. Sie sagte nichts weiter dazu, lächelte aber, als sein Blick sich auf einer bestimmten Stelle festsaugte und sein Gesicht verträumte, gleichzeitig erregte Züge annahm.

«Keine Ahnung … dreißig. Fünfunddreißig. Irgendwie so was», antwortete er nach einer Weile. «Ich habe ihn ja nur ein paar Minuten gesehen. Und da war ich nicht mal richtig wach.» Er warf ihr einen leicht irritierten Blick zu. «Weshalb fragst du?»

«Ach, nur so», beeilte sie sich zu versichern und schlug das Buch auf. «Ist mir grad so durch den Kopf gegangen.»

«Also, auf jeden Fall ist er älter als wir», stellte Jonathan fest, und damit war das Thema für ihn anscheinend beendet. Er nahm einen Stift zur Hand, schloss das linke Auge, um die Größe eines Objekts auf der anderen Seite des Flusses zu messen, und konzentrierte sich völlig auf seine Zeichnung.

Das kann man wohl sagen, dachte Belinda und widmete sich ganz den erotischen Ergüssen. Diesen Schatz an Perversionen hatte sie entdeckt, während Jonathan auf dem Sofa schlief. Sie war so fasziniert und zugleich schockiert davon gewesen, dass sie diesen schamlosen Schmöker unbedingt mitnehmen musste.

Belinda war keine gänzlich unerfahrene Frau und kannte durchaus einige der extravaganteren Praktiken, die gewisse Menschen zum Lustgewinn heranzogen. Zu Beginn ihrer Beziehung hatte auch sie mit Jonathan ein wenig experimentiert. Doch was hier in diesem aufwendig gestalteten Band über die geheimnisvollen Freuden der erotischen Bestrafung dargestellt wurde, war ihr völlig neu. Aber die Bilder sprachen für sich.

Es waren fast nur Fotos von Frauen, denen der Hintern versohlt wurde. Einige Bilder stammten aus den frühen Tagen der Fotografie, andere waren weitaus aktuelleren Datums.

Paradoxerweise waren es die älteren, undeutlicheren Bilder, die am erregendsten waren. Die Frauen trugen mehrere Schichten gerüschter Unterwäsche – ähnlich der, die sie jetzt trug – und waren oftmals in enge Korsetts eingeschnürt. Ihre Hinterteile jedoch lagen auf allen Fotos bloß.

Runde Backen drängten aus kreisrunden Öffnungen in reichverzierten, knielangen Schlüpfern, andere schauten unter hochgeschlagenen Petticoats hervor oder wölbten sich über die schwarzen Ränder enger Strumpfbänder.

Andere Mädchen und Frauen wurden weitaus freizügiger präsentiert. Ihre Beine waren in alle möglichen unbequem aussehenden Stellungen in die Höhe gespreizt erhoben und deuteten darauf hin, dass sie nicht nur Schläge auf das Hinterteil bekamen. Als Belinda die willigen Opfer betrachtete – auf fast allen Gesichtern war ein Lächeln zu sehen, während einige wenige einen eindeutig gequälten Ausdruck trugen –, musste sie wieder an den gestrigen Abend auf der Terrasse denken. Plötzlich wünschte sie sich, dass André ihr den Hintern versohlt hätte, als ihr nackter Po sich ihm so lüstern entgegenstreckte.

Belinda war noch nie zum Vergnügen bestraft worden, lechzte im Moment aber geradezu danach. Sie schaute zu Jonathan, doch der war ganz vertieft in seine Zeichnung.

Als sie sich wieder dem Buch zuwandte, musste die junge Frau feststellen, dass ihre Erregung mit jeder Seite wuchs. Dabei war es besonders ein Foto, bei dem ihr im wahrsten Sinne des Wortes der Atem stockte.

Es war ein Bild von André, auf dem er den Po eines halbnackten dunkelhaarigen Mädchens bearbeitete. Er thronte energisch über ihr und hatte etwas in der Hand, das wie ein Lederstreifen aussah. Sein Gesicht war streng, doch die Augen strahlten lüstern. Das Mädchen schien zu schluchzen, und ihr hübsches Gesicht war zu einer Fratze der Qual verzogen. Doch zwischen ihren Beinen glitzerte es verdächtig. Sie war scharf, weil sie scharfe Hiebe auf den Hintern bekam.

Belinda kam zu einer schnellen Entscheidung: «Ich werde mich mal ein bisschen umsehen», sagte sie beiläufig zu Jonathan, «ich bin bald wieder da.» Sein Stift huschte mit flinken, flüssigen Bewegungen über das Papier, und Belinda wusste, dass er völlig vertieft in seine Zeichnung war.

Die junge Frau eilte, so schnell es ging, über den Uferweg. Sie fühlte sich aufgedreht, wild und sehr ungezogen. Das in Leder gebundene Buch schien unter ihrem Arm zu brennen.

Nach ein paar Minuten stieß sie etwas vom Fluss entfernt auf eine kleine Senke. Der moosige Boden war weich und trocken. Um sie herum standen Büsche, die einen Sichtschutz boten, und durch die Baumwipfel fiel ein Sonnenstrahl, der genau das richtige Maß an Beleuchtung bot.

Als Belinda sich hinlegte, überfiel sie auf einmal eine gewisse Scheu. Ihr Vorhaben fühlte sich kalkuliert, heimlichtuerisch und irgendwie schäbig an. Wieso erschien Masturbation nur immer so fragwürdig, wenn man sie geplant vollzog?

Neulich Abend hat es dich schließlich auch nicht gestört, oder?, schalt sie sich selbst und öffnete das Buch auf der Seite mit Andrés Bild. Als sie daran dachte, wie sie sich vor kurzem außerhalb des Pavillons gestreichelt hatte, lösten sich ihre Bedenken sofort in Luft auf.

André sah auf dem alten Foto überaus attraktiv aus. Sein langes, hinten zusammengebundenes Haar schien ein wenig ungewöhnlich für das Datum am Rand des Fotos – 1899 –, aber seine gestreiften Hosen, die mit steifem Brustfutter unterlegte Weste und der hohe, gestärkte Kragen machten ihn zu einem modischen Gentleman jener Zeit. Und seine hochgerollten Hemdsärmel deuteten darauf hin, dass er es ernst meinte. Die Haltung seines Arms kam in ihrer Eleganz einem Gedicht gleich – ein erhabener Bogen der Bereitschaft. Belinda konnte förmlich hören, wie der Lederriemen durch die Luft sauste.

Als sie das Mädchen auf dem Bild näher betrachtete,

überfiel sie auf einmal ein seltsames Schwindelgefühl. Sie rieb sich die Augen. Doch selbst als sie danach noch einmal genau hinschaute, konnte sie nicht glauben, was sie da sah.

Kleidung und Pose waren dieselben wie eben – die Rüschen, die Spitze, der freiliegende Po, der angespannte, flehende Körper. Doch das lange dunkle Haar und das leicht lateinamerikanische Gesicht waren verschwunden und durch eine kurze, für die Zeit untypische Elfenfrisur und Gesichtszüge ersetzt worden, die ihr unglaublich bekannt vorkamen.

Wie? Wie um alles in der Welt …? Belinda drehte sich auf den Rücken und spürte, wie ihr dabei das Buch aus den Händen glitt. Die Seiten raschelten und schlossen sich und verbargen so jenes Bild, das eigentlich nicht existieren konnte.

Als Belinda plötzlich das absolut unlogische Gefühl beschlich, in die Tiefe zu stürzen, wurde ihr klar, dass es mehr als nur ein Bild war.

* * *

Sie wurde von einem Klopfen an der Tür geweckt.

Hatte sie geträumt? Sie fühlte sich sehr eigentümlich. Einen Moment lang wusste sie nicht mal, wo sie war. Doch dann fiel es ihr wieder ein. Sie war in Graf Andrés Haus, dem Heim ihres attraktiven Wohltäters, für den sie alles tun würde, denn er war freundlich – und sie betete ihn einfach an.

Belinda schaute hinab auf ihre in Stiefeln steckenden Füße, die bestrumpften Waden und den Saum des feinsten, rüschigsten Petticoats, den sie je gesehen hatte. So etwas Hübsches hätte sie sich selbst nie leisten können, doch der Graf hatte sie mit einem regelrechten Berg teurer Unterwäsche versorgt: Unterhemdchen, Mieder, Korsetts, Petticoats, Höschen – jedes erdenkliche ausgefallene Kinkerlitzchen aus Spitze, bestickten Stoffen und Bändchen und Schnüren. Seine einzige Bedingung war, dass sie die Sachen auch trug, um darin gesehen zu werden. Und zwar auf seinen speziellen Privatpartys.

Belinda schauderte es ein wenig, wenn sie an den bevorstehenden Abend dachte.

«Nur ein oder zwei Freunde, die vielleicht ihre Freude an dir haben könnten», hatte er gesagt und ihr Gesicht gestreichelt, während sie auf seinem Schoß saß. «Du bist ein Juwel, mein Liebling. Weißt du, wie sehr ich es genieße, dich vorzuzeigen?» Mit diesen Worten war seine Hand nach unten gewandert. «Ich fühle mich wie ein König, wenn ich den Neid in ihren Augen sehe.» Seine forschende Hand kam zu ihren Brüsten, die er durch den dünnen Stoff ihres Hemdchens drückte. Dann ging es über die festen, unnachgiebigen Stangen ihres Korsetts weiter nach unten zu dem Höschen, das sie darunter trug. «Ich sehe es nur zu gern, wie sie dich begehren. Deine herrlichen Brüste, deinen perlfarbenen Po, deine wunderbare Möse ... Ich liebe ihre Eifersucht und wie sie sich wünschen, an meiner Stelle zu sein, damit sie dich Tag und Nacht benutzen könnten.»

Und doch gewährte Graf André seinen Freunden einige Freiheiten. Sicher tat er das nur, um ihre Eifersucht noch zu schüren, aber er erlaubte ihnen allemal, sie zu berühren, auf intime Weise mit ihr zu spielen und ihren Hintern so zu züchtigen, dass sie Schmerz und Scham empfand. Sie sollten Gefallen an ihr finden, um sie später nur noch mehr zu begehren.

Heute Abend hatte André sein Haus für einige seiner besten Freunde geöffnet. Sie würden guten Wein trinken und die Unterhaltung bei gutem Essen genießen. Eine erotische Unterhaltung, bei der sie die Hauptdarstellerin war.

«Herein», rief Belinda und reagierte endlich auf das Klopfen an ihrer Tür. Das war typisch für den Grafen – auch wenn sie durch ihn vor der Armut bewahrt worden und nun im Grunde sein Eigentum war, klopfte er nichtsdestotrotz höflich an, bevor er den Raum betrat.

Die Tür schwang auf, und er trat ein. In seinem dunklen Frack, den gestreiften Hosen und dem schneidigen Kragen war er der Inbegriff männlicher Eleganz.

«Meine Liebe ...», begann er mit leiser Stimme, ging auf Belinda zu und griff nach ihrer Hand, um ihr aufzuhelfen. «Ich will dich mal ansehen», bat er und führte sie vor den Spiegel. «Wir wollen dich ansehen.»

So ganz in Weiß gekleidet kam Belinda sich wie eine Märchenfigur vor. Sie trug ein fast durchsichtiges weißes Musselinhemdchen mit aufgestickten Spitzenblumen und Schleifchen. Ein enges weißes Seidenkorsett, das ihre Brüste hervorquellen ließ und ihre bereits schmale Taille eng zusammenschnürte. Dann einen weißen, mit Volants, Rüschen und Seidenschleifen verzierten Baumwollpetticoat. Darunter verbargen sich ihr Höschen – ebenfalls weiß, ebenfalls gerüscht, aber zusätzlich mit einer praktischen Öffnung versehen – und die weißen Strümpfe mit den frivolen Spitzenstrapsen.

«Du bist ein Traum», murmelte der Graf, der ebenso elegant wie lüstern hinter ihr stand. Langsam streichelten seine Finger über ihren Hals, während er unter ihre Unterwäsche griff und mit einer Hand ihre Weiblichkeit bedeckte. «Das perfekte Spielzeug.» Er knabberte an ihren Ohren und presste sich fester gegen ihren Unterleib.

«Mylord», keuchte Belinda und begann zu zappeln. Die Enge des Korsetts verdoppelte die Empfindlichkeit ihres

Geschlechts. Ihre inneren Organe drückten auf ihr Lustzentrum. «Oh bitte ... Oh bitte ...»

«Später, mein Liebling», flüsterte er, drückte sie noch einmal und ließ dann los. «Du musst dich zusammennehmen und die Freuden meiner Gäste vor die eigenen stellen.» Er holte ein weiches weißes Seidenband vom Toilettentischchen. «Ich werde dir jetzt die Hände festbinden, damit du dich nicht anfasst, bis wir bereit sind.»

«Oh bitte, tu das nicht!», rief sie und bettelte nach einer anderen Möglichkeit. Belinda fühlte sich so verletzlich und ängstlich, wenn sie gefesselt war. Das Gefühl, so gut wie hilflos zu sein, war fast zu erregend für sie. Und obwohl sie aus Angst, Graf André zu beleidigen, die Hände seiner Freunde niemals wegstoßen würde, hatte sie ungefesselt doch zumindest theoretisch die Möglichkeit dazu. So zusammengebunden konnte sie nichts unternehmen. Ihr Körper war frei verfügbar.

«Aber ich wünsche es», sagte er mit sanfter Stimme, in die sich aber auch eine aufregende Strenge mischte.

Belinda beugte den Kopf, hielt die Hände hinter sich und ließ den Grafen gewähren.

Es war schwierig, mit gefesselten Händen und hochhackigen Stiefeln die Treppe hinabzusteigen, aber mit Andrés Hilfe gelang es ihr schließlich. Er hielt ihre Ellenbogen, diente als Stütze, wenn es nötig war, und behandelte sie ansonsten so galant, als wäre sie eine Prinzessin.

«Hab keine Angst», sagte er, als sie auf dem unteren Treppenabsatz vor den fröhlichen Lauten aus dem Salon zurückschreckte. «Denk dran, wie stolz ich auf dich bin ... Über welche Maßen ich dich schätze ... Und jetzt heb den Kopf und zeig ihnen deine graziöse Haltung.»

«Oh, sehr hübsch, André, alter Knabe», ertönte eine männliche Stimme, als das Paar den Raum betrat. Ein kräftig aussehender Mann warf Belinda einen langen, anerkennenden Blick zu.

«Sie ist göttlich», bemerkte ein Frau mit lüsternen Augen in aristokratischem Ton.

«Du Glückspilz, André», urteilte eine etwas ältere Dame. «Was würde ich für so einen zarten Leckerbissen geben …»

«Sieht sie unter all den edlen Gewändern genauso gut aus?», fragte ein zweiter Mann, der recht massig und ungehobelt aussah. «Was ist mit ihren Titten, ihrem Arsch und ihrem Fötzchen?»

«Sie ist in jeder Hinsicht perfekt», teilte Graf André seinen Gästen gelassen mit. «Und schon bald könnt ihr jeden Teil von ihr inspizieren, wenn ihr es wünscht.»

Die kleine dankbare Gruppe bestand noch aus ein paar weiteren Besuchern, die sich aber vorerst damit begnügten, sie nur schweigend anzuschauen.

«Komm mit, Belinda», forderte der junge Graf seine Begleitung schließlich auf und führte sie in die Mitte des Raumes. «Bleib hier stehen und lass meine Freunde deinen Charme bewundern.»

Während André sich um das Wohlergehen seiner Gäste kümmerte, ihre Gläser auffüllte und sich lockerem Smalltalk hingab, stand Belinda immer noch mitten unter ihnen. Sie war knallrot. Das dünne Material ihres Hemdchens verbarg ihre Brüste so gut wie gar nicht, und sie konnte die Hitze der Blicke auf ihren Nippeln spüren. Das Dienstmädchen hatte ihre Brustwarzen in Vorbereitung dieser gierigen Untersuchung mit Rouge bemalt.

«André, Darling», sagte die Frau, die Belinda als «göttlich» bezeichnet hatte – eine attraktive Brünette mit kleinem, verdrossenem Mund. «Darf ich ihre Brüste freilegen? Sie sehen so köstlich aus, ich würde sie gern einmal halten.»

«Natürlich, Mabel», willigte der Graf zuvorkommend ein. «Tu dir keinen Zwang an.» Er nahm einen Schluck von seinem Champagner und zwinkerte Belinda über das Glas hinweg zu.

Mabel eilte zu ihr und fing an, die Knöpfe von Belindas Hemdchen zu öffnen. «Oh, was ist sie doch für ein hübsches Ding», rief sie aus, strich den dünnen Musselinstoff beiseite und förderte die fast schon schmerzenden Brüste der jungen Frau zutage. «Und sie hat bemalte Nippel! Wie drollig! Du bist ein Schmutzfink, André! Aber es gefällt mir. Besonders wenn sie so fest und rosa sind.»

Belinda biss die Zähne zusammen, als Mabel anfing, sie zu befummeln. Die Dame zwickte, rollte und zog, um ihr Schmerzen zu bereiten, die diabolische Dinge in Belindas Unterleib auslösten. Sie sehnte sich danach, ihre Hüften zu bewegen, sie ein wenig vor und zurück kreisen zu lassen oder irgendetwas zu tun, was ihre wachsende Spannung erleichterte.

«Haust du manchmal mit der Peitsche drauf?», erkundigte sich Mabel und umfasste beide Brüste. Dabei drückte sie die Nippel so weit in die Mitte, dass sie sich berührten. «Ich bin sicher, sie sehen auch mit Striemen absolut hinreißend aus.»

«Nein, das tue ich nicht», erwiderte der Graf. Er ging zu den beiden und berührte jede der Brustwarzen mit dem Zeigefinger. «Ich ziehe es vor, ihre Brüste makellos weiß zu belassen. Das ist meiner Meinung nach weitaus ästhetischer.»

«Zu schade», sagte Mabel enttäuscht. «Wie sieht's mit Klemmen aus? Hast du die schon bei ihr ausprobiert? Die kleinen Krokodilmäuler können angeblich ziemlich schmerzhaft sein.»

«Oh ja, Klemmen können sehr vorteilhafte Wirkungen haben», urteilte André nachdenklich. «Wenn ihr damit experimentieren wollt, findet ihr in der üblichen Schublade eine Sammlung geeigneter Utensilien.»

«Wundervoll», rief Mabel aus und ließ sofort von Belinda ab, um zum Sekretär zu eilen. «Oh ja, genau so etwas meinte ich», sagte sie und holte zwei kleine glänzende Objekte aus der Schublade. Dann baute sie sich erneut vor Belinda auf. «Das ist genau das Richtige. Die werden sehr hübsch an ihr aussehen.»

Mabel befestigte an jeder Brustwarze eine der gemeinen silbernen Klemmen und schraubte sie so fest zu, wie es nur ging. Belinda rannen die Tränen übers Gesicht – nicht nur wegen der Schmerzen, sondern auch vor Scham. Der schreckliche Druck auf den Spitzen ihrer Brüste steigerte die Erregung nur noch, die ohnehin schon in ihr brodelte. Sie biss sich in der hoffnungslosen Bemühung, keinen Laut von sich zu geben, auf die Lippen.

«Tut es weh, meine Liebe?» erkundigte sich ihre Peinigerin und wischte Belinda die Tränen vom Gesicht. Dann gab sie ihr einen Kuss auf den Mund. Als die junge Frau nickte, zog Mabel die Klemmen noch ein bisschen fester zu. «Keine Sorge, bald nehmen wir sie wieder ab.» Sie grinste teuflisch. «Und das wird noch mehr wehtun, als sie an den Nippeln zu lassen.»

«Courage, mein Liebling», flüsterte André, als Mabel wegging, um sich neuen Wein zu holen. «Sieh nur, wie wunderschön du aussiehst.» Er lenkte Belindas Aufmerksamkeit auf den großen Spiegel, der in einer Ecke des Raumes aufgestellt worden war, damit sie Zeugin ihrer Demütigungen werden konnte.

Belinda betrachtete ihr rotes Gesicht, die glühende Haut und die misshandelten Brustwarzen. Sie wusste, dass sie wirklich sehr schön aussah – das perfekte Bild unterwürfigen, erotischen Leidens. Am liebten hätte sie den Petticoat angehoben und ihr Höschen geöffnet, um allen Gästen zu zeigen, wie sehr der Schmerz sie erregte.

Während Graf André und seine Freunde Wein tranken und über ihre Erscheinung sprachen, stand Belinda wie ein weißgekleideter Schmuckgegenstand im Raum. Einige der Urteile über ihr Aussehen und Vorschläge, was man mit ihr tun könnte, ließen ihr das Blut in den Adern gefrieren. Belinda wusste, dass sie unvorstellbar leiden würde, wenn irgendjemand außer André sie in Besitz nähme. Bei dem Grafen fühlte sie sich sicher. Er respektierte sie, und seine Grenzen waren auch die ihren.

«Sie soll jetzt mal ihren Arsch zeigen», sagte der massige Kerl nach einer Weile und kam auf Belinda zu. «Es wird höchste Zeit, dass sie mal die Peitsche zu spüren bekommt.»

«Ja, vielleicht hast du recht, Henri», sagte André freundlich und zuvorkommend. «Komm mit, meine Liebe», forderte er Belinda auf. «Ich werde dir die Hände losbinden, damit du es bequemer hast, wenn du deine Strafe bekommst.»

«Du bist zu lasch mit ihr», sagte Henri und leckte sich die Lippen. «Würde sie mir gehören, hätte ich ihr längst den Hintern versohlt. Fesseln hin, Fesseln her.» Er kam näher und packte sie. Seine groben Hände gruben sich in die zarte Haut ihres Hinterteils. «Und in den Arsch hätte ich sie auch längst gefickt. Es ist doch glasklar, dass sie das braucht. Sie hat so was Wildes, Lüsternes an sich, alter Knabe. Die gehört mal so richtig gezähmt.»

«Du hast wahrscheinlich vollkommen recht, Henri», murmelte der Graf, als er das Band um Belindas Handgelenke löste.

Die verängstigte Frau zitterte, als sie in die Augen ihres Geliebten sah. Wenn er wollte, dass sein Freund ihren Hintern missbrauchte, würde sie es ertragen. Aber nur weil es sein Wunsch war – der Wunsch ihres Meisters. Und wenn André ihre Hand halten und ihre Lippen küssen würde, während sein Freund sich an ihr vergnügte, könnte sie es vielleicht sogar genießen.

«Wenn du dich jetzt vielleicht auf die Chaiselongue knien würdest, meine Liebe», forderte André sie ermutigend auf, als wäre sie ein ängstliches Rehkitz, das man aus seinem Versteck locken musste. Er nahm sie bei den Armen, half ihr auf die gepolsterte Samtcouch und brachte sie dann mit etwas Druck auf den Rücken in die richtige Position. Jetzt ruhte sie mit hochgerecktem Hintern auf den Ellenbogen.

Die Stellung war nur schwer zu halten – besonders wo ihre klammergequälten Brüste wie reife Birnen umherschwangen. Sehr schmerzhaft. Belinda schwankte ein wenig, schöpfte aber gleich wieder neuen Mut, als André ihre Wange berührte.

«Würdest du mir bitte assistieren, Pierre?», hörte sie ihn einen weiteren seiner Freunde fragen, der bisher kein Wort gesagt hatte. «Wenn du vielleicht so gut wärst, Belindas Po freizulegen?»

«Natürlich, *mon ami*», entgegnete Pierre mit angenehm kultivierter Stimme. Belinda atmete erleichtert auf, dass er es sein sollte, der sie entblößte. Monsieur Pierre war ein dunkler Typ und überaus attraktiv. Seine Gesichtszüge wirkten exotisch, als stammte er aus dem Nahen Osten, und er hatte sich immer ein wenig freundlicher verhalten als die anderen. Natürlich würde auch er ihre Bestrafung genießen und sich an dem Anblick ihres brennend roten Hinterns erfreuen. Aber irgendwie meinte Belinda, unter der Oberfläche seiner Lüsternheit erhabenere Gefühle zu spüren.

Und doch zuckte sie zusammen, als er sich entschlossen ihrer Kleidung annahm. Erst hob er ihren mit Volants besetzten Petticoat an, um dann ihr weites, offenes Höschen beiseitezuschieben.

Die Anwesenden gaben unisono ein anerkennendes Raunen von sich und traten näher heran.

«Das ist ja ein hinreißender Arsch, André», urteilte Mabel etwas atemlos. «Was würde ich darum geben, wenn ich so einen Hintern zur ständigen Benutzung hätte.» Belinda hörte das Rascheln von Seide und spürte gleich darauf weibliche Hände an der Furche ihres Hinterteils. «Und so zarte Haut. Herrlich! Sie fasst sich an wie Samt.»

Trotz ihrer peinlichen Stellung biss Belinda sich auf die Fingerknöchel, um keinen Kommentar abzugeben. Mabels gleitende Fingerspitzen waren leicht wie Federn und schienen gar nicht von ihr ablassen zu wollen. Belinda spürte, wie ihre gesamte Ritze untersucht, der Anus abgetastet und ihre Schamlippen zart gestreichelt wurden. Wo Mabel bei ihren Brüsten noch überaus grob vorgegangen war, ließ sie bei den tieferen Regionen nun jede Zärtlichkeit walten. Doch bei all der Scham waren die Grausamkeiten eigentlich eher zu ertragen. Plötzlich sehnte die junge Frau sich mit ganzem Herzen nach der Peitsche – dem Instrument, das sie in die höchsten Höhen reiner Lust erheben würde.

Überraschenderweise – oder auch nicht – war es schließlich Henri, der ihr zur Hilfe kam.

«Ich habe jetzt genug von diesem unentschlossenen Hin und Her», sagte er und schritt grimmig durch den Raum. «Wann wird sie denn nun geschlagen? Deshalb hast du uns doch schließlich hierher eingeladen.»

«Natürlich», entgegnete Graf André höflich. «Wir werden gleich damit beginnen. Aber vorher vielleicht noch einen kleinen Drink für uns alle?»

Belinda verharrte regungslos auf dem Sofa, während André seinen gastgeberischen Pflichten nachkam. Einen kurzen Moment sah sie sich tatsächlich mit den Augen der anderen. Sie war kein wirklicher Mensch mehr, sondern diente allein der Unterhaltung. Sie war wie eine Skulptur, die aus einem Haufen weißer Stoffe, einem samtweichen runden Po und zwei Beinen in Seidenstrümpfen und Stiefeln bestand. Und in der Mitte des Ganzen befand sich ihre feuchte, gerötete Muschi und ihre dunkle Arschritze. Das Bild in ihrem Kopf brachte ihre Möse zum Pochen, und sie hatte das starke Bedürfnis, ihren nackten Hintern kreisen zu lassen.

Wenn einer von ihnen sie doch nur wieder berühren, sie reiben und irgendwas in sie reinstecken würde! Ihr unerfülltes Verlangen nach Stimulation war nicht länger zu ertragen. Belinda war beinahe besinnungslos vor lüsterner Gier. Und gleichzeitig wusste sie, dass die Gruppe sie als unzulänglich einstufen und wegschicken würde, wenn sie sich selbst anfasste.

Nach einer Ewigkeit ergriff der Graf endlich das Wort. «Es wird Zeit», sagte er feierlich. «Henri, würdest du wohl die Peitsche aus der Schublade holen?»

Belinda hörte zwar das leise Quietschen der sich öffnenden Schublade, sonst aber zunächst nichts. Die Gäste hielten den Atem an, und sie hatte das Gefühl, als würden sich alle Anwesenden bereits die Lippen lecken.

«Ich werde sie erst mal selbst schlagen.» Der Lederriemen zischte ohne Ziel durch die Luft. «Danach kann ja vielleicht jemand anders übernehmen?»

Es erklang ein Kanon tiefempfundener Zustimmung. «Ja!», «Sehr gern!» und «Mit Vergnügen!» An Kandidaten für ihre Bestrafung schien es jedenfalls nicht zu mangeln.

Das Nächste, was Belinda hörte, waren leise, raschelnde Geräusche – ihr geliebter Graf zog seine Jacke aus, legte sie zusammen und rollte dann seine Ärmel hoch.

«Mabel, Pierre, wenn ihr so freundlich wärt, sie in der richtigen Position festzuhalten?» Die junge Frau spürte, wie ihr Meister sich hinter ihr aufbaute. «Henri, ich glaube, der Platz am Sekretär wird dir die beste Aussicht bieten.» Der Riemen zischte erneut durch die Luft. «Julian und Madame Clermont, wenn ihr vielleicht einen Schritt nach rechts tun würdet. So könnt ihr besser zuschauen.»

Als Mabel sich neben sie auf das Sofa setzte und ihre Hände ergriff, konnte Belinda sich nicht länger zusammenreißen und begann zu wimmern. Im selben Moment packte Pierre sie bei den Hüften, hob sie höher an und zwang dabei ihre Beine weiter auseinander. «So ist's gut, Mademoiselle», flüsterte er ihr zu, «die Schenkel schön weit spreizen.» Er setzte sich neben das Opfer und legte einen stützenden Arm um ihre Hüfte. Seine freie Hand ruhte mit gekrümmtem Mittelfinger auf ihrer Möse, sodass ihr geschwollener Kitzler ständiger Reibung ausgesetzt war.

«Oh nein! Oh großer Gott», brüllte Belinda schrill und spürte bereits die altbekannten Zuckungen, die der Finger in ihrem Inneren auslöste.

Aber gerade als ihr Geschlecht anfing, sich zusammenzuziehen, landete der Lederriemen mit aller Macht auf ihrem Hinterteil. Sie erlebte einen Moment des absoluten Schocks, der aber rasch von einem rasenden Schmerz abgelöst wurde.

«Oh André!», schrie sie voller Qual und Ekstase. Endlich verspürte sie so etwas wie Begeisterung.

Kapitel 12

Helfende Hände

«Stimmt irgendwas nicht?», fragte Jonathan seine Freundin Belinda auf dem Rückweg zum Haupthaus.

«Nein, alles in Ordnung», log sie. Der Ledereinband des Buches fühlte sich unter ihren Fingern immer noch seltsam warm an, und sie konnte ohnehin nicht erklären, wieso sie sich plötzlich auf einem der Bilder entdeckt und wie in einer Parallelwelt ohne jede Erinnerung an ihre reale Existenz darin gelebt hatte.

«Wir müssen uns mal unterhalten», sagte Jonathan, der sich offensichtlich nicht reinlegen ließ. Er schaute sie mit klugen Augen an. «Setzen wir uns doch einen Moment hin.» Er zeigte auf eine Steinbank am Rande des überwucherten Gartens und führte Belinda dorthin.

«Okay, Lindi, was ist los?», fragte er wieder und ergriff ihre Hand, nachdem sie es sich auf der sonnenwarmen Bank bequem gemacht hatten.

Belinda entschloss sich, gleich in die Vollen zu gehen. «Glaubst du an übernatürliche Vorkommnisse?»

«Ich weiß nicht recht», erwiderte Jonathan nachdenklich. «Würde ich gerne ... glaube ich zumindest ... Aber bisher ist mir noch nichts in der Richtung passiert, was den Glauben daran rechtfertigen würde.»

Belinda fühlte sich erst erleichtert, ärgerte sich dann aber bald über sich selbst. Wieso hatte sie nur an ihm gezweifelt? Jonathan war immer ein aufgeschlossener Mensch gewesen und von ihren bisherigen Freunden ganz gewiss derjenige, der am ehesten bereit war, sich neuen Ideen zu öffnen.

«Was würdest du sagen, wenn ich dir erzählte, dass wir hier in so eine übernatürliche Sache reingeschlittert sind?» Sie machte eine Pause und sah dann in Richtung des großen Hauses. Jetzt, wo der Nachmittag langsam in den Abend überging, sah es wieder genauso geheimnisvoll aus wie am ersten Tag. «Dass hier nichts so ist, wie es zu sein scheint.»

Jonathan folgte ihrem Blick. «Du meinst André?» Er drehte sich zu ihr um und lächelte. «Ja, mir ist schon aufgefallen, dass er nicht gerade ein Durchschnittstyp ist. Ich meine, zunächst mal seine Schlafenszeiten ...» Er stockte und lächelte etwas gequält. «Du willst mir doch jetzt nicht erzählen, dass er in Wirklichkeit Graf Dracula ist, oder?»

Seine Freundin lachte und versuchte so, ihre eigenen Nerven zu beruhigen. In Worte verpackt schien die ganze Geschichte noch absurder zu sein. «Ich habe ihn tatsächlich gefragt, ob er ein Vampir ist. Aber das hat er verneint.» Oh Mann, wie sollte sie es nur sagen? «Aber er ist zweihundert Jahre alt!»

«Du nimmst mich auf den Arm?!» Jonathans Hand zitterte leicht in der ihren.

«Nein. Sind dir die Bilder von den vielen Männern mit blauen Augen aufgefallen? Das sind nicht etwa seine Vorfahren, sondern sie stellen alle ihn dar!»

«Du lieber Gott!»

«Wirklich. Er ...»

Belinda wollte gerade anfangen, alles zu erzählen, was sie über ihren seltsamen Gastgeber wusste, als ein lautes Dröhnen ertönte. Zunächst klang es noch recht entfernt, näherte sich aber mit jeder Sekunde. Es schien aus der Richtung der gewundenen Auffahrt zu kommen, über die sie vor zwei Nächten im Gewitterregen getappt waren. Belinda sah den Schatten eines Motorrads blitzschnell zwischen den

Bäumen hervorschießen und auf das Haupthaus zufahren, dass der Kies nur so spritzte. Nachdem es auf der anderen Seite des Gebäudes zum Stehen gekommen war, wurde der Motor erst gedrosselt und verstummte schließlich ganz.

«Eins ist mal sicher, das war garantiert nicht Paula», erklärte Jonathan besonnen. «Es sei denn, sie hat vergessen, uns was Wichtiges mitzuteilen.»

«Das muss ein Freund von André sein», vermutete Belinda.

«Was? Noch ein zweihundertjähriger Raver?»

«Er ist kein Raver!», rief Belinda, hatte aber keinerlei Ahnung, wieso sie jemanden verteidigte, den sie kaum kannte – und der sie sexuell ausnutzte.

«Wirklich?» Ihr Freund zog eine Augenbraue hoch. Es war klar, dass er entweder wusste oder zumindest vermutete, was zwischen Belinda und ihrem geheimnisvollen Gastgeber ablief.

Die junge Frau wollte sich gerade verteidigen, als ihr Jonathans eigenes Geständnis wieder einfiel. Also zog auch sie eine Augenbraue hoch, was er immerhin mit einem Grinsen beantwortete.

«Okay. Also keiner von uns ist so ganz schuldlos. Nur …» Er zögerte, als würden ihm die Worte fehlen, um seine Gefühle auszudrücken. Vielleicht wusste er aber auch gar nicht, um welche Gefühle es sich eigentlich handelte. «Ich bin nicht eifersüchtig, und so richtig schuldig fühle ich mich auch nicht.» Er drückte ihre Hand. «Wie sehen denn deine Gefühle so aus? So mit all dem hier, meine ich.»

Tja, wie fühlte sie sich?

«Sehr ähnlich», antwortete Belinda nach einer langen Pause. «In Andrés Gegenwart bin ich wie verzaubert, und er ist dann das Wichtigste, was mir jemals widerfahren ist. Aber wenn ich nicht bei ihm bin, tut er mir mehr leid als alles andere. Obwohl ich ihn auch dann noch attraktiv finde.»

«Wieso tut er dir denn leid?»

Langsam und sehr behutsam versuchte Belinda einen größeren Zusammenhang herzustellen, als sie ihrem Freund davon berichtete, was sie über Andrés Geschichte wusste.

«Er ist einsam», sagte sie schließlich. «Er hat seine Freundin, seine Verlobte, angebetet und dann verloren. Und er hat all die Jahre damit zugebracht, sie zu vermissen und mit ihr zusammen sein zu wollen. Ich meine, für ein normales Lebensalter ist das schon schlimm genug. Aber es muss ein totaler Albtraum sein, wenn man so lange lebt wie er.»

«Man mag kaum drüber nachdenken», sagte Jonathan mit sehr gefühlvoller Stimme. Belinda warf ihm einen scharfen Blick zu, doch er betrachtete nur versunken ihre ineinander verschlungenen Hände.

Ein paar Minuten herrschte Stille zwischen ihnen, bis sie schließlich wieder das Wort ergriff. «Ich glaube, er will etwas von mir.»

«Na klar will er was von dir», konterte Jonathan mit trockenem Grinsen. «Er will weiter mit dir Sex haben, damit er weiter gut drauf und fit ist.» Erneut drückte er ihre Hand.

«Ja. Aber ich bin überzeugt, dass da noch mehr ist.»

«Was meinst du?»

«Ich glaube, die Tatsache, dass ich seiner Verlobten so ähnlich sehe, spielt eine große Rolle.» Sie starrte auf das Haus, als könnte die immer dunkler werdende graue Fassade ihr eine Antwort geben. Doch es kam keine. «Ich habe nur den Eindruck, er hat Angst, mir zu erzählen, warum.»

«Meinst du, dass es sich vielleicht um etwas Gefährliches handeln könnte?»

«Keine Ahnung. Aber irgendwie habe ich so ein Gefühl.»

Jonathan schüttelte den Kopf und zog die Stirn in Falten. «Dann sollten wir besser hier abhauen. Und zwar so schnell es geht.»

«Das geht nicht. Paula ist doch jetzt auf dem Weg hierher. Wir müssen auf sie warten,» sagte Belinda und wusste, dass das nur ein vorgeschobener Grund war.

«Wir könnten versuchen, sie unterwegs zu erreichen», schlug Jonathan vor. Er sah zu ihr auf und warf ihr einen langen, prüfenden Blick von der Seite zu. «Du willst hierbleiben, nicht wahr?»

«Ja», gab sie zu. «Ich will herausfinden, was André von mir will. Und wenn es nicht zu schrecklich ist, möchte ich ihm gerne helfen. Er tut mir eben leid», schloss sie und wusste, dass das ebenfalls eine oberflächliche Ausrede war.

«Hör zu», begann Jonathan in ernstem Ton, «wir haben doch schon darüber gesprochen. Es macht mir nichts aus, wenn du ihm helfen willst, weil du ihn magst oder dich zu ihm hingezogen fühlst.» Er zögerte und wurde dann so rot, wie Belinda es noch nie zuvor bei ihm gesehen hatte. «Ich ... äh ... ich kann verstehen, dass du ... na ja ...» Er stockte erneut, so als würde er etwas so Eigenartiges sagen wollen, dass er es kaum über die Lippen brachte. «Hör zu, jetzt denk bloß nicht, dass ich hier einen auf schwul mache, aber ... na ja, ich finde ihn irgendwie auch recht attraktiv.» Dieser letzte Satz kam so schnell hervorgeschossen, dass Jonathan fast atemlos klang. «Ich habe ihn ja nur ein paar Minuten gesehen. Es war echt merkwürdig, aber ich empfand da etwas, was ich so noch nie erlebt habe. Oh Gott, ich weiß auch nicht, was es war.»

Belinda legte den Arm um ihren verwirrten Freund. «Keine Sorge, ich weiß schon ungefähr, was du meinst. Ich war schließlich auch mit Feltris und Elisa zugange – schon vergessen? Das ist genau dasselbe. Und deshalb denkst du jetzt doch auch nicht schlechter von mir, oder?»

Jonathan schüttelte den Kopf. Sein Lächeln kehrte langsam zurück.

«Okay. Dann ist doch alles in bester Ordnung.» Sie nahm seine Hand und half ihrem Freund auf. «Und jetzt komm. Lass uns zum Haus zurückgehen und sehen, wer das auf dem Motorrad war.»

«Mylord! Wie schön, Euch zu sehen!»

Michiko betrat das dunkle Turmzimmer – eine imposante Erscheinung in ihren hautengen Lederhosen. Obwohl Michiko einen glänzenden Helm mit einem wilden, feuerspeienden Drachen auf dem Kopf trug, erkannte André sie sofort. Ihre elektrisierende Aura war so stark, dass er sie fast schmecken konnte.

Und doch durchfuhr ihn ein gewisser Schock, als sie ihren Helm abnahm und ihn beiseitelegte.

«Michiko! Euer Haar!», rief er. Der Graf war immer noch nackt, als er sich aus seinem zerwühlten Bett erhob. Er wusste wohl, dass er wach war, doch einen Moment lang hatte er das Gefühl, noch zu träumen.

Als er seine Freundin, die Zauberin, vor dreißig Jahren das letzte Mal gesehen hatte, reichte ihr schimmerndes glattes Haar noch bis zu den Hüften. Nun war von dieser Pracht nichts mehr zu sehen. Stattdessen war ihr Haar kurz geschnitten, mit einem üppigen, keilförmig fallenden Pony, hinten kurz, ebenso an den Seiten und alles gefärbt in einem hellorange leuchtenden Gelbton.

«Meine Landsleute machen gerade eine experimentelle Phase durch», erklärte sie unbekümmert und fuhr mit den Fingern durch ihre grellgefärbte Pracht. «Das ist der letzte

Schrei. Besonders für Mädchen, die sich als Jungs verkleiden.» Die forsche Schönheit rieb sich über den gestuften Hinterkopf.

«Ah, die Takarazuka», sagte André, als er den Grund für die Verwandlung begriffen hatte. Um ein bisschen Spaß zu haben und Abwechslung in ihr langes, langes Leben zu bringen, hatte Michiko ihr Leben als Geisha hinter sich gelassen und war dem japanischen Mädchentheater Takarazuka beigetreten. Schon bei ihrer letzten Begegnung mit André war sie dort zu einer Art Idol geworden und mit ihrer bestimmenden, herrischen Art die gelungene Imitation eines Mannes. Doch damals, in den sechziger Jahren, hatte sie immer eine Perücke getragen.

«Gefällt es dir?», fragte sie keck und rutschte näher zu ihm heran. In ihrem glänzenden schwarzen Panzer war sie das vollendete Raubtier.

«Ja, allerdings», antwortete André, den dieser aufsehenerregende neue Stil geradezu betörte. «Überaus vorteilhaft. Wenn auch ein wenig schockierend.» Er lächelte, als sie sich neben ihn auf die zerwühlten Laken setzte und ihre behandschuhte Hand wie immer in seinen Schritt wanderte. «Schockierend war allerdings auch, dass du dich in unmittelbarer Nähe zu mir aufhältst», fuhr er fort. Seine Stimme stockte, als sie sanft seinen Schwanz berührte.

«Wir sind auf Tournee», erzählte sie ihm und richtete die schrägen Augen nach unten, um die Reaktion seines Körpers zu betrachten. «Im Augenblick sind wir in London. Überaus opportun, Mylord Gaijin, nicht wahr?», murmelte sie und ließ ihre in Leder gehüllten Finger über das langsam hart werdende Fleisch gleiten.

«In der Tat», sagte André und beugte sich in Richtung ihres Mundes. Im letzten Moment sah er, wie ihr Blick zur Seite schoss und auf Arabelles blauleuchtender Schatulle hängenblieb. «Sie schläft, meine liebe Freundin», flüsterte er sanft und legte seine Hand auf Michikos feingemeißeltes Kinn. «Doch selbst wenn sie wach wäre, würde sie uns einander nicht versagen. Du weißt sehr gut, wie gern sie dich hat.»

«Ja, das weiß ich, Mylord.» Ihr leuchtender Mund strich zart über den seinen. «Und wenn sie in Kürze erwacht und ich Euch selbst ausreichend begrüßt habe, werde ich sie zu Euch bringen.» Sie hielt einen Moment inne, die Lippen nur einen Hauch von seinen entfernt. «Nur kurz, muss ich Euch allerdings warnen. Meine Kräfte können sie nicht allzu lange unterstützen.»

André schauderte und genoss die Hoffnung und Vorfreude auf diese ganz besondere Vereinigung – selbst wenn sein Geist vor Spannung auf eine andere Zusammenführung raste.

Als Michiko die Augen wieder öffnete, strichen ihre Lider fast über die seinen. «Ich spüre, dass Ihr eine Entdeckung gemacht habt, Mylord», sagte sie. Ihre normalerweise ruhige Stimme war voller Erregung. «Und Ihr habt recht. Sie ist es.» Michiko legte den Kopf zur Seite, als würde sie auf irgendetwas lauschen. «Erzählt mir mehr von ihr, während ich Euch erfreue. Erzählt es mir mit Eurem Geist.»

Glaubst du denn wirklich, dass ich mich ausreichend konzentrieren kann, wenn du mich streichelst?, dachte André, gehorchte aber sogar, als ihre Hand schneller über seinen Schaft glitt. Es war ein Leichtes, so eng beieinander Gedanken auszutauschen. Doch es würde nicht mehr lange dauern, bis in seinem Kopf das Chaos der Lust ausbräche. Ich will zuerst dich erfreuen, meine liebe Michiko. So bin ich noch genug bei Sinnen, um keinen Unsinn zu reden.

André schob sanft ihre Hand von seinem Penis, griff

nach dem langen Reißverschluss ihres sinnlichen Lederanzugs und begann mittels Gedankenübertragung über die Ankunft der Frau zu sprechen, von der er hoffte, dass sie seiner Seele Frieden schenken würde.

Michiko trug keine Unterwäsche unter ihrem engen Outfit. Die Kombination aus tiefschwarzem Leder und honigfarbener Haut ließ es fast so scheinen, als würde er eine reife, saftige Frucht pellen. Seine Freundin stöhnte leise, als er in die Öffnung des Anzugs griff und ihre kleinen festen Brüste massierte. Es war schon erstaunlich, dass sie gleichzeitig auch noch erfasste, was er ihr «erzählte». Sie stellte sogar Fragen, während sie sich vor Lust wie eine Schlange wand.

Michiko ruhte jetzt ausgestreckt auf dem zerwühlten Laken. Die Hände hatte sie über den Kopf gelegt und bot Andrés heißen Händen ihre Brüste feil. Wie viel weiß sie?, fragte ihr Geist kühl. Ist ihr klar, dass sie Arabelle sehr ähnlich sieht?

Ja, sie weiß, dass sie wie Belle aussieht, erwiderte André und beugte sich vor, um die Nippel seiner Freundin zu küssen. Und sie weiß auch, dass ich Belle vor vielen Jahren verloren habe. Er knabberte erst an einer, dann auch an der anderen Knospe, um schließlich wild an ihren Brüsten zu saugen. Michiko war so erregt, dass ihre Hüfte ruckartig nach oben schnellte.

Aber weiß sie auch um die Bedeutsamkeit dieser Ähnlichkeit?, fragte die Japanerin. Sie keuchte, stöhnte und zog Andrés Hand zu der vernachlässigten Brust. Ihre innere Stimme aber war ruhig wie die Oberfläche eines Waldsees. Weiß sie genau, was du bist?

Ich habe ihr von meiner Langlebigkeit erzählt, entgegnete André und kam gleichzeitig Michikos Wunsch nach, ihre Nippel zwischen die Finger zu nehmen. Und ich denke, sie glaubt mir auch. Vorsichtig nahm er eine ihrer Brustwarzen in den Mund und bearbeitete sie sanft mit den Zähnen. Aber sie weiß nicht, wie ich und auch Belle erlöst werden könnten. Der Graf sah zu der Schatulle und dachte an den reinen Geist, der in der Phiole schlief. Sie weiß nicht einmal, dass Belle noch existiert.

Obwohl er es eigentlich war, der sie verwöhnte, fühlte André sich plötzlich abgelenkt. Er lag auf Michiko und spürte das glatte und überaus betörende Leder ihres Anzugs auf seiner Haut. Der Graf wiegte sich leicht in der Hüfte und rieb seinen Schwanz an dieser weichen, fast lebendig wirkenden Hülle. Sein schwerer Atem ging synchron zu Michikos wildem Keuchen.

Dann musst du es ihr sagen, forderte Michiko und warf dabei den Kopf hin und her, während er ihre Brustwarze mit den Zähnen bearbeitete. Und zwar bald – weil nicht mehr viel Zeit bleibt!

André verstand diesen Drang zur Eile, es machte ihn aber auch wütend. Voller Grobheit zwirbelte er Michikos Nippel zwischen seinen Fingern und brachte seinen Zorn so in eine sinnvolle Bahn. Er würde jetzt auf keinen Fall an Isidora denken. Und auch die Tatsache, dass sie sich vielleicht in unmittelbarer Nähe aufhielt und sein Erwachen bereits entdeckt haben könnte, wollte er nicht an sich heranlassen. Das konnte er auch später mit Michiko besprechen. Später, wenn sie sich nicht mehr unter ihm wand und versuchte, ihren Venushügel an seinem Unterleib zu reiben.

Der Graf erhob sich etwas, glitt über Michikos Körper und rieb seinen Schwanz dabei an ihrem in Leder verpackten Schenkel. Gleichzeitig versiegelte er ihren geöffneten Mund mit einem Kuss. Als er den Reißverschluss ihres Einteilers ein wenig weiter öffnete, entdeckte der erregte Mann, dass dieser bequemerweise zwischen ihre Beine, hoch zur Pofalte und weiter bis zu ihrer Taille führte. Als Michiko gehorsam ihren Unterkörper vom Bett erhob, riss er den Verschluss so weit auf, dass mit einem Mal ihr gesamter Schambereich nackt vor ihm lag. Er sah die geschwollenen Lippen und das seidige Haar, das noch viel schwärzer als das Leder war.

Wirst du mir helfen?, fragte er seine Freundin, während er weiter an dem Verschluss zog, um auch an die geschmeidigen Kurven ihres Hinterteils zu kommen. Ich habe alles, was wir brauchen. Wir müssen das Elixier nur noch zusammenbrauen.

Natürlich, pflichtete sie ihm bei und wackelte wie wild mit dem Po, der nach Aufmerksamkeit verlangte. Ich stehe zu Euren Diensten, Mylord, teilte ihre innere Stimme ihm ruhig mit, als sie endlich seine Finger fand und sich ihnen entgegenwarf. André war jetzt beinahe gezwungen, den pochenden Eingang zu ihrem Anus zu verwöhnen.

Und ich stehe auf ewig in Eurer Schuld, meine treue Freundin, erwiderte der Graf und fing an, Michiko dort zu streicheln, wo sie es nun am dringendsten brauchte. Als er das kleine Loch rieb, dankte sie es ihm mit einer befriedigend wilden Reaktion. Michikos Beine begannen zu strampeln, und ihr Körper zitterte. Sie spreizte die Schenkel weit auseinander und warf André mit ihrem Zappeln und Aufbäumen fast um. Dann griff sie hinter ihren Rücken, packte ihre Pobacken und öffnete sich für ihn. Michiko gab ihm eindeutig zu verstehen, dass sie sich nichts sehnlicher wünschte, als dass er endlich in ihre dunkelste Körperöffnung eindrang.

«Ah!», brüllte die exotische Frau laut, als er endlich einen Finger in sie hineinschob. «Amida», murmelte sie, als André seinen Mittelfinger benutzte, um sie in den Arsch zu ficken. Michikos Arme versteiften sich über ihrem Kopf.

Am liebsten hätte sie sich in die Nippel gekniffen oder ihren Kitzler gerieben, doch sie genoss die Qual, sich diesen Genuss zu verwehren. Natürlich hätte auch André sie dort berühren können. Er hätte sie auch zwischen den Beinen geleckt. Doch der Graf wusste, dass sie das nur von ihrem Hauptziel abbringen würde – ihrem Wunsch, allein durch anale Stimulation einen Orgasmus zu erlangen.

«Mylord! Mylord!», grunzte sie, als er seine Position wechselte, seine Finger dabei aber tief in ihrer Öffnung stecken ließ. Auf den Knien sitzend, drückte er ihre Schenkel zurück, sodass sie gegen ihre Brüste pressten. Dann griff er nach einem Kissen, legte es unter ihren Rücken und hob ihren geschändeten Po damit noch weiter an.

Was für ein Anblick sie doch war, seine verrenkte Lotusblüte. Ihr Körper war fast gefaltet, und ihr Hintern stach wie ein offener, honigsüßer Pfirsich aus ihrem schwarzen Lederanzug hervor. Er drehte den Finger in ihrem Loch, was sie mit einem tiefen Kollerlaut quittierte. Die höchst empfindlichen Muskeln ihres Hinterteils zuckten wie verrückt, und der enge Ring um seine Finger schloss sich wie eine Schraubzwinge um den ersehnten Eindringling.

«Erinnerst du dich noch an den Jadephallus, Michiko?», flüsterte er und beugte sich über sie, um das Eindringen in ihre verborgene Bernsteinrose genauer zu betrachten. «Wir haben in Paris damit gespielt. Ich musste daran lutschen, bevor du ihn mir reingeschoben hast.»

«Ja, Mylord», sagte sie leise und immer noch zitternd.

«Den hätte ich jetzt gern, um ihn dir einzuführen. Genau dort, wo der da steckt.» Er wackelte mit dem Finger in ihr, als wollte er seine Worte so noch unterstreichen. Michiko blieb beinahe das Herz stehen. «Er war sehr groß, Michiko. Selbst für mich.» Er hielt kurz inne, um den Eindringling ein kleines Stückchen herauszuziehen und sanft über ihren

Schließmuskel zu streichen. «Das war unangenehm. Sehr unangenehm. Es tat mir weh, aber du hast ihn mir reingeschoben. Tiefer und tiefer.» Mit diesen Worten fing auch André an, seinen Finger wieder in ihrem Innersten zu versenken. «Mein Bauch und meine Eingeweide waren in totalem Aufruhr. Es gab Gegenwehr, Protest – aber du warst unnachgiebig. Du wolltest dich nicht davon abbringen lassen.» Sein Finger glitt in sie hinein. Erst ein Gelenk, dann zwei, so tief es ging. «Du hast damals fast die gesamte Länge in mir versenkt.»

Jetzt begann er, sie richtig zu stoßen. Langsam und gleichmäßig benutzte er seinen Finger als Miniaturpenis, um sie in den Arsch zu ficken. Michikos bestiefelte Füße strampelten in gefährlicher Nähe zu seinem Gesicht, doch diese Gefahr erhöhte sein Vergnügen nur noch. Sie grölte jetzt geradezu, kreischte etwas in ihrer Muttersprache und ließ die orientalische Zurückhaltung vollkommen hinter sich. Für eine Japanerin bedeutete Schreien und Kreischen einen enormen Gesichtsverlust.

«Du hast mich damit gefickt! So!» Er rammte seinen Finger wie einen Kolben in sie und genoss den Anblick und die Art, wie ihre Muskeln ihn umschlossen. Einen Moment lang zog André noch in Erwägung, seinen Finger herauszuziehen und durch seinen Schwanz zu ersetzen, doch er wusste, dass ihm noch etwas anderes bevorstand – etwas durchaus Beängstigendes. Also konzentrierte er sich ganz darauf, Michiko zu verwöhnen.

Es dauerte für beide nicht lange, bis das Ziel erreicht war. Michiko stieß irgendwann einen weicheren, seltsam friedlichen Schrei aus, und jede Sehne ihres wunderschönen Körpers spannte sich an. Ihre gesamte Möse war in Bewegung, zuckte und zitterte. André war hin und her gerissen zwischen dem Anblick dieses exotischen Pulsierens, das durch ihre Organe übertragen wurde, und dem plötzlich so ruhigen Ausdruck auf ihrem Gesicht. Michiko schien durch die Macht ihres Höhepunktes wie verwandelt zu sein – als hätte sie ein Reich jenseits seiner Vorstellungskraft betreten. Einen Ort der Ruhe und des Friedens, an dem er sich selbst gern befinden würde. Einen Himmel, den er mit Arabelle teilen konnte …

In der Realität lösten sie sich voneinander, und Michiko sah ihn mit ihren klaren dunklen Augen an. Dann rollte sie sich zur Seite und zog ihre Sachen ganz aus. Nackt und schön holte sie ein parfümiertes Tuch hervor und reinigte sie beide damit. Dann kniete sie sich in Meditationshaltung auf das Bett. André beobachtete, wie die Japanerin einige unverständliche Verse vor sich hin murmelte. Dabei fiel ihm erneut ihre ungewohnte Haarfarbe auf. Eigentlich hätte er auch meditieren und sich vorbereiten sollen, aber er konnte diese ausgefallene Veränderung nicht ignorieren. Es gefiel ihm durchaus. Der Glanz ihrer kurzen, stumpfgeschnittenen Frisur passte zu der Lebendigkeit ihres Wesens. Außerdem war damit die einzige Äußerlichkeit verschwunden, die ihn immer irritiert hatte: Mit langen schwarzen Haaren verband er unschöne Assoziationen. Sie erinnerten ihn an Isidora und all das Böse, was sie ihm angetan hatte.

«Denkt nicht an sie, Mylord», sagte Michiko, und ihre Aura begann von der spontanen Welle der Hingabe noch stärker zu leuchten. «Die Dame, die Ihr liebt, erwacht gerade.» Sie fasste sich mit einer ihrer schlanken Hände an den Busen. «Ich spüre sie hier. Sie spricht zu mir, André.» Ihr Gesicht wurde von einem undurchschaubaren Lächeln überzogen. «Und gleich wird sie durch mich zu Euch sprechen.» Das Paar schaute hinüber zu der Rosenholzschatulle und dem mittlerweile etwas intensiveren blauen Nimbus.

André zitterte. Es war lange her, seit dieses Phänomen

das letzte Mal aufgetreten war. Doch auch wenn er sich danach sehnte, blieb seine Freude zwiespältig. Die kostbaren Momente waren immer schon vorbei gewesen, bevor er sie hatte wertschätzen können. Sie machten ihn stets noch einsamer und ließen ihn Belle noch mehr vermissen.

Und doch wollte er sich die Chance auf keinen Fall entgehen lassen.

Michiko stand währenddessen auf, ging zu Arabelles Kästchen und hob es voller Ehrfurcht hoch. Mit ruhigem Gesicht, aber leuchtenden, fast schwarzen Augen hielt sie die mit Schnitzereien verzierte Schatulle vor ihre nackten Brüste und wiegte sie sacht hin und her. André glaubte, dass sie auf irgendeine Weise bereits mit seiner Geliebten kommunizierte und die beiden einen intimen weiblichen Austausch vollzogen, in den sie ihn niemals einweihen würden – selbst wenn Arabelle mit im Raum gestanden hätte. Er musste lächeln, als er einen Hauch von Eifersucht in sich aufsteigen spürte.

Nach einem kurzen Moment drehte Michiko sich um und brachte das Kästchen zum Bett. Nachdem sie die Tagesdecke glatt gestrichen hatte, stellte sie die Schatulle vorsichtig ab und holte dann ein langes Seidenband aus einer Schublade des Sekretärs. Mit einem kurzen Blick auf den Grafen hob sie den Deckel des Kästchens an und wartete auf ein Zeichen, die Phiole zu entnehmen.

André nickte. Sein Herz raste, und er schluckte nervös, als Michiko den Kristallflakon entnahm und das unirdische blaue Licht – die einzigen Überreste der Frau, die er mehr als sein eigenes Leben liebte – langsam tanzende Schatten auf ihre Körper warf.

André?, fragte Arabelle, die klare, körperlose Stimme voller Freude. Hab keine Angst … Michiko hat mir von den Hoffnungen berichtet, die du hegst. Vielleicht werden wir beide schon bald für immer zusammen sein können ... Und wenn nicht, dann lass uns neuen Mut durch das schöpfen, was wir jetzt erleben ...

Sie war immer so ruhig, so geduldig. Manchmal fühlte er sich schwach und unfähig, weil er seine weitaus geringeren Qualen nicht mit derselben Friedfertigkeit hinnehmen konnte. Gleichzeitig war ihre Gelassenheit auch ein Trost. Er erinnerte sich noch gut an die erste Zeit mit ihr, an die Anflüge von beinahe kindlicher Unbedarftheit. André war dankbar, dass sie jetzt so gereift und weise war. Er betrachtete es als ein Wunder, wie sie ihr Schicksal erduldete. Arabelle war körperlich nie gealtert und eigentlich nicht mehr als ein junges Mädchen. Dasselbe bezaubernde, unschuldige Mädchen, in das er sich vor über zwei Jahrhunderten verliebt hatte.

Michiko legte die flackernde Phiole auf das Bett und schlang dann in einem komplizierten Muster das Seidenband um Handgelenk und Arm. Dabei ließ sie ein Ende lose herunterhängen. Die Japanerin nickte in Richtung des Gefäßes. André schraubte mit ungeschickten, zitternden Fingern den Glasdeckel auf und steckte das Ende des Bandes vorsichtig in die Öffnung.

«Großer Amida», stimmte Michiko mit leiser Stimme an, «geleite den Kami der Dame Arabelle in die Schale deiner bescheidenen Dienerin.» Sie legte ihren freien Arm um den Körper, formte mit den Fingern ein magisches Symbol und drückte sie auf ihre Haut. Dabei murmelte sie mit tiefer Stimme japanische Zauberformeln. Dann legte sie mit fest geschlossenen Augen den Kopf zurück, und ihre Lippen teilten sich, um ein winziges Keuchen auszustoßen.

André beobachtete voller Anspannung, wie Michikos Atem immer schneller wurde und sich auf ihrer plötzlich umwölkten Stirn winzige Schweißperlen bildeten. Dann wandte er seine Aufmerksamkeit wieder der Phiole und dem Band zu.

Ganz langsam begann das blaue Leuchten Arabelles an dem makellosen weißen Band emporzuklettern. Michiko hatte durch reine Willenskraft ihren eigenen Geist – ihren Kami – in ein Nirwana verbannt, und Arabelles Geist drang durch ihre Poren in den verlassenen Körper.

Als das Leuchten die Phiole verlassen hatte und über das Band zu Michiko floss, konnte André den Anblick nicht länger ertragen. Diese temporäre Verschmelzung war unberechenbar und gelang manchmal auch gar nicht. Der Graf lehnte sich zurück und schloss hoffnungsvoll die Augen. Sollte der Prozess erfolgreich sein, würde er sie erst wieder öffnen, wenn alles vorbei wäre.

«André, mein Geliebter», flüsterte eine altbekannte Stimme in sein Ohr, während sich ein schlanker weiblicher Körper neben ihn legte.

«Belle! Oh Belle!», keuchte er, zog sie in seine Arme und küsste sie inbrünstig. Seine Augenlider waren noch immer fest geschlossen, und er sah die Frau, die er da umarmte, nur vor seinem inneren Auge. Jedes Detail ihres lieblichen Gesichts war ihm heilig.

Arabelle erwiderte seinen Kuss mit einer stillen, neuentfachten Leidenschaft, die ihn zutiefst beglückte. Ohne jede Scham drückte er ihren Körper fest an sich. Obwohl Michiko, das Gefäß für Arabelle, völlig nackt war, schien er den Stoff ihres Gewands zu spüren. Sie war – genau wie schon bei den vorhergehenden dieser übersinnlichen Begegnungen – in dem Kleid zu ihm gekommen, in dem er sie das letzte Mal gesehen hatte. Ein weiches, elegantes Kleid aus blassblauem, faserigem Musselin, das am Kragen und der Taille von feinen blauen Bändern zusammengehalten wurde. Das Oberteil war nach der Mode der damaligen Zeit tief ausgeschnitten.

André überkam eine kühne, fast schmerzvolle Erinnerung, wie sie ihm erlaubt hatte, seine Hand unter den Stoff zu schieben und ihre Brüste zu berühren. Er stöhnte, als er an die pochende Erhabenheit ihrer Nippel dachte.

Doch nicht nur Arabelles schöne Kleidung bescherte ihm eine greifbare Erinnerung, er meinte auch die schwere Mähne ihrer seidig roten Locken zu spüren. Als frisches junges Mädchen, das noch nicht ganz dem Diktat der Mode unterworfen war, hatte sie ihr Haar meist offen und nur leicht gelockt getragen. Seine glänzende Dichte war für Auge und Hand stets ein Vergnügen gewesen. Er hatte seinerzeit für ein tiefes Erröten seiner Geliebten gesorgt, als er ihr beschrieb, wie sie ihn mit ihrem Haar streicheln und ihre üppigen Satinlocken über seinen Schwanz gleiten lassen würde, wenn sie einst Mann und Frau sein würden. Sie hatte gelacht und ihm gesagt, was er doch für ein Verführer wäre, sie mit solch einem ausgefallenen Vorschlag zu verderben. Doch später, als er sie anfasste und sie vor Lust schluchzte, versprach Arabelle, dass sie ihm seinen Wunsch eines Tages erfüllen würde.

Jetzt ist es zu spät dafür, dachte er und spürte Wehmut in sich aufsteigen, als ihre süßen, festen Lippen sich seinem Mund öffneten. Es gab Grenzen, wie weit die Illusion reichte.

«Sei nicht traurig, André», wisperte Belle, als hätte sie oder Michiko seine Gedanken gespürt. «Ich will dich jetzt lieben.» Ihre ruhige, aber dennoch lebhafte Stimme war voller Humor. «Du wirst überrascht sein, wie viel die liebe Michiko mir beigebracht hat.»

Seine Brust wurde von zärtlichen Fingern verwöhnt, die sich weit spreizten, um so viel wie möglich von seiner Haut zu streicheln, sich dann aber wieder schlossen, um vorsichtig in seine Brustwarzen zu kneifen.

Das Gefühl war so intensiv, dass André seinen Kopf auf dem Kissen mit kehligen Lauten hin und her warf und sich aufbäumte. Die kleinen Berührungen konnten ihn nur so sehr erregen, weil er sie liebte.

Arabelle lachte. Es war genau der heisere, freche Ton, der ihm verriet, dass sie noch ein paar weitere lüsterne Schliche kannte. Sie presste ihren schlanken Schenkel zwischen seine Beine und massierte seinen steifen Schwanz mit dem rauen Stoff ihres Kleides. Dabei kniff sie im selben unnachgiebigen Rhythmus immer wieder in seine Nippel.

«Mylady, seid etwas vorsichtiger», keuchte er, zog sie noch enger an sich und schlang sein Bein um den Schenkel, der ihn rieb. «Sonst werde ich noch Euer schönes Kleid beschmutzen.»

«Was interessiert mich mein Kleid?!», erwiderte sie und setzte ihre zitternden Bewegungen fort. Arabelles Lippen öffneten sich wie Rosenblätter an seinem Hals.

«Kleines Biest», flüsterte er und gebot ihren kreisenden Zuckungen Einhalt, indem er sie bei den Pobacken packte. Wie fest und rund sie sich doch unter seinen Händen anfühlten. Schiere Vollkommenheit! Andrés Griff wurde noch fester. Plötzlich drehte er den Spieß um und presste ihr kaum bedecktes Geschlecht auf seine Hüfte.

Es dauerte nicht lange, und Belle wurde von einer sinnlichen Schwere erfasst, die ihren Körper so biegsam wie Gummi werden ließ. Ihre Arme legten sich um ihn, und er spürte ihren kühlen, lieblichen Atem an seinem Hals. «Oh André», hauchte sie. Dass er ihr großes Vergnügen bereitete, war nicht nur an der Geschmeidigkeit ihres Körpers abzulesen, sondern auch durch die unverstellte Botschaft, die sie ihm aus den Tiefen ihrer Seele sandte. Arabelles gesamtes ätherisches Wesen war voller Liebe und Staunen. Eine Flutwelle der Gefühle, die ihn in Ehrfurcht verstummen ließ. Er würde alles tun und jedes Risiko eingehen, um sie glücklich zu machen – ungeachtet jedweder Gefahr, die er dafür auf sich nehmen müsste.

Doch schon einen Moment später vergaß André alle Gefahren, alle moralischen Überlegungen, die ihn plagten, und auch dass die beiden nur eine verschwindend kleine Chance hatten. Arabelle zog ihren rechten Arm zurück und ließ die Finger über seinen Bauch wandern. Ihre Berührungen waren leicht und sanft wie die einer mythischen Fee. Irgendwann landeten ihre Fingerspitzen an der Wurzel seines Schafts, den sie durch das weiche Schamhaar hindurch spürte.

Der Graf presste sich an sie und drückte seine harte Erektion gegen den aufgebauschten Stoff ihres Gewands. Arabelles Lippen küssten zärtliche Ermutigungen flüsternd seinen Hals, während ihre Finger um seinen Riemen fuhren und ihn mit genau dem Druck bearbeiteten, nach dem er sich so sehr gesehnt hatte.

«Mein Liebling! Mein Liebling!», sang er, als ihr fester Griff zu einem Reiben wurde. Rauf und runter, rauf und runter schob sie die bewegliche Haut über seinem eisenharten Kern. Seine jungfräuliche Geliebte zeigte Hurenqualitäten beim Bearbeiten seines Knüppels – sie zog, sie pumpte, sie umschloss ihn neckend und reizte seinen Schwanz, bis er es kaum länger aushielt.

«Oh Gott, hilf mir!», schrie er heiser, als sein Schwanz zu zucken begann und sein Rückgrat schmolz, um schließlich in Flammen aufzugehen. André brach jetzt vollends zusammen. Er drückte seine Geliebte ein letztes Mal fest an sich, denn er wusste, dass sie sich noch während seines Höhepunktes wieder von ihm entfernte.

«Oh Belle ...», flüsterte er, während ihre Essenz wie das flackernde Licht einer Kerze zitterte und flatterte. Das Wesen, das er da in den Armen hielt, wand und quälte sich. Michiko kehrte zurück, griff nach der Kristallphiole neben sich und führte die immaterielle Freundin in die Sicherheit ihrer Behausung zurück.

«Es tut mir sehr leid, Mylord», sagte sie und schluchzte dabei wie ein Baby.

Er und Arabelle waren sich so nah gewesen, doch unter diesen Bedingungen konnten ihre Freuden immer nur flüchtig sein. Michiko war eine begabte Zauberin voller Mitgefühl und Macht, die ihre mentalen Fähigkeiten für kurze Zeit einsetzen konnte, um als Gefäß zu dienen. Im Grunde aber waren sie und Arabelle zu verschieden, und Michiko konnte selbst unter größten Anstrengungen nicht das geben, was das Paar brauchte.

Als er sich in die jasmingeschwängerte Umarmung seiner Freundin flüchtete, musste er wieder an die andere Frau in seinem Haus denken.

Belinda Seward. Sie war seiner Geliebten ähnlich wie keine andere und konnte – wenn sie wollte und mutig genug war – Belles Essenz durch das erotische Ritual der Erlösung zu neuem Leben verhelfen.

Aber würde sie ihm helfen?, fragte sich der Graf. Seine Hand fuhr instinktiv über Michikos seidige Haut. Wäre Belinda bereit, ihr Leben für zwei Menschen zu riskieren, die sie kaum kannte?

Ihr könnt sie nur fragen, erklärte seine japanische Geliebte voller Klarheit und Durchsetzungsvermögen in seinem Geist. «Und Ihr müsst sie fragen», ergänzte sie wie zur Bestärkung, indem sie die Worte über ihre vollendeten roten Lippen brachte. «Ihr müsst sie bald fragen, bevor es zu spät ist. Wir wissen beide, dass diese Tür nur für kurze Zeit offen sein wird.»

Sie hatte recht. Es war nur eine Frage der Zeit, bis seine

Wiederbelebung entdeckt werden und die nie enden wollende Jagd von neuem beginnen würde. «Es ist wahr, liebe Freundin. Wie immer.» Der Graf berührte erneut Michikos leuchtendes Haar und erinnerte sich an lange schwarze Locken, über die er unglückseligerweise einst gestrichen hatte. Haar, das nicht zu seiner treuen japanischen Verbündeten gehörte.

An diesem Abend sprach keiner der beiden über die Gefahr, die auf sie lauerte.

Kapitel 13

Gefahren und Freuden

«Erzähl mir von Arabelle», verlangte Belinda von ihrer attraktiven neuen Bekannten. «Wie kann sie so leben? So ohne Körper?»

Sie und Michiko schlenderten nach dem Essen durch den Park, und obwohl der Abend warm war, ließ das Gespräch Belinda erschauern. Michiko hatte ihr all die Dinge verraten, die André ihr nicht erzählen konnte. «Und du sagtest, es würden Gefahren lauern. Was für Gefahren? Für wen? Für André? Für Arabelle? Für mich?»

Jetzt, wo sie sein Geheimnis kannte, konnte Belinda die seltsame Zurückhaltung ihres Gastgebers besser verstehen. André brauchte sie, um zu entkommen. Nur sie konnte ihm dazu verhelfen, ein Leben hinter sich zu lassen, das die Hölle für ihn war. Und nur mit ihrer Hilfe würde er seine Geliebte mit sich nehmen können.

«Eins nach dem anderen», sagte die wunderschöne Japanerin mit sanfter Stimme und hakte sich bei Belinda unter. Die Haut der fremden Frau war ebenso kühl wie die von André – ein sicheres Zeichen, dass es sich nicht um einen normalen Menschen handelte. «Arabelle ist ein untoter Geist. Nachdem die schwarze Hexe Isidora sie betäubt hatte, wurde ihr die Lebenskraft mittels eines magischen Seidenfadens entzogen und in die Kristallphiole gesperrt.» Die Frau mit den orangefarbenen Haaren sprach in einem so ruhigen und vernünftigen Ton, als wäre das eine völlig normale Vorgehensweise. «Und als sie erst mal in dem Gefäß gefangen war, vernichtete Isidora ihren Körper, damit sie nie wieder zu ihm zurückkehren konnte.» Michiko hielt kurz inne und drehte sich mit vor Zorn blitzenden Augen zu Belinda um. «Ihr wunderschöner Körper verbrannte zu Knochen ... zu Asche und Staub. Und das nur, damit dieses schreckliche Wesen seinen teuflischen Gelüsten nachgehen und André für immer für sich behalten konnte.»

«Aber André hat mir erzählt, dass er eigentlich gar nicht unsterblich sei, sondern nur ... ein besonders langes Leben hätte?»

Michiko ließ Belindas Arm los und packte sie fest bei den Schultern. Die Augen der Japanerin glänzten wie Onyxsteine. «Der Zauberspruch wurde nie vollständig ausgesprochen. Das ist der andere Grund, weshalb Isidora ihn noch verfolgt.» Starke Daumen drückten sich in Belindas nackte Oberarme. «Sie hat eine Verbindung zu André hergestellt, hat ihre Schicksale miteinander verwoben. Wenn er sein Ziel erreicht – das heißt, wenn er stirbt –, kann auch Isidora nicht länger leben.»

«Ich verstehe», sagte Belinda, durchschaute die ganze Sache aber eigentlich überhaupt nicht.

«Ein bisschen verstehst du vielleicht», konterte Michiko, aber das Lächeln ließ ihr wildes Samuraigesicht gleich etwas liebenswerter erscheinen.

Belinda konnte nichts sagen. Michikos sporadische Freundlichkeit war weitaus anziehender als ihre kühle Dominanz. Diese Sanftheit sprach etwas in Belinda an, was noch ganz neu und unklar war. Sie fand die Japanerin faszinierend, ein wenig beängstigend und umwerfend schön. Nach allem, was man ihr in der letzten Stunde offenbart hatte, kam es ihr merkwürdig vor, wieder so etwas wie Sehnsucht zu empfinden. Doch sie verspürte das starke Bedürfnis, die neue Freundin zu berühren. Belinda wollte das vertiefen, was sie von Feltris und Elisa gelernt hatte.

Plötzlich merkte die junge Frau, dass Michiko sie aufmerksam und mit einem neuen Blick in den dunklen Mandelaugen beobachtete.

«Hast du irgendwelche Fragen?», erkundigte sie sich und legte ihren auffällig frisierten Kopf zur Seite. Fragen über mich, meine Kleine?, schien sie hinzufügen. Die Worte waren zwar zu verstehen, doch Michikos Lippen hatten sich nicht bewegt. Das verwirrte Belinda vollends.

Kannst du meine Gedanken lesen?, dachte Belinda und konzentrierte sich so sehr auf diesen Satz, dass die Muskeln ihres Gesichts sich schmerzhaft zusammenzogen.

«Ja, allerdings», antwortete Michiko mit noch breiterem Lächeln. «Aber ich kann auch damit aufhören, wenn es dich stört.» Der Griff um Belindas bloßen Arm lockerte sich etwas und wurde ein wenig weicher.

Die Japanerin hatte etwas an sich, was Belinda herausforderte, sich auf diese mentale Kommunikation einzulassen. Doch sie war noch immer zu ängstlich, sich dieser Herausforderung zu stellen. Michiko war mächtig und angsteinflößend. Sie löste bei Belinda ein eigenartiges Gefühl aus, das vage an ein Kind erinnerte, das sich vor einem strengen, allmächtigen Lehrer duckt – aber dann auch wieder ganz anders. Es war Angst, es war Ehrfurcht, und es war Erregung. Eine körperliche Erregung, die durch und durch sexuell war. Dieses Gefühl – das Bedürfnis zu gehorchen und beherrscht zu werden – hatte sie teilweise auch bei André empfunden. Doch seine gespenstische Aura hatte den Effekt auf sie gemildert.

«Ich …», setzte Belinda an, stockte dann aber. Michikos Blicke und Berührungen lösten eine gewisse Schwäche in ihr aus. Ihre Knie gaben etwas nach, und sie schwankte in der Umarmung der Japanerin. Aber ihr Körper meldete sich noch auf andere Weise – ihre Nippel waren hart wie Kirschkerne unter dem dünnen, schräg geschnittenen Kleid, das man ihr gegeben hatte. Belinda nahm an, dass es sich eigentlich um ein Nachthemd aus den dreißiger Jahren handelte und nicht um ein richtiges Kleid. Langsam kroch ihr eine verräterische Röte über Brust und Hals.

«Stell deine Fragen nur, Belinda», forderte Michiko sie freundlich und ohne jede Aggression auf. «Ich habe nichts vor dir zu verbergen.» Die Telepathie schien sie für einen Moment vergessen zu haben.

«Bist ... bist du wie André?», fragte die junge Frau. Ihr Kleid war überaus freizügig. Der Satinstoff in gebrochenem Weiß wirkte wie eine zähe Flüssigkeit, die man über ihre Kurven gegossen hatte. Auch das Fehlen jeglicher Unterwäsche trug dazu bei, dass Belinda sich sehr schutzlos vorkam. Michiko war im Gegensatz dazu in Leder gehüllt, das ihre Überlegenheit nur noch betonte. Sie trug enge Hosen und eine Weste aus dunkelgrauem Kalbsleder. Dazu weiche, glatte Stiefel im selben Farbton. Um ihren Hals baumelte an einem weißen Band ein Anhänger aus gebürstetem Stahl, der die Form eines unbekannten Schriftzeichens hatte.

«In gewisser Weise schon», beantwortete die Japanerin Belindas Frage. «Nur dass meine Langlebigkeit eine andere Quelle hat.» Sie schaute nachdenklich, aber auch amüsiert. «Ein Handel mit gewissen Gottheiten. Eine Wendung der Gesetze der Wiedergeburt, könnte man sagen. Es ist mir erlaubt, denselben Körper zu behalten, und meine Jugend bewahre ich mir durch den Glauben.»

«Also nicht durch Sex», entfuhr es Belinda ohne groß nachzudenken.

Michiko lachte laut auf. Um ihre schmalen Augen bildeten sich Lachfältchen, und sie küsste die Engländerin direkt auf die Lippen.

«Nein, nicht durch Sex!», erwiderte sie nach einem Moment. «Ich habe zwar durchaus Spaß daran, brauche ihn aber nicht zum Überleben.»

«Ach», sagte Belinda und fühlte sich seltsam niedergeschlagen. Sie leckte mit der Zunge über den Abdruck, den Michikos Lippen hinterlassen hatten.

«Bist du enttäuscht?», erkundigte sich die Japanerin, löste ihren Griff etwas und legte dann einen Arm um Belindas Taille, während sie weitergingen. Wie zwei Verliebte, die einen Spaziergang machten – unterwegs an einen geheimen Ort. «Hattest du gehofft, dass ich auf der verzweifelten Suche nach sexueller Stimulation bin und du mein nächstes Opfer wärst?»

Unheimlicherweise war genau das Belindas Gedanke gewesen, und die Worte machten ihre verworrenen Begierden greifbar. Seit sie Andrés japanische Freundin zum ersten Mal auf einen Drink in der Bibliothek getroffen hatte, fragte die junge Frau sich, wie wohl der Körper unter dem Leder aussah. Sie wollte ihn entdecken, liebkosen und sich im Gegenzug ganz Michiko hingeben.

Liest du immer noch meine Gedanken?, fragte sie stumm.

Du hast es mir noch nicht verboten, kam die Antwort, die sie nur in ihrem Kopf hörte.

«Dann weißt du ja, wie ich empfinde», sagte Belinda und schluckte. Sie wusste genau, dass sowohl Hals als auch Gesicht mittlerweile dunkelrot waren.

Michiko nickte. «Komm mit. Ich kenne einen idealen Ort.»

Es ist zu spät, dachte Belinda, als ihre neue Freundin sie durch den überwucherten Rosengarten mit seinem betäubenden Duft der Nachtblüher führte. Es ging in Richtung des Gebäudes, das sie erst vorhin überhaupt bemerkt hatte: die fast eingestürzte Kapelle mit ihrer verfallenen Fassade.

Als sie vor dem Portal standen und Michiko die schwere Tür mit ihren rostigen Scharnieren öffnete, wurde Belinda von einer Flut mentaler Bilder überschwemmt, der sie keinen Einhalt gebieten konnte. Sie – von Elisa und Feltris befummelt. Sie – von André entblößt und untersucht. Den nackten Hintern auf der Terrasse in die Nachtluft gestreckt. Enttäuscht, dass er ihr nicht den Po versohlte. Sie, mit erhobenem Hintern kniend, während eine unbekannte Figur bedrohlich hinter ihr stand. Belinda spürte, wie ihre Phantasie zu einem realen Bild wurde. Sie war wie eine moderne Alice im Wunderland zwischen die Seiten eines Buches gerutscht, in dem sie eine unterwürfige Frau war, die gleich Schläge bekommen sollte. Das Bild wurde immer deutlicher und detaillierter. Der Schatten hinter ihr hob die Hand und stand kurz davor, ihr fest und mit stechender Härte auf den Hintern zu hauen. Als die Person nach vorne trat, sah Belinda in ein paar wohlbekannte Mandelaugen …

Während sie erschrocken aufkeuchte, öffnete Michiko die Tür zur Kapelle und wirbelte dann herum. Das Lächeln der Japanerin war so wissend, dass Belinda sofort die Herkunft ihrs letzten Phantasiebildes erkannte.

«Eine Lieblingsvorstellung von mir», erklärte Michiko mit sanfter Stimme. «Ich habe sie dir in den Kopf gesetzt, als wir uns zum ersten Mal sahen.» Ihre Augen verengten sich zu zwei winzig schmalen Schlitzen. Belinda folgte der Frau in die Kapelle und beobachtete dabei, wie sich ihr jungenhafter Po hin und her wiegte.

Die dramatische Wirkung des Innenraums erlaubte es der aufgeregten Frau, ihre Angst für einen Moment zu vergessen.

Das Dach der Kapelle musste irgendwann vollständig entfernt worden sein, aber Trümmer oder Bauschutt waren beseitigt worden. Man konnte von dem kleinen Gebäude aus also in den Himmel zum Mond aufschauen, der von kleinen, glitzernden Sternen umgeben war. Belinda kannte sich mit sakraler Architektur nicht sonderlich gut aus, aber sie konnte Kirchenbänke sehen und etwas, das sie für einen Altarraum hielt. Von einem Altar oder einem Kruzifix allerdings war nichts zu sehen. Die Mächte der Natur hatten offenbar keinen Respekt vor dem geweihten Grund, denn im Inneren der Kapelle wuchsen Unkraut und Wildblumen. Sie waren durch die Furchen des schlammähnlichen Bodens gewachsen. Irgendwann musste das Gebäude hier einmal überschwemmt gewesen sein. In dem hellen Mondlicht sah das Ganze jedenfalls wunderschön aus.

«Wurde hier …»

Michiko brachte Belinda zum Schweigen, indem sie ihr eine Hand auf den Mund legte. *Nein!*, sprach ihre geistige Stimme streng. *Denk das jetzt nicht. Das ist unsere Nacht! Und darauf allein wollen wir uns konzentrieren!* Sie wischte mit der Hand über Belindas Mund, steckte dann zwei ihrer Finger hinein und berührte die Zunge der Freundin. In einem Reflex, der so alt wie das Leben selbst ist, begann Belinda daran zu saugen.

«Oh ja, meine Kleine», murmelte die Japanerin und führte einen dritten Finger ein, sodass Belindas Mund etwas gedehnt wurde. «Mein kleines Mädchen. Mein versautes kleines Mädchen. Was hast du seit deiner Ankunft hier nur alles getrieben, du böses Kind?»

Eigentlich hätten diese Worte putzig und irgendwie albern klingen müssen – wie die von einem pseudoviktorianischen Kindermädchen in einem mittelmäßigen, schlecht geschriebenen Theaterstück. Doch bei Michiko schwang wahrhaftige Autorität darin mit. Belinda fiel ein, wie Michiko von ihrem Beruf in der realen Welt erzählt hatte. Sie war Schauspielerin, die Hauptfigur einer weltberühmten japanischen Theatertruppe. Und nach ihrer spontanen Vorstellung eben zu urteilen, musste sie überaus begabt sein.

«Tut mir leid», stammelte Belinda, nachdem Michiko die Finger aus ihrem Mund gezogen hatte. Ihre Entgegnung kam ganz automatisch, und sie empfand tatsächlich so etwas wie Reue. Die untergebene Rolle hatte völlig von ihr Besitz ergriffen. Genau wie Michiko ohne jede Mühe das Zepter der Dominanz schwang.

Belinda ließ den Kopf hängen und war nicht mal mehr in der Lage, ihrer japanischen Meisterin in die Augen zu blicken.

«Was tut dir leid?» Belindas Kinn wurde von einer starken Hand umfasst, die ihr Gesicht anhob. «Sieh mich an, Kleine. Trifft dich etwa keine Schuld?» Belinda hob gehorsam den Kopf und blickte in glitzernde Ebenholzaugen. «Solltest du etwa nicht bestraft werden?»

Ein Teil von Belindas Geist blieb der Realität verhaftet und erkannte die Absurdität der entstehenden Dynamik. Schließlich hatte sie wirklich nichts falsch gemacht. Ganz im Gegenteil! Sie war doch nur so lüstern gewesen, um André zu helfen.

Aber etwas anderes in ihr erkannte das Ritual, die Theatralik und das Rollenspiel an. All diese Dinge waren Schlüsselelemente in Michikos Denkweise. Ohne jeden Zweifel sah die Japanerin den Austausch von Schmerz und Macht als eine befriedigende Form der Sexualität an. Ja, vielleicht sogar als die Form, die sie am meisten erfüllte. Michikos Kultiviertheit verlangte danach, das Ganze in einem passenden Rahmen zu erleben. Daher das plötzliche Auftauchen einer «Meisterin» und ihrer «reuigen Sünderin».

Die Blicke der beiden Frauen blieben ungefähr eine halbe Minute aufeinander hängen, in der keine von beiden lächelte oder sonst eine Verbindlichkeit zeigte. Und doch hatte Belinda das Gefühl, als wären sie bereits zu einer Übereinkunft gelangt. Sie sah wieder nach unten und nickte langsam mit dem Kopf.

«Braves Mädchen», lobte Michiko sie sanft und strich mit dem Daumen über die Unterlippe ihrer Gespielin. «Du wirst dich so viel besser fühlen.» Ihre freie Hand fuhr durch Belindas Haar und zerzauste es liebevoll, wie eine Mutter oder eine Schwester es tun würde. Oder vielleicht auch ein Lehrer, der altmodisch und liebenswert streng war.

Die Geste war asexuell, aber Belindas Erwiderung hätte nicht sinnlicher sein können. Sie spürte, wie sie von einer Welle köstlicher Mattigkeit erfasst wurde. Es war wie ein Schmelzen – eine weiche, heiße Schwäche, die sich tief in ihrem Bauch zu sammeln schien. Als befände sie sich in einem Traum innerhalb eines Traums, wo ganz neue Regeln herrschten, die ihre Reaktionen bestimmten. Schon die leiseste Berührung ihres Haars konnte Körper und Geschlecht zum Beben bringen, und der Gedanke an Strafe ließ ihr Herz vor merkwürdig düsterem Verlangen überfließen.

Aber ich mag eigentlich keine Schmerzen, dachte sie, als Michiko sie bei der Hand nahm und über den unebenen Boden der Kapelle führte. Ich hasse Schmerzen. Ich bin ein Baby. Ich heule bei der geringsten Kleinigkeit. Was soll ich nur tun, wenn sie tatsächlich anfängt, mich zu schlagen?

Michiko hielt inne, als sie dort ankamen, wo Belinda den einstigen Altar vermutete. Die Japanerin schien uneins, an welchem Ort sich die beiden ihren Gelüsten hingeben könnten. Zum einen war da eine tiefe Eichenbank mit hoher Rückenlehne, die parallel zum Mittelschiff stand. Dahinter befand sich auch noch ein schwerer Eichentisch mit stabilen Beinen. Mit nickendem Kopf überprüfte Michiko erst die Bank, dann den Tisch und wieder die Bank. Schließlich blickte sie zu Belinda und drückte ihre Hand.

«Beide sind gut», flüsterte die Japanerin, als würde sie ihrer Freundin nicht eins, sondern gleich zwei Geschenke bieten. Michiko zog Belindas zitternde Hand zu ihren dunkelrot bemalten Lippen, küsste sie einmal und drückte sie darauf ermutigend. «Komm mit, meine Liebe. Es wird Zeit, dass wir beginnen.»

Nachdem Michiko Belindas Finger entlassen hatte, ging sie eiligen Schrittes auf die Kirchenbank zu und setzte sich mit männlich gespreizten Beinen hin. Einer ihrer eleganten Finger krümmte sich zu einer Geste, die Belinda wie eine Schlafwandlerin anlockte. Dann zeigte sie auf einen Platz etwa einen Meter neben ihr.

Belinda hastete der Frau nach, stolperte aber auf dem unregelmäßigen Fußboden. Ihr Ausrutscher war kaum merklich, und sie richtete sich auch sofort wieder auf, doch als sie vor ihrer Meisterin stand, wurde sie schon wieder knallrot.

Michiko ließ sie mit einem Blick wissen, dass sie diese Tollpatschigkeit durchaus bemerkt hatte, aber auch bereit war, sie zu verzeihen. Langsam und mit Bedacht legte die Japanerin die linke Hand auf Belindas rechte Hüfte und berührte mit der rechten einen Nippel. Die kleine Knospe war hart und unter dem Satin des Kleides peinlich sichtbar. Als Michiko ihren Finger darauflegte, verstärkte sich das Puckern darin noch.

Belinda biss sich auf die Lippen. Die schöne Frau ließ ihr durch diese winzige Berührung eine codierte Nachricht zukommen. Sie bekam alle Informationen, die sie bezüglich dieser und noch folgender Aktivitäten brauchte. Eine Sekunde lang verspürte die junge Frau das wilde Bedürfnis, ihre Beine in die Hand zu nehmen und wegzulaufen. Doch Michikos Lächeln wirkte wie eine Fessel. Belinda konnte nur noch ein- und ausatmen.

«Das ist aber ein sehr freizügiges Kleid, meine Kleine»,

sagte Michiko und rollte Belindas Brustwarze zwischen Zeigefinger und Daumen. Gleichzeitig drückte ihre andere Hand recht heftig auf die Hüfte der Gefährtin. «Es ist das Kleid einer Hure. Was hast du dir nur dabei gedacht, so etwas anzuziehen?»

«Ich ... ich weiß es nicht», keuchte Belinda. Ihr Nippel tat von dem Kneifen bereits richtig weh. Michikos Hände waren so schmal und elegant, es war kaum zu glauben, dass sie so eine schmerzhafte Kraft in sich hatten. Was sie wohl noch mit mir anstellen könnten?, dachte Belinda panisch. Ohne dass sie es hätte beeinflussen können, begann ihr Becken zu kreisen.

Wieso? Wieso passierte das nur? Sie hatte echte Schmerzen. Das gefiel ihr nicht, aber gleichzeitig spürte sie genau, wie ihre Möse immer weiter anschwoll. Sie tropfte vor Begehrlichkeit, und nicht obwohl sie litt, sondern gerade deswegen. Als Michiko ihre Brust schließlich wie einen großen Spielkegel zur Seite zog, wimmerte sie laut auf.

Die Brustwarze wurde in die Freiheit entlassen, aber der tiefe Schmerz blieb. Michiko hielt sie immer noch an der Hüfte fest, während ihre kriegerische Hand nach unten wanderte, bis sie knapp über Belindas Venushügel schwebte. Dann legte die Japanerin die Finger auf den dünnen Satinslip, sodass der Stoff an ihrem feuchten Schamhaar kleben blieb.

«Das Wäldchen der himmlischen Freuden», intonierte Michiko und drückte den glänzenden Stoff nach innen. Belinda spürte deutlich, wie ihre Schamlippen sich teilten und der blasse Satin von ihren Säften durchnässt wurde. Jetzt befand sich nur noch ein feiner Stoffstreifen zwischen Michikos Finger und ihrer Muschi. Die unterwürfige Frau spürte das Klopfen des Fingers nur einen Hauch von ihrem Kitzler entfernt.

«Zieh das Kleid über die Schultern», forderte Michiko sie kühl auf. «Komm schon, Kleine, schieb die Träger runter.»

Belinda zuckte und gehorchte. Es kam ihr wie das reinste Wunder vor, dass sie ihre Hände überhaupt bewegen und diese einfache Aufgabe erfüllen konnte. Die Situation und Michikos Präsenz machten ihre Gliedmaßen taub. Sie schob die Träger ihres unterrockartigen Kleides über die Schultern, ließ den Stoff dann hinabgleiten und legte so ihre geschwollenen Brüste frei. Es kostete Belinda einige Mühe, die Arme durch die Träger zu ziehen, aber als es ihr gelungen war, saß sie mit nacktem Oberkörper und zerknittertem Satin um die Hüften da.

Michiko sah sie lange und durchdringend an. Ihre Finger blieben dabei völlig regungslos in der recht riskanten Position. Der prüfende Blick der Japanerin fühlte sich wie ein flüssiger Strahl an, der in Zeitlupe durch ihren Körper fuhr. Ihre Nippel wurden noch steifer und schienen fast auf und ab zu springen. Trotz der recht kühlen Abendluft begann sie zu schwitzen und musste sich sofort vorstellen, wie der Schweiß sich in sichtbaren Pfützen unter ihren Armen, unter den Brüsten und in ihrem Schritt sammelte. Ihre Haut war mit winzigen Tropfen übersät, die in einem glitzernden, verräterischen Strom über ihre Hüften rannen.

Plötzlich zog Michiko ihre linke Hand einen Moment lang weg und ließ den Satinwulst über Belindas Hintern gleiten. Dann griff die Japanerin nach der nackten Pobacke und drückte sie fest. Dabei gruben sich ihre Fingerspitzen grob und anzüglich in Belindas Arschritze. Das ganze Gewicht des Kleides hing jetzt an dem einen bohrenden Finger.

Die junge Frau stöhnte leise. Sie wollte unbedingt, dass etwas geschah, hatte gleichzeitig aber auch Angst davor.

Ihre Hüften bewegte sie jetzt nicht mehr. Sie wagte es nicht. Michikos Finger befanden sich in so unmittelbarer Nähe zu ihren empfindlichsten Stellen, dass sie fürchtete, schon die leiseste Berührung würde sie verrückt werden lassen. Und genau danach verzehrte sie sich.

«Oh bitte», flüsterte sie und musste daran denken, wie sie mit André schon eine ähnliche Situation erlebt hatte. Auch er hatte sie in ihrer eigenen Gier fast in den Wahnsinn getrieben.

«Vergiss nicht, worum du bettelst», warnte Michiko und betastete die Muskeln von Belindas Po. «Vergiss nicht, was ich von dir will ...»

«Das ist mir egal», schluchzte Belinda zuckend. Sie spürte den Hauch einer Berührung auf ihrem Kitzler, der ihr einen kurzen, aber köstlichen Höhenflug bescherte. Doch dann wurde die Hand wieder weggezogen, und ihr Kleid rutschte ganz zu Boden. Bis auf die weißen, kniehohen Strümpfe – die einzigen Kleidungsstücke, die man ihr neben den Schuhen zur Verfügung gestellt hatte – war Belinda jetzt splitternackt.

«Mach mit mir, was du willst. Es ist mir egal», wiederholte sie und wackelte unter Michikos Hand mit dem Hintern. «Völlig egal!», rief sie, und ihre Augen füllten sich mit den kindischen Tränen vereitelter Lust.

«Wie du willst», erwiderte Michiko. Ihr Gesicht glich einer Maske, und ihre Augen glühten gefährlich wie schwarze Kometen. Sie ließ Belindas Po los. «Steig aus deinem Kleid heraus und leg dich dann über mein Knie.»

Belinda trat aus dem runden Satinkreis heraus, zögerte dann aber. Sie kam sich ausgesprochen lüstern vor, wie sie nur noch mit Strümpfen bekleidet dastand. Dann trat sie neben die angewinkelten Beine der Japanerin und beugte sich so elegant wie möglich darüber.

Die Stellung war überraschenderweise nicht so einfach zu halten, wie sie sich das vorgestellt hatte. Obwohl Michikos Schenkel muskulös und fest waren, spürte Belinda doch ein alarmierendes Schwindelgefühl in sich aufsteigen. Sie meinte – sowohl im übertragenen Sinn als auch wortwörtlich – zu fallen. Jeden Moment würde sie mit dem Kopf voran von Michikos Schoß und in eine neue, beängstigende Welt rutschen. Als Michikos linke Hand sich stützend auf ihren Rücken legte, war Belinda über alle Maßen erleichtert. Gleichzeitig tätschelte die rechte Hand der Meisterin spielerisch ihre Pobacken.

«Mhm … schön fest», murmelte Michiko. «Elastisch …»

Unmittelbar nach diesen Worten landete der erste Schlag auf ihrem Hintern.

«Oh Gott!», entfuhr es Belinda völlig schockiert.

Es fühlte sich an, als würde ein Holzstück auf ihrem Po niedergehen. Ein hartes Stück Edelholz, das man poliert hatte, um es noch härter zu machen. Nach einem Moment der völligen Taubheit flammte erst ihre rechte und unmittelbar darauf auch ihre linke Pobacke auf.

Michikos Rhythmus war perfekt. Jeder Hieb war so abgepasst, dass den Glutwellen des vorherigen Schlages genug Zeit blieb, um sich auszubreiten. Belinda weinte in kürzester Zeit. Sie konnte gar nicht glauben, wie hart die Schläge sich anfühlten. Welch ein überwältigender Schmerz sich hinter der niedlichen Formulierung «übers Knie legen» doch verbarg.

Kreisend und sich windend fühlte sie, wie die Hitze immer heftiger in den Muskeln ihres Hinterns brannte und langsam auch zu ihrer Möse durchdrang. Irgendwann vermischten sich die unterschiedlichen Empfindungen so sehr, dass Belinda sie kaum noch auseinanderhalten konnte.

Michiko tat ihr jetzt richtig weh und ließ sie weitaus mehr leiden, als sie erwartet hatte. Aber zwischen den Beinen war Belinda feucht. Irgendwie schien ihr Hirn von einem Kurzschluss außer Gefecht gesetzt worden zu sein, denn es schickte die falschen Botschaften an ihre Brüste und ihr Geschlecht. Sie wurde geschlagen, bestraft, traktiert und unsäglich demütigenden Schmerzen ausgesetzt. Aber statt zu verzweifeln, hätte sie jubeln können. Ihr Herz raste vor wilder, herrlicher Lust!

«Oh Michiko», keuchte sie und reckte ihren Hintern dem nächsten Schlag entgegen. Als er auf sie niedergegangen war, rieb sie ihren Schritt am Schenkel ihrer Meisterin. Jeder der festen Hiebe brachte ihren Kitzler zum Zucken und Pulsieren. «Oh Michiko, ich halt es nicht mehr aus», quiekte sie und spreizte ihre zappelnden Beine, damit ihre Peinigerin sich endlich verborgeneren Stellen widmen konnte.

Als es Belinda schließlich kam, musste sie wie eine Ertrinkende nach Luft schnappen. Die Wellen der Lust waren so mächtig, dass sie fast das Bewusstsein verlor. Das brennende Hämmern auf ihrem Po und die heftigen Zuckungen ihrer Muschi schienen sich zu einem überirdischen Gefühl zu vereinen, das keine Worte mehr kennen wollte. Ekstase. Schmerz. Es war beides in einem und doch viel mehr. Es schien Stunden zu dauern, verging aber doch viel zu schnell.

Gut gemacht, meine Kleine, hörte sie nur, als sie langsam wieder zu sich kam.

«Ist Michiko eine Lesbe?», fragte Jonathan völlig aus dem Blauen heraus.

Nach der bizarren Geschichte, die sein Gastgeber ihm gerade erzählt hatte, war Jonathan selbst überrascht, dass er ausgerechnet diese Frage stellte. War es nicht völlig egal, wo die sexuellen Präferenzen der Japanerin lagen? Und was spielten sie für eine Rolle, wenn es um seinen und Belindas Beitrag zu Andrés Zukunft ging?

«Manchmal», erwiderte der Graf und starrte ihn über den Rand eines Kristallglases an. Sie saßen in der Bibliothek und tranken Brandy, während die Frauen im Garten spazieren gingen. «Manchmal auch nicht. Kommt drauf an», fuhr er fort und nahm einen weiteren Schluck von seinem goldenen Drink.

Auch Jonathan trank Brandy – allerdings weitaus mehr als André. Dies war das erste Mal, dass er längere Zeit mit ihrem Gastgeber verbrachte. Schon die Unterhaltung allein hätte ausgereicht, um auch den enthaltsamsten Puritaner zum Trinken zu verleiten – schließlich war es um Zauberkräfte und übernatürliche Langlebigkeit gegangen.

Aber es ist mehr als das, dachte Jonathan und betrachtete den anderen Mann eingehend. André saß am anderen Ende des lederbezogenen Sofas und schien völlig in sich versunken zu sein.

Es liegt auch an ihm, sagte Jonathan zu sich selbst. An ihm und der merkwürdigen Wirkung, die er auf mich hat.

Er griff nach der Flasche, die vor ihnen auf einem niedrigen Tischchen stand, schenkte sich nach und machte dann eine einladende Geste in Andrés Richtung.

«Oh ja, sehr gern», sagte der Graf mit leicht abwesendem Lächeln.

Als Jonathan einen großzügigen Schluck in das Glas seines Gastgebers gegossen hatte, fragte er sich, ob der Alkohol überhaupt irgendeine Wirkung bei ihm zeigen würde.

Ist er immer noch ein Mensch? Kann er überhaupt betrunken werden? Er beobachtete, wie Andrés Kehlkopf auf und ab hüpfte, während er an dem wärmenden Getränk nippte. Der Graf trug ein weites königsblaues Hemd mit einem winzigen Kragen. Die überaus lebendige Farbe ließ seine Haut sehr blass erscheinen.

«Nochmal zu Michiko …» Jonathan griff das Thema erneut auf, denn das Nachdenken über André von Kastel brachte ihn zu sehr in Aufruhr. «Sie sagten, es käme darauf an. Worauf kommt es denn an?»

«Na ja, wie attraktiv die andere Frau ist», erwiderte André mit milder Stimme. «Und welcher Geist in ihr steckt. Michiko ist zwar eine große Bewunderin körperlicher Schönheit, aber wo kein Funke da ist, wird auch kein Feuer entzündet.»

Jonathan seufzte. «Das heißt wohl, dass sie in genau diesem Moment Belinda verführt, nicht wahr?»

«Wahrscheinlich», antwortete André. Seine blauen Augen strahlten so hell, dass Jonathan gar nicht wegschauen konnte. «Stört Sie das?»

Störte es ihn? Der junge Mann wusste nicht recht, was er sagen oder denken sollte. Die Vorstellung von zwei sich liebenden Frauen war eine klassische Männerphantasie, das war ihm klar, und auch ihm hatte sie in der Vergangenheit schon gute Dienste geleistet – um das mal so auszudrücken. Doch Belinda hatte er sich noch nie mit einer anderen Frau vorgestellt. Nicht einmal hier, nachdem sie ihm erzählt hatte, dass Feltris und Elisa zu ihr genauso zärtlich gewesen waren wie zu ihm.

«Ich spüre, dass Ihre Empfindungen dazu zwiespältig sind», sagte André in die Stille des großen Raumes mit den hohen Decken hinein. Neben dem gelegentlichen Knarzen des Ledersofas war dort nichts außer ihrem Atem zu hören.

Jonathan öffnete den Mund, konnte aber immer noch kein Wort herausbringen.

«Die Vorstellung von Belinda mit einer anderen Frau ist

neu für Sie, nicht wahr?», fuhr der Graf fort. «Und verwirrend. Sie fragen sich sicher, wieso Sie keine größere Eifersucht empfinden.»

«Ich bin mir nicht sicher, was ich ...» stammelte Jonathan. Er schwenkte sein Glas und führte es dann an die Lippen. Dabei war er die ganze Zeit verzweifelt bemüht, seine Gefühle zu analysieren. Belinda gegenüber. Michiko gegenüber. Gegenüber all diesen seltsamen Offenbarungen. Und auch gegenüber diesem Mann, mit dem er hier saß und trank. Der Mann, der ihm plötzlich viel näher zu sein schien als eben noch. So nah, dass die Schenkel der beiden Männer sich fast berührten. So nah, dass er unter Andrés engen, ausgeblichenen Jeans seine Muskulatur und die Größe der festen Beule in seinem Schritt erkennen konnte.

An dem nächsten Schluck Brandy verschluckte Jonathan sich so sehr, dass er keine Luft mehr bekam und husten musste. Sein Gesicht lief rot an. Mit Tränen in den Augen und wogendem Brustkorb spürte er, wie ihm das Glas beherzt aus der Hand genommen und wie ihm kräftig auf den Rücken geschlagen wurde. Er hustete noch einmal, konnte dann aber recht schnell wieder tief und frei atmen.

«Tut mir leid», murmelte er und wischte sich die feuchten Augen mit seinen Hemdsärmeln ab. «Vielleicht habe ich einfach zu viel getrunken.»

«Vielleicht haben Sie aber auch noch nicht genug getrunken», konterte André, und aus seinen Klopfbewegungen wurde langsam ein Streicheln.

Die zärtliche Berührung war so leicht und unschuldig, es kam ihm fast vor, als hätte er sich das Ganze nur eingebildet. Aber als Nachhall seiner Gedanken von eben brachte ihn diese Zuwendung doch zum Zittern und Erröten. «Hier. Aber trinken Sie diesmal etwas langsamer.» André hielt ihm einen neuen Brandy hin. «Schluck für Schluck.»

Als Jonathan das dicke runde Glas ergriff, spürte er voller Panik, wie Andrés Hand sich um die seine legte und ihm half, den Drink zum Mund zu führen. Die Haut des Grafen war außergewöhnlich kühl – sie fühlte sich exotisch und aufregend an und jagte einen Schauer durch Jonathans starren Körper.

Ich darf das nicht empfinden!, dachte der junge Mann hilflos, täuschte sich aber keineswegs in seiner Gefühlswahrnehmung. Er ist zweihundert Jahre alt. Ich kenne ihn nicht mal. Lieber Gott im Himmel, er ist ein Mann! Er ist ein Mann! Er ist ein Mann!

«Trink!», drängte André. Seine Hand wanderte zurück zu Jonathans brennendem Rücken.

Der schluckte. Er trank weitaus schneller, als es klug war, denn er suchte verzweifelt nach irgendeiner Form der Betäubung. Jonathan erfuhr etwas, das er noch nie zuvor erlebt hatte. Ein Gefühl, mit dem er in seinen wildesten Träumen oder schlimmsten Albträumen nicht gerechnet hatte. Und am schlimmsten war, dass dieses Gefühl ausgesprochen gut war. Der Brandy schien keinerlei Auswirkungen auf ihn zu haben, doch als er Andrés Rasierwasser einatmete, begann es in seinem Kopf zu hämmern. Es roch nach Rosen. Und nach Mann.

«Denk an Belinda und Michiko», flüsterte ihm der Graf ins Ohr. «Stell sie dir zusammen vor.» Und immer noch rieb die schlanke, kühle Hand durch die Baumwolle seines Hemdes hindurch über Jonathans Rücken. «Wie fühlt sich das an?»

«Ich weiß nicht recht», rief der junge Mann und war im selben Moment entsetzt über den schrillen und mädchenhaften Klang seiner Stimme.

«Stößt die Vorstellung von gleichgeschlechtlichem Sex dich ab?» Andrés Stimme klang jetzt tief, sehr maskulin und schmeichelnd. «Bestimmt nicht.» Diese letzten Worte waren keine Frage, sondern eine Feststellung – und sie bezog sich keineswegs auf Belinda und Michiko.

Ich werde verführt, dachte Jonathan. Auf dieser Couch. Genau wie Belinda, die diesem Mann trotz ihrer Unbeirrbarkeit, trotz ihres Widerstands gegen jede Form der Ausbeutung schon Minuten nach ihrem Kennenlernen unterlegen war.

«Jonathan?», fragte André mit sanfter Stimme. Seine Hand ruhte jetzt bewegungslos auf dem Rücken seines Gastes und gab ihre Kälte durch das dünne Hemd hindurch an Jonathan weiter.

«Ich weiß es nicht», wiederholte der verunsicherte Mann. Er kam sich regelrecht gebrochen vor und spürte eine gewisse Resignation in sich aufsteigen. Jonathan schaute nach oben und starrte auf einen imaginären Punkt. Er spürte nur zu deutlich die Gegenwart des verführerischen Wesens neben sich, wusste aber auch, dass die Entscheidung letzten Endes bei ihm selbst lag.

«Hör zu. Bringen wir's hinter uns, wenn es denn sein muss», sagte er schließlich, unfähig, die wachsende Spannung noch einen Moment länger zu ertragen. Wenn André einen Annäherungsversuch machte, den er als abstoßend empfand, dann würde er wenigstens Bescheid wissen. Dann könnte er aufspringen und so schnell wie irgend möglich aus diesem Raum flüchten. Und wenn die Liebe unter Männern ihn nun nicht abstieß? Er würde es erst erfahren, wenn er es versuchte.

Jonathan drehte seinen Kopf und fand seine Lippen nur wenige Zentimeter vom Mund seines Gastgebers entfernt. Er konnte die Süße des Brandys in seinem Atem riechen und ertrank fast in den aquamarinfarbenen Tiefen seiner Augen.

Er ist so wunderschön, dachte Jonathan. Er zieht mich an. Ich will ihn. Aber mein Körper weiß nicht so genau, wie er ihn will. Er zitterte, den Kopf voller Ängste und Gedanken an Analverkehr. «Ich weiß nicht, wie ich es anstellen soll», sagte er mit ungewöhnlich unsicherer Stimme.

«Keine Sorge», beruhigte ihn André und löste das Band, das seine gesträhnten Locken zusammenhielt. «Ich weiß alles, was wir beide wissen müssen.»

Jonathan biss sich auf die Lippen, um ein Keuchen zu unterdrücken. Andrés Haar war weich, dick und trotz seiner merkwürdigen Färbung überaus glänzend. Jonathan verspürte den starken Drang, seine Hände darin zu vergraben.

«Na los, tu es», forderte der Graf ihn auf.

Mit flachem Atem und rasendem Herzen hob Jonathan die Hände und ließ sie durch Andrés seidige Locken gleiten, bis er den Kopf des anderen Mannes schließlich mit beiden Händen hielt. Andrés Lippen öffneten sich voller Erwartung und gaben den Blick auf das weiche, rosige Innere seines Mundes frei. Plötzlich schnellte Jonathan, ohne nachzudenken, nach vorn und küsste ihn.

Genauso als würde man eine Frau küssen, dachte der unerfahrene Mann und spürte gleichzeitig, wie André die Arme um ihn schlang. Die Gefühle waren dieselben: samtene Lippen auf den seinen, die sich provokativ öffneten und seine Zunge einließen. Jonathan war es so gewohnt, wie ein Mann zu küssen – hart, fordernd und die Initiative ergreifend –, dass er diesen Stil auch bei dem Grafen beibehielt. Der hingegen schien völlig damit zufrieden zu sein. André lehnte sich entspannt auf dem Sofa zurück und zog Jonathan mit sich.

«Mmmmmh …», stöhnte der Graf, als ihre Münder sich für einen Moment voneinander trennten. «Gar nicht so schlecht, was?» Er lächelte, nahm die Hand seines neuen Gespielen, die immer noch seinen Kopf hielt, und küsste ihre Innenfläche.

«Nein … Nein, tatsächlich nicht», stammelte Jonathan beunruhigt, denn André richtete sich sofort wieder auf, um diesmal beim Küssen in die Offensive zu gehen und ihm gleichzeitig die Hemdknöpfe zu öffnen. Ehe Jonathan sich's versah, stand das Hemd auch schon bis zur Taille offen, und André rutschte auf ihm herum und küsste seine Brustwarzen. Er stöhnte laut auf, als er die Zähne des Grafen spürte.

Jonathans Nippel waren schon immer überaus empfindlich und dankbar für jede Form der Berührung gewesen. Einen kurzen Augenblick dachte er an Belinda und wie geschickt sie sich immer um dieses spezielle Bedürfnis gekümmert hatte. Doch schon im nächsten Moment wurde er wieder zurück in die Realität geschleudert, denn sein Körper reagierte ungeahnt heftig auf die besondere Pikanterie, die der Kuss eines Mannes für ihn bedeutete.

Das Paar rangelte und balgte. Jonathan lag oben und seine Hände rieben und strichen über jedes Körperteil seines Partners, das er nur in die Finger bekam. André lag unter ihm, klammerte sich an Jonathan und bearbeitete weiter dessen Brustwarzen. Die ganze Zeit, während sie sich wanden und schlängelten, war Jonathan sich peinlich seiner Erektion bewusst. Sie war so groß und hart wie nie zuvor und bohrte sich irgendwo in Andrés Mitte. Auch der Graf war steif, und sein Organ presste sich gegen Jonathans Bein. Selbst durch zwei Schichten Jeansstoff fühlte seine Beule sich noch riesig an. Langsam wurde Jonathan neugierig, wie der Schwanz seines Verführers wohl aussehen mochte. War er glatt oder von Adern überzogen? Beschnitten oder unbeschnitten? Würde er lang und dünn sein? Oder aber kürzer und dafür dicker?

Plötzlich zeigte der Graf wieder genau die telepathischen Fähigkeiten, die Jonathan bei ihm vermutete, befreite sich aus der Umarmung und sprang auf die Füße.

«Machen wir es uns doch ein bisschen bequem», sagte er mit einem verspielten Grinsen, das Jonathan ein wenig an Belinda erinnerte. Was für ein Rätsel dieser Mann doch war. In der einen Minute noch das archetypische, dominante Alphamännchen, um in der nächsten viel weiblicher und verführerischer zu sein. Dieser seltsame Gegensatz war zwar verwirrend, aber absolut anziehend. Jonathan sah gespannt zu, wie André erst sein Hemd aufknöpfte, die Schöße aus seiner Hose zog und dann, elegant auf jeweils einem Bein stehend, aus seinen Stiefeln schlüpfte. Er trug keine Socken, und als er seinen Gürtel geöffnet und die Jeans ausgezogen hatte, entdeckte Jonathan, dass er auch keine Unterwäsche trug. Sein Schwanz hatte eine ansehnliche Größe und war steinhart.

«Und jetzt du», forderte der Graf ihn mit ruhiger Stimme auf. Sein schimmerndes blaues Hemd hatte er immer noch an.

Nervös, voller Scham, aber auch erregt begann Jonathan mit derselben Prozedur. Er war überzeugt, dass er sich nicht mit derselben flüssigen Mühelosigkeit seiner Kleidung entledigen konnte wie André. Immerhin gab er sich alle Mühe und wurde dafür mit einem ermutigenden Lächeln belohnt. Runter mit den Turnschuhen und den Socken. Weg mit dem Gürtel und der Jeans. Schließlich zog Jonathan auch noch seine Boxershorts aus und warf sie fort.

André sagte nichts, beobachtete ihn aber mit festem Blick, der irgendwann unterhalb seiner Taille hängenblieb.

Jonathan spürte, wie er erneut rot und sein Riemen dabei so hart wurde, dass es wehtat. Er wusste, dass sich bisher noch keine seiner Gespielinnen über seinen ansehnlichen Körper beschwert hatte, doch neben seinem männlichen Liebhaber fühlte er sich dann doch etwas unterlegen.

Nach einer scheinbaren Ewigkeit richtete der Graf das Wort an ihn. «Du hast einen attraktiven Körper, Jonathan. Stark, aufrecht und sehr männlich. Kein Wunder, dass eine Frau wie Belinda sich für dich entscheidet.»

Jonathan stand immer noch völlig sprachlos und wie eine Statue da. Er war zu schüchtern, um sich dem Grafen zu nähern. Doch André nahm ihm diesen ersten Schritt mit einem zärtlichen Lächeln ab.

«Du brauchst keine Angst zu haben», flüsterte er, schloss Jonathan in seine Arme und presste seine kühle, glatte Haut an Jonathans warmen, leicht verschwitzten Körper. «Wirklich nicht.» Mit diesen Worten führte er seinen neuen Freund zurück zum Sofa.

Als das Paar es sich mit verschlungenen Gliedmaßen und steil aufgerichteten Schwänzen auf dem Leder bequem gemacht hatte, dämmerte es Jonathan, dass sein merkwürdiger Gefährte recht hatte.

Er seufzte zufrieden auf. Er hatte nicht die geringste Angst.

Kapitel 14

Vorbereitungen zur Abreise

«Er hat mich nicht gefickt», sagte Jonathan mit feierlicher Stimme. «Und ich habe ihn auch nicht gefickt. Das war auch irgendwie gar nicht nötig.»

Belinda fasste ihn beruhigend beim Arm. Es musste ihren Freund eine Menge gekostet haben, ihr zu gestehen, was da zwischen ihm und André passiert war. Wenn es um ihre Männlichkeit geht, sind Kerle überaus empfindlich. Da war auch Jonathan keine Ausnahme. Eine schwule Episode einzugestehen kam unter solchen Umständen schon einem innerlichen Befreiungsschlag gleich.

«Was habt ihr denn gemacht?», fragte sie mit leiser Stimme. Wie gut für ihn, dass es Nacht war und die Dunkelheit ihn fast verschluckte.

Es war schon nach Mitternacht gewesen, als sie mit Michiko die kleine Kapelle verlassen hatte. Seltsame Wolkenfetzen zogen über den Himmel, als Belinda mit gemischten Gefühlen den Rückweg durch den Garten zum Haus machte. Ihr Po glühte von den verabreichten Schlägen. Doch das war nicht das einzige Glühen, das sie verspürte. Da war noch diese tiefe, wärmende Zufriedenheit in ihr, die durch ein ganz besonderes Geheimnis ausgelöst wurde. Das Wissen, dass sie, mit einem weiteren neuen, beeindruckenden Liebespartner einen bisher unbekannten Weg beschritten und trotz der Schmerzen jede Sekunde davon genossen hatte.

Sie hatte gehofft, dass sie Jonathan bald begegnen würde, damit sie ihm Bericht erstatten konnte. Und da stand er nun mit seiner eigenen Geschichte, die ebenso verwegen war.

«Er hat mich in seine Arme genommen», erzählte ihr Freund, legte seinen eigenen Arm um ihre Schulter und zog sie enger an sich. Als Belinda ihm eine Hand auf die Brust legte, spürte sie, wie rasend sein Herz schlug. «Er hat mich geküsst und angefasst. Und ich habe dasselbe mit ihm getan. Eigentlich war es gar nicht so viel anders als die Dinge, die wir zusammen machen.» Er zögerte und schien einen Moment nachzudenken. «Bis zu einem gewissen Punkt ...»

«Und dann?»

Die hitzige Röte, die sich in Jonathans Gesicht ausbreitete, war bis zu seiner Brust zu spüren. «Er hat meinen Schwanz gerieben, bis es mir kam. Dann hat er meine Hand auf seinen ... seinen Schwanz gelegt und sich irgendwie so auf und ab bewegt, dass es ihm auch kam.» Jonathan zögerte erneut. Doch diesmal schien er keine Angst zu empfinden, sondern tiefe Ehrfurcht. «Sein Sperma war kalt, Lindi ... Genau wie seine Haut. Kalt und irgendwie dünnflüssig. Jedenfalls überhaupt nicht wie normales Sperma.» Belinda ergriff seine Hand und drückte sie fest. «An dem Punkt habe ich ihm endlich geglaubt. Ich habe ihm geglaubt, wer er ist. Ich konnte es erst wirklich begreifen, als dieses merkwürdige kalte Zeug an mir runterlief.»

Eigentlich hatte Belinda ihm von Michiko und den Schlägen erzählen wollen, aber es hatte den Anschein, als könnten sie das wichtigere und auch gefährlichere Thema nicht mehr länger vermeiden: die seltsamen Dienste, die nur sie beide André und Arabelle leisten konnten.

«Wirst du es tun?», fragte Jonathan, den in diesem Moment offenbar dieselben Gedanken bewegten.

Obwohl Belinda eine Pause machte, als würde sie über eine Antwort nachdenken, war sie doch bereits zu einer

Entscheidung gekommen. Eigentlich sogar schon vor einer ganzen Weile. Als sie dem schlafenden André zum ersten Mal in dem Turmzimmer begegnet war, hatte sie eine eigenartige Verbindung zu ihm gespürt. Vielleicht sogar noch früher, als sie während des Gewitters gespürt hatte, wie sie von einem anderen Wesen beobachtet wurden. Belinda war nicht sicher, ob sie an Schicksal oder Vorherbestimmung glaubte. Und doch hatte sie von Anfang an gewusst, dass ihr Leben und das des Grafen miteinander verknüpft waren.

«Ja, ich werde es tun», antwortete sie schließlich.

«Es ist gefährlich», warnte Jonathan und legte den Arm noch fester um sie. «Wenn das stimmt, was André mir erzählt hat, bist du dabei sogar in Lebensgefahr!»

Seine Stimme klang flach, resigniert und nicht besonders überzeugend. Sie verriet seiner Freundin, dass er ihre Entscheidung nicht nur akzeptierte, sondern sogar froh darüber war. Belinda lächelte. Wie klug André doch war. Durch den Sex mit Jonathan hatte er auch ihn für seine Zwecke eingespannt und seine Bedenken mit der Kraft der Zärtlichkeit fortgewischt.

«Ich weiß», sagte die junge Frau mit ruhiger Stimme. «Aber ich habe keine andere Wahl. Ich ertrage die Vorstellung nicht, dass die beiden noch jahrhundertelang so weitermachen müssen. So nah und doch so weit voneinander entfernt. Sich lieben, sich wollen, aber nicht in der Lage zueinanderzukommen.

«Ich würde jedenfalls nicht mit so was fertigwerden», sagte Jonathan. «Ich wäre längst durchgedreht, wenn es dabei um dich und mich ginge.»

Einen Moment lang vergaß Belinda die schreckliche Lage, in der André und Arabelle sich befanden. Ihr Freund hatte ganz spontan, ohne nachzudenken, gesprochen und dabei Gefühle für sie offenbart, die tief und allumfassend waren. Auf einmal wurde Belinda klar, dass sie diese Gefühle teilte. Zwar hatte das Paar durchaus seine Probleme – ein paar Wochen vor diesem Urlaub war sogar von Trennung die Rede gewesen –, doch die Vorstellung, ihn jetzt zu verlieren, war auf einmal ganz und gar schrecklich für sie. Genauso schlimm, wenn nicht sogar schlimmer, als der Gedanke, vielleicht ihr eigenes Leben zu verlieren.

Sprachlos wand sie sich in seiner Umarmung, um schließlich nach oben zu schnellen und ihre Lippen erst auf sein Kinn und dann auch auf seinen Mund zu pressen. Trotz allem, was in den letzten zwei Tagen geschehen war, trotz ihres von Michikos Behandlung immer noch schmerzenden Hinterns, trotz der Angst vor dem, was noch kommen sollte, spürte Belinda das starke Bedürfnis, ihren Gefühlen für Jonathan Ausdruck zu verleihen. Jetzt sofort. Solange sie noch in der Lage dazu war, wollte und musste sie ihn wissen lassen, dass sie seine tiefen Gefühlte teilte. Dass sie ihn genauso liebte wie er sie.

Jonathans Körper versteifte sich, als seine Zunge in ihren Mund glitt. Belinda umarmte ihn mit aller Kraft. Sie wusste, dass es noch nicht zu spät war.

«Es muss morgen Abend passieren», erklärte Michiko und lief dabei im Turmzimmer auf und ab – etwas, das sie immer tat, wenn sie nachdachte und Pläne schmiedete.

«So bald schon ...», sagte der Graf und spürte eine gespannte Erwartung in sich aufsteigen.

«Ja, es ist unumgänglich», fügte Michiko hinzu und glättete den voluminösen Ärmel des dünnen grünen Kimonos, den sie als Zeichen der Bereitschaft trug. «Ich spüre sie. Ich fühle, wie sie immer näher kommt.»

André sah, wie es sie schauderte. Er empfand denselben

Ekel, der von einem blinden, allumfassenden Zorn begleitet wurde. Wieder und wieder war er Isidora entkommen. Er wusste, wenn sie nur nah genug kam, hatte sie die Macht, ihn zu versklaven. Doch nun endlich wendete sich das Blatt. Mit Hilfe von Belinda, Michiko, ja sogar von Jonathan hatte er die Kraft, sie zu vernichten und frei zu sein. Aber sollte sie dieses Gefühl von ihm empfangen, war es immer noch möglich, dass sie seine Pläne durchkreuzte.

«Wenn meine Kräfte doch nur so sensibel wie die deinen wären.» Der Graf erhob sich und schlang seinen Morgenmantel fester um sich. «Dann hätte ich in der Vergangenheit vielleicht nicht so viele gefährliche Situation durchlebt. Meinst du, sie weiß schon, was wir vorhaben?»

«Nein, ich denke nicht», erwiderte Michiko und kam auf André zu. «Vergesst nicht, dass ihre seherischen Kräfte nicht voll ausgebildet sind.» Sie nahm seine Hand und lächelte ihn an. Michiko wollte ihm Mut machen, und dafür liebte er sie fast. «Sie kann zwar Euer Bewusstsein über große Entfernungen spüren, aber Eure Gedanken kann sie nicht lesen. Und auch nicht die von anderen.» Ihre dunklen Augen verengten sich verschwörerisch. «Und selbst wenn sie einen neuen Zauber einsetzen sollte und auf einmal doch in der Lage sein sollte, Gedanken zu lesen, weiß ich einen stärkeren Zauber, um den ihren aufzuheben. Ich kann alle Geister unter diesem Dach schützen.»

«Was würden wir nur ohne dich tun, meine liebe Freundin?» Der Graf lächelte die Japanerin an, bevor sein Blick zu Belles glühender Schatulle wanderte.

«Ihr würdet schon einen Weg finden, Mylord», erwiderte Michiko keck und drückte seine Finger so fest, dass er kurz aufstöhnte. «Doch jetzt kommt. Wir haben noch eine Menge Arbeit vor uns. Und wenn der Morgen dämmert, werdet Ihr mir keine Hilfe mehr sein.»

Auf Andrés Werkbank standen eine Menge Utensilien bereit: Bunsenbrenner, Glaskolben in diversen Größen, Pipetten, Stößel und Mörser, Gefäße aus Ton und mehrere Weihrauchfässchen. Daneben lag das Grimoire – das Buch des magischen Wissens –, die schicksalhafte Seite bereits aufgeschlagen.

«Immer schön der Reihe nach», erklärte André und lächelte Michiko an. Jetzt, wo die Arbeit beginnen sollte, war er hochkonzentriert. Er nahm ein weißes Leinentaschentuch, faltete es auf und nahm dann von seiner glatten Oberfläche ein einzelnes rotes Haar auf, das ungefähr zehn Zentimeter lang war. Es stammte von Belinda – Feltris hatte es ihr geschickterweise vom Kopf gezupft. André legte es in ein Weihrauchfass, riss sich selbst ein einzelnes Haar vom Kopf und legte es zu dem roten.

Dann ging er an den Nachttisch neben seinem Bett und holte ein kleines Behältnis aus Rosenholz, das im selben Stil wie Arabelles Zufluchtsort verziert, aber ein wenig kleiner war. Das Haar, das er aus dieser Schatulle holte, hatte beinahe denselben Rotton wie Belindas, war aber ungefähr einen Meter lang. André wickelte es um seinen Finger und presste voller Verehrung seine Lippen darauf. «Das ist alles, was ich noch von dir habe», murmelte er, schob Arabelles Haar wieder von seinem Finger und legte es dann zu den anderen in das Weihrauchfass und zündete einen wachsüberzogenen Span an.

«Bald werdet Ihr wieder mit ihr vereint sein, Mylord», flüsterte die Japanerin, während sie beide zusahen, wie die drei Haare zu Asche verbrannten.

«Es gab Zeiten, da hätte ich es nicht für möglich gehalten, dass ich diese Vorbereitungen jemals treffen würde», sagte er nachdenklich und pulverisierte die verbrannte Mixtur mit einem kleinen Glasstäbchen zu feinstem Staub, den er dann in ein frisches Gefäß gab. Obwohl er seinen wirksamsten Zauberspruch wieder und wieder studiert hatte und ihn eigentlich auswendig kannte, wandte er sich doch dem Grimoire zu, um sich des nächsten Schrittes zu versichern.

Von einem unterirdischen Bach unter der Kapelle hatte sein treuer Diener Oren geweihtes Wasser geholt, das nun in einen Glaskolben gefüllt und über einem Brenner erhitzt wurde, um es für die anderen Zutaten des Zaubertranks vorzubereiten.

Unterdessen mischte Michiko in anderen Behältnissen weitere Komponenten des komplexen Elixiers. Kräuter: Rote Betonie, Odermennig und Zedernholz. Gewürze: Muskat und Knoblauch. Die magischen Gifte: Tollkirsche, Arsen und Quecksilber – die Königin aller Metalle. Jede Mixtur wurde mit einem ganz eigenen Bewegungsmuster angerührt. Hier ein Quadrat, da ein Dreieck, dort ein Hexagramm. Während die Zauberer arbeiteten, rezitierten beide uralte magische Gesänge aus ihrer Tradition. André rief die christliche Dreifaltigkeit seiner Kindheit und andere Schutzgeister an, die er erst später kennengelernt hatte: Hekate, die Herrin der Unterwelt. Hermes Trismegistos, den mittelalterlichen Gott der Alchemie. Isis, die matriarchalische Göttin der alten Ägypter. Alle Götter, die mit ihren Mächten seiner Sache helfen würden.

Während er sang, hörte er auch Michikos liturgisches Murmeln. André verstand sehr wenig von ihrer Muttersprache, aber er wusste, dass sie die Luftgeister, die Kami des Himmels, anrief, die ebenfalls ihre Kräfte vereinen würden, um ihm zu helfen.

Als endlich alle Zutaten vorbereitet waren, wurde es Zeit für die letzte Mischung. «Seid vereint», wisperte der Graf und schüttete den Inhalt jedes einzelnen Gefäßes in das Fläschchen. «Vereint Euch, sodass sie und ich es auch sein können.»

Der Trank hatte eine dunkle, trübe Farbe – ein unbestimmbares, schlammähnliches Braun. André vermengte die Flüssigkeit vorsichtig mit der Spitze seines Dolches, indem er jene Symbole noch einmal nachzog, die mit den einzelnen Zutaten verbunden waren und jede einzelne Figur mit dem dazugehörigen Sprechgesang begleitete. Michiko flüsterte neben ihm etwas auf Japanisch. Der letzte Schritt bestand darin, das Fläschchen über einer Flamme zu wärmen.

Durch die Erhitzung des Inhalts fand im Inneren der Flasche eine erstaunliche Verwandlung statt. Was zuvor eine schmutzige, übelriechende Mischung verschiedenster Zutaten gewesen war, veränderte sich langsam und hatte bald ein völlig anderes Aussehen. Das Fläschchen war nun mit einer klaren, glitzernden Flüssigkeit in einem intensiven Lapislazuliblau gefüllt – genau die strahlende Farbe von Andrés Augen.

«Es ist fertig», sagte er leise zu Michiko, als beide den Inhalt der Flasche betrachteten. André war froh, dass sie die Umwandlung des Tranks erfolgreich vollzogen hatten, spürte aber immer noch ein leichtes Unbehagen. Es handelte sich nicht exakt um dieselbe Mixtur, die Isidora an jenem schicksalhaften Abend vor über zweihundert Jahren in seinen Wein geschüttet hatte, sondern es war nur eine Variante des Zauberelixiers, das ihn verdammt hatte.

«Es wird nur gelingen, wenn Ihr auch daran glaubt, Mylord», erklärte Michiko mit sanfter Stimme. «Euer Glaube ist die mächtigste aller Zutaten.» Sie legte ihren schlanken Arm um seine Taille, ließ sie unter seinen Morgenmantel wandern und drückte ihn.

«Hoffentlich habt Ihr recht», antwortete er und starrte dabei immer noch auf die geheimnisvolle Flüssigkeit.

«Natürlich habe ich recht.» Die Stimme der Japanerin klang sicher, aber auch zärtlich. Ihre Fingerspitzen waren mittlerweile bei seiner Hüfte angelangt. «Und jetzt, Mylord, werde ich Euch lieben.» Michikos Hand umfasste die muskulösen Kurven seines Hinterteils. «Denn das könnte unsere letzte Gelegenheit sein.»

Das wusste André und musste ob der Endgültigkeit ihrer Worte schlucken. Wie sehr würde er seine alte Freundin vermissen. Ihren Geist, ihre Liebenswürdigkeit und auch die Nähe, die ihr gemeinsames Schicksal zwischen ihnen bewirkt hatte. Der Graf öffnete ihren Kimono, presste ihren nackten Körper gegen den seinen und drückte seine Lippen zu einem langen Kuss auf ihren Mund.

Ihr Gesicht war feucht von Tränen. Aber woher stammten sie? Von ihr oder von ihm?

Als Belinda erwachte, stand die Sonne bereits hoch am Himmel.

Nachdem sie sich aus Jonathans Umarmung gelöst hatte, schlüpfte sie leise aus dem Bett und trat nackt ans Fenster. Das Grundstück und der Garten sahen unverändert aus. Doch plötzlich erschien ein Lieferwagen, der die Auffahrt zum Haus hinauffuhr. Dies war der erste Kontakt, den sie zwischen den Bewohnern dieses seltsamen Ortes und der Außenwelt wahrnahm. Doch anstatt sie zu beruhigen, machte dieser Vorgang sie nur noch nervöser.

Belinda konnte nur an Dinge wie Magie, extreme Langlebigkeit und untote Geister, die in Flaschen eingeschlossen waren, glauben, weil sie völlig von ihrem alltäglichen Leben entfernt war. Doch das Auftauchen von so etwas Profanem wie einem Lieferwagen ließ sie erneut an der Existenz einer übersinnlichen Welt zweifeln. Sie kam sich geradezu lächerlich vor, wenn sie daran dachte, was sie getan hatte – und vielleicht noch tun würde. Lächerlich und auch ein wenig ängstlich.

Als der Lieferwagen vor dem Haus zum Stehen kam, sah sie Michiko und Oren auch schon die Eingangstreppe hinunterkommen. Der Fahrer öffnete den Laderaum und lud mehrere große weiße Pappkartons ab, die Oren ihm sofort abnahm und ins Haus trug, während Michiko irgendwelche Papiere unterzeichnete. Die ganze Aktion war so unspektakulär, dass Belinda fast zu träumen meinte, als der Lieferwagen wegfuhr. Zumindest so lange, bis Michiko nach oben schaute und ihr zuwinkte.

Als Belinda zurückwinkte, grinste die Japanerin breit und warf ihr einen Kuss zu.

«Wem hast du denn da gewinkt?», fragte der langsam wach werdende Jonathan.

«Michiko. Sie war draußen und hat irgendeine Lieferung angenommen.»

Jonathan sagte nichts, stieg aber aus dem Bett und ging auf die Anrichte zu, wo ein Tablett mit ihrem Frühstück stand. Belinda hatte es noch gar nicht bemerkt.

«Sieht lecker aus», sagte er und nahm sich eine der makellos weißen Servietten. «Brioches, Butter, Marmelade.» Er öffnete den Deckel einer Thermoskanne. «Mmmh, frischer Kaffee! Genau das, was ich jetzt brauche!»

Ein paar Minuten später saß das Pärchen im Schneidersitz auf dem Bett und tat sich an dem Essen gütlich. Ihren Kaffee tranken sie aus großen weißen Bechern, die sie vorsichtig auf dem Bett balancierten.

«Was machen wohl die anderen gerade so?», fragte Jonathan mit vollem Mund. Belinda sah, dass seine spärliche Brustbehaarung mit Briochekrümeln übersät war und lächelte. Noch nie hatte er jünger oder anziehender ausgesehen.

«Also, soweit ich weiß, wird André wohl schlafen», erwiderte sie nachdenklich, brach sich ein Stück von ihrer Brioche ab und steckte es in den Mund. «Aber es könnte gut sein, dass Michiko und die anderen schon alles für heute Abend vorbereiten. Vielleicht haben die angelieferten Kisten ja irgendwas damit zu tun.»

«Heute Abend?» Jonathan sah ziemlich schockiert aus, und die Tasse zitterte leicht in seiner Hand, als er sie zum Mund führte. Dabei tropfte ein wenig Kaffee auf das Laken. «Woher weißt du, dass es heute Abend passieren wird?»

Tja, woher wusste sie das?

Belinda war selbst ganz überrascht von ihrer Intuition. Man hatte ihr nicht gesagt, wann das befreiende Ritual durchgeführt werden sollte, aber sie wurde das sichere Gefühl nicht los, dass es tatsächlich heute Abend so weit wäre. Hatte Michiko ihr dieses Wissen etwa ins Unterbewusstsein gepflanzt? Bei den übersinnlichen Fähigkeiten der Japanerin wäre das nicht ungewöhnlich.

«Ich weiß es einfach», sagte sie mit ruhiger Stimme.

Jonathan betrachtete den Kaffeefleck und strich mit dem Finger darüber. «Oh Gott, mir ist gerade etwas eingefallen», entfuhr es ihm, «wir hatten doch Paula gebeten herzukommen. Sie wird wahrscheinlich heute eintreffen. Was machen wir denn jetzt mit ihr? Heute Abend, meine ich? Sie wird doch sicher erwarten, dass wir bis in den frühen Morgen mit ihr trinken und reden. Schließlich machen wir das immer so, wenn wir uns treffen, oder?»

Belinda erkannte das Problem und wusste auch sofort eine Antwort. Ihre kühle Logik erstaunte sie selbst. «Dann musst du sie eben allein unterhalten, Johnny.» Sie sah ihn ruhig und voller Zuversicht an.

Als Jonathan die Stirn in Falten legte, wusste sie, dass er verstanden hatte.

«Sie hatte doch schon immer eine Schwäche für dich. Das wird kinderleicht.»

«Aber … hast du denn gar nichts dagegen?»

Belinda dachte kurz nach. «Wenn du mich das vor ein paar Tagen gefragt hättest, tja, da wäre ich noch total dagegen gewesen», entgegnete sie im Wissen der Fortschritte, die sie und Jonathan gemacht hatten. «Aber die Dinge haben sich verändert.» Ohne Rücksicht auf Tassen und Teller rutschte sie näher und legte ihre Hand auf sein Bein. «Wir haben uns verändert.» Belinda drückte sein sehniges, aber muskulöses Fleisch. «Wir hatten beide Sex mit anderen Partnern, aber wir sind immer noch zusammen, nicht wahr?» Jonathan nickte und lächelte verlegen. «Und diesmal tun wir es sogar aus einem ehrenhaften und wichtigen Grund.» Sie erwiderte sein Lächeln. «Du musst einfach nur die Augen schließen und an unsere Aufgabe denken.»

«Ich nehme an, ich werde mich wohl dazu überwinden können», sagte Jonathan, mittlerweile lachend. Er beugte sich vor, um das Frühstück abzuräumen, und stellte alles ordentlich auf dem Tablett zusammen. «Aber ich muss mich schon darauf vorbereiten.» Seine Augen glänzten. Er rutschte vom Bett, stellte das Tablett weg und setzte sich dann wieder neben sie. «Eine kleine Trainingsstunde könnte also nicht schaden», meinte er gespielt nachdenklich und griff nach ihr. «Meinst du, wir könnten jetzt einen kleinen Probelauf dazwischenschieben?»

Belinda spreizte die Beine und lehnte sich zurück. «Natürlich», sagte sie, ohne zu zögern.

Zufrieden lächelnd erhob Isidora Katori sich von dem zerwühlten Hotelbett und streckte ihre schlanken, wohlgeformten Glieder. Es war bereits spät am Tage, und sie musste sich beeilen.

Als die dunkle Schönheit nackt zum Toilettentisch ging, warf sie nur einen ganz kurzen Blick auf das Wesen, das immer noch in ihrem Bett schlief – ihr Opfer, das nun mindestens drei Tage im Koma liegen würde.

Es war nicht schwer gewesen, diese Paula im Biergarten aufzureißen und sie dann spielerisch zu verführen. Mit ein paar Drinks und ein wenig Hilfe durch ein Aphrodisiakum hatte die Kleine doch fast geglaubt, dass sie in Wahrheit Lesbe wäre, die bereits ihr ganzes Leben auf Isidora gewartet hatte.

Die Gräfin ließ die Hände über ihre üppigen Kurven gleiten. Sie musste zugeben, dass sie die unschuldige Leidenschaft der Kleinen sehr genossen hatte. Die liebeskranke Paula war durch ein paar Tropfen einer speziellen Tinktur so verzaubert und unersättlich gewesen, dass sie rührende Dankbarkeit für ihre Orgasmen zeigte und äußerst erpicht darauf war, sich bei Isidora zu revanchieren. So waren sie weitaus länger im Bett geblieben, als die Gräfin es geplant hatte. Mittlerweile wurde es höchste Zeit für Isidora aufzubrechen.

Und doch nahm sich die geheimnisvolle Frau noch einen Moment, das Gesicht ihres Opfers näher zu betrachten.

Paula Beckett war recht hübsch, befand Isidora und berührte mit der Hand die Gesichtszüge, die jetzt die ihren waren. Das Mädchen war weder umwerfend sexy noch richtig schön, doch für einen begrenzten Zeitraum würde ihr Gesicht ausreichen. Das Beste an Paulas Erscheinung war die Tatsache, dass sie Isidora im Grunde ziemlich ähnlich sah und auch nicht schwer zu imitieren war.

Isidora drehte ihren Kopf erst zur einen, dann zu anderen Seite. Sie wusste genau, dass sie sich durch ihre raffinierte Zauberkunst eine mentale Maske zugelegt hatte, die jeden anderen ohne besondere Gaben leicht täuschen würde. Unter anderem auch André von Kastel, der den Schwindel erst bemerken würde, wenn es für eine Flucht zu spät wäre.

Als Isidora den Schwung ihres neuen, unbekannten Mundes betrachtete, lächelte sie überaus zufrieden.

«Ich werde dich kriegen, André von Kastel», flüsterte sie und probierte dabei gleich ihre angenommene Stimme aus. «Und diesmal werde ich beenden, was ich damals begonnen habe. Diesmal wird dir keine Chance zur Flucht bleiben. Und deine rothaarige, verweichlichte Schlampe werde ich auch ein für alle Mal vernichten.» Sie lachte mit Paula Becketts Stimme – unspektakulär, aber akzeptabel.

«Noch bevor der Tag sich seinem Ende neigt, wirst du für alle Zeit mir gehören, André.»

Es war bereits Nachmittag, als Belinda und Jonathan aus dem Bett stiegen. Und selbst jetzt wurden sie immer noch von einer seltsamen Lethargie geplagt.

Zunächst war Belinda noch sehr nervös. Sie hatte das Gefühl, irgendetwas tun oder irgendwelche Vorbereitungen treffen zu müssen. Vielleicht sollte sie sich auch einfach nur auf die Suche nach Michiko machen, um noch mehr über sie zu erfahren. Doch es dauerte nicht lange, bis dieses Gefühl von einer gewissen Trägheit verdrängt wurde. Nachdem Jonathan auf sein Zimmer gegangen war, stand sie lange unter der herrlich heißen Dusche und zog dann langsam die Kleidung an, die man ihr hingelegt hatte. Es handelte sich wieder um ein mit Volants besetztes Hängerkleid mit Petticoat im edwardianischen Stil.

Als sie das Zimmer verließ, war Belinda hin- und hergerissen, was sie als Nächstes tun sollte. Sie könnte in die Bibliothek gehen und sich Hintergrundinformationen über das bevorstehende Ritual anlesen. Sie könnte sich aber auch auf die Terrasse setzen und die Sonne genießen. Belinda wusste, dass jeder vernünftige Mensch sich für die Bibliothek und eine entsprechende Vorbereitung entscheiden würde. Doch irgendwie wollte es ihr nicht recht gelingen, sich damit anzufreunden. Ihr Kopf war auf angenehme Weise leicht, und sie wollte einfach nur faul herumliegen.

Mit dieser Entscheidung musste irgendjemand gerechnet haben – wenn er sie nicht sogar beeinflusst hatte. Neben dem Tischchen, an dem sie gestern unter einem Sonnenschirm gefrühstückt hatte, standen auf der Terrasse jetzt auch zwei überraschend moderne Liegestühle. Auf einem der Möbel saß Jonathan und konzentrierte sich ganz auf eine Kohlezeichnung. Seine Finger waren schwarz, und er trug nichts als ein Paar Shorts.

«Und?», begann sie, ließ sich auf der anderen Liege nieder und schob ihren Rock so weit hoch, dass ihre Beine etwas von der Sonne abbekamen. «Ist schon irgendwas passiert? Hast du Michiko gesehen? Oder die stummen Bediensteten?»

«Oren war vor ein oder zwei Minuten kurz hier», erwiderte Jonathan, legte seinen Zeichenblock beiseite und wischte die schmutzigen Finger an seiner Hose ab. «Ich glaube, er wollte wissen, ob mir nach einem kühlen Drink zumute ist. Aber ich bin nicht ganz sicher.» Er zuckte mit den Schultern und legte eine Hand über die Augen, um sie vor der Sonne zu schützen. «Aber was er mich auch gefragt hat, ich habe ja gesagt. Und zwar am besten einen Doppelten.»

«Großartig», sagte Belinda und sah bereits ein großes, beschlagenes Cocktailglas vor sich stehen. Sie hatte Durst. «Aber was ist mit den anderen?»

«Die scheinen beschäftigt zu sein. Abgesehen von André.» Er errötete ein wenig, als er den Namen des Mannes aussprach, mit dem er geschlafen hatte. «Ich beobachte die ganze Zeit schon, wie sie irgendwelche Sachen in das runtergekommene Gebäude dort drüben tragen.» Er zeigte in Richtung der Kapelle.

«Was für Sachen?»

«Armeweise Blumen. Irgendwas, das wie Teppiche aussah. Bücher. Holzkisten. Alles Mögliche eben.» Jonathan guckte etwas verwirrt, als würde die Zubehörliste ihm Sorge bereiten. «Ich nehme an, dort wird das Ganze wohl stattfinden.»

«Ich schätze auch», erwiderte Belinda leise und spürte kurzfristig eine Angst in sich aufsteigen, die aber sofort wieder verflog. «Ist schon komisch, aber irgendwie kriege ich das immer noch nicht so recht in den Kopf.» Sie machte eine kurze Pause. Wie sollte sie es erklären? «Ich weiß, dass ich mir eigentlich Gedanken machen und entsetzliche Angst haben müsste. Hab ich aber nicht.»

«Vielleicht gibt es ja auch gar nichts, wovor du Angst haben musst», sagte Jonathan, berührte ihren Arm und ließ einen schwarzen Fleck auf ihrer Haut zurück. «Michiko scheint ziemlich fähig zu sein. Sie wirkt sehr organisiert.» Er grinste. «Ich weiß auch nicht. Sie sieht zuerst ziemlich verwegen aus, benimmt sich dann aber wie eine Geschäftsfrau. Oder eine weltreisende Motivationstrainerin oder so was. Irgendwie wirkt sie ein bisschen zu real, um eine Hexe zu sein.»

«Und wie real sie ist», murmelte Belinda reuig und fasste sich an den Po. Das Brennen ihres Hinterns war zwar auf unerklärliche Weise verschwunden, doch die Wucht der Schläge meinte sie noch immer zu spüren.

Jonathan sah sie mit plötzlich erwachtem Interesse an. «Du hast mir noch gar nicht erzählt, was gestern Abend zwischen euch passiert ist», sagte er mit neugieriger

Stimme. «Ich bin wohl nicht der Einzige, der was völlig Neues kennengelernt hat, was?»

«Nein, allerdings nicht», gab Belinda zu. «Mir wurde auch ein bisschen was beigebracht.»

Sie brannte geradezu darauf, den gesamten Vorfall zu schildern, doch da tauchte Oren an der Balkontür auf und kam mit einem vollbeladenen Tablett auf sie zu. Als er an dem Tischchen angelangt war, nickte er höflich und stellte es hin.

«Oren, das sieht ja großartig aus», rief Belinda voller Freude. Auf dem Tablett stand ein großer Krug mit einem rötlichen Mixgetränk, auf dessen Oberfläche winzige Fruchtstücke schwammen. Daneben standen ein Eisbehälter – nicht derselbe wie in der Bibliothek – und zwei schwere Kristallgläser. Des Weiteren gab es diverse Schälchen mit Salzgebäck, winzigen Käsecrackern, Kartoffelchips und gesalzenen Nüssen. Der letzte Gegenstand war nicht sofort zu erkennen. Es handelte sich um ein Alabastergefäß mit einem dicken Korken.

Belinda setzte sich erwartungsvoll auf, während Oren den fruchtigen Cocktail zusammen mit einigen Eiswürfeln in die beiden Gläser goss. Belinda nahm einen großen Schluck. Die Köstlichkeit und die Stärke des Getränks verschlugen ihr den Atem.

«Puh!», entfuhr es ihr, bevor sie zu einem zweiten Schluck ansetzte, um herauszufinden, wieso der Saft so besonders schmeckte. Er ähnelte durchaus Punschkreationen, die sie kannte, hatte aber einen beißenden Nachgeschmack, der ihr ganz und gar fremd war.

Der Saft ist mit irgendeiner Droge versetzt, dachte sie und stellte das Glas ab. Entweder ist er voller Aphrodisiaka, oder er soll mich für den heutigen Abend gefügig machen. Sie entschied sich spontan für Ersteres. Schließlich hatte Jonathan auch ein Glas bekommen. Die Wirkung konnte also nicht allein auf sie abgestimmt sein.

Oren stellte das Alabastergefäß und das Tablett formvollendet wie immer zwischen die beiden Liegestühle, sodass das Paar sich jederzeit bedienen konnte. Als Belinda einen zweifelnden Blick auf das Gefäß warf, machte er eine Geste in Richtung der heißen Nachmittagssonne und rieb sich über seinen nackten Arm.

«Sonnenschutz?», fragte sie. Der Riese nickte, zeigte dann auf seine bloßen Beine und hockte sich hin, um das klobige Gefäß aufzunehmen. Er neigte fragend den Kopf und klopfte sich dann auf die Brust.

«Nein, schon okay, Oren. Das kann ich allein», sagte sie und nahm ihm das Gefäß ab.

Oren lächelte freundlich und war offensichtlich in keiner Weise beleidigt, dass seine Dienste nicht benötig wurden. Er nickte kurz, drehte sich dann um und ließ Belinda wieder mit Jonathan allein.

«Taktvoll, nicht wahr?», stellte ihr Freund fest. Er griff nach seinem Glas und nahm einen großen Schluck. Belinda sah, wie seine Augen ob der Wirkung zu leuchten begannen. «Wow!» war sein einziger Kommentar, als er das Glas abstellte, um sich gleich darauf erneut seinem Zeichenblock zuzuwenden. Nachdem er ein oder zwei Linien gezogen und sie dann verwischt hatte, sah er Belinda freundlich, aber bohrend an. «Erzählst du mir jetzt, was du gestern Abend gelernt hast?»

Belinda war nicht in der Lage, ihm in die Augen zu schauen. Sie nahm das Gefäß, zog den Korken heraus und steckte einen Finger in die cremige Substanz. Sie hatte eine feine Konsistenz und einen angenehm scharfen Zitrusduft.

«Lindi!», rief Jonathan ungeduldig.

Langsam und so detailliert wie möglich beschrieb die

junge Frau ihr schmerzhaftes Stelldichein mit Michiko in der Kapelle. Während sie sprach, schmierte sie sich die Sonnencreme auf Unter- und Oberschenkel – ein sinnlicher Akt, der den erotischen Charakter ihrer Erzählung noch verstärkte. Als sie kurz innehielt, um den glänzenden Schimmer auf ihren Beinen zu bewundern, schien Belinda sich noch lebhafter an die Spanking-Session erinnern zu können. Obwohl auf ihrem Po keinerlei Spuren zu sehen waren und er schon vor längerer Zeit aufgehört hatte zu brennen, spürte sie in diesem Moment wieder ein Kitzeln auf ihren Hinterbacken – fast so, als hätte er ein eigenes Gedächtnis. Belinda meinte zu spüren, wie Hände sanft darüberglitten, um gleich darauf wieder mit erbarmungsloser Härte zuzuschlagen.

«Es tat echt weh», fuhr sie fort, dippte ihre Finger erneut in das Gefäß und cremte sich die Schultern ein. «War aber auch sehr erotisch. Ich hätte nie gedacht, wie erotisch.» Sie wechselte die Hände, rieb sich die andere Schulter ein und verteilte dann einen dünnen Film auf ihrem Arm. «Ich … ich hatte mehrere Orgasmen.»

Jonathan stellte sein Glas geräuschvoll ab und schenkte sich nach. Dabei verschüttete er eine nicht unerhebliche Menge.

«Herrgott», murmelte er und nahm gleich mehrere Schlucke. Sein Blick war leer. Er schien nur noch das Bild vor Augen zu haben, das seine Freundin da gerade zeichnete.

Belinda lächelte, als sie die Beule in seinen weichen Jersey-Shorts sah. Männer waren doch so einfach zu erregen. Jonathan reagierte eindeutig auf beide klassischen Phantasien, die sie ihm nahebrachte: lesbische Liebe und das Versohlen eines Mädchenpopos.

Auch sie selbst blieb nicht unbeeindruckt von den lebhaften Erinnerungen. Belinda war angenehm aufgegeilt, ihr Körper warm und sensibilisiert – ein Zustand, den sie im Moment eher genießen konnte als die Aussicht auf etwas Größeres und Leidenschaftlicheres. Während sie noch beobachtete, wie Jonathan unruhig auf seinem Liegestuhl hin und her rutschte, um seinem geschwollenen Riemen Erleichterung zu verschaffen, hatte sie eine plötzliche Offenbarung.

Obwohl es in Worte gefasst ziemlich albern klang, wusste Belinda, dass sie sich aufsparen musste, um heute Abend für André bereit zu sein. Sie musste ihre sexuelle Energie und Wollust aufrechterhalten, denn das Ritual verlangte nach einem willigen Partner. Doch nicht nur das – der Graf musste ihr wirklich etwas bedeuten, und sie musste ihn von Herzen begehren. Wenn sie jetzt mit Jonathan einem einfachen und recht gedämpften körperlichen Bedürfnis nachging, könnte sie damit die letzte Hoffnung zweier verzweifelter Menschen zerstören. Etwas Zurückhaltung war also keineswegs zu viel verlangt, und Belinda ließ ihre Finger geringschätzig über ihren Schritt wandern.

Das hieß natürlich nicht, dass Jonathan auch leiden musste.

Belinda erhob sich elegant von ihrem Liegestuhl, stellte sich vor ihren Freund und sank dann auf die Knie. Ihr weites Kleid fiel in bauschigen Falten um sie. Jonathan betrachtete sie über den Rand seines Glases hinweg. Seine Augen waren voller Lust und Ehrfurcht, als er einen letzten Schluck des Cocktails nahm.

Mit einem Selbstbewusstsein, das völlig neu für sie war, nahm Belinda ihm das Glas aus der Hand und stellte es beiseite. Er protestierte erst, doch als seine Freundin ihm einen Finger auf den Mund legte, ergab er sich in sein Schicksal und hob folgsam den Hintern an, als sie das Bündchen seiner Shorts packte.

Als sie die Hose herunterzog, sprang sein Schwanz ihr sofort entgegen: eine Rute hungrigen Fleisches, hart und drall.

«Belinda!», keuchte er fast gereizt, als sie mit einer Hand seine Eier umfasste und die andere vorsichtig um seinen Schaft legte.

«Pst!», zischte sie und legte die Lippen um seine Eichel.

Kapitel 15

Die Befreiung

Belinda starrte ihr Spiegelbild an. Ihre Identität löste sich jetzt schon langsam auf. Das weiche blaugrüne Kleid, das sie trug, konnte unmöglich Arabelle gehört haben, das wusste sie. Doch ihr Instinkt sagte Belinda gleichzeitig, dass es eine gute Reproduktion war.

«Kein Wunder, dass er sie vemisst», sagte Jonathan und legte von hinten die Arme um ihre Taille. «Wenn sie so ausgesehen hat wie du, muss sie wirklich sehr schön gewesen sein.»

Ihre Blicke trafen sich im Spiegel. «Danke, Johnny.»

«Ist mir ein Vergnügen.» Er lächelte etwas schüchtern. «Es ist die reine Wahrheit.»

Sie legte ihre Hände über die seinen. «Ich habe Angst.»

«Ich weiß.» Sein Lächeln verzog sich etwas.

«Aber ich kann jetzt nicht mehr zurück. Vielleicht findet er nie wieder jemanden, der ihm helfen kann. Das verstehst du doch, oder?»

«Ja. Ja, das verstehe ich. Und ich will auch, dass du ihm hilfst ... ihnen. Wenn es irgendwas gäbe, was ich tun könnte, würde ich mich auch darauf einlassen. Ich wünschte nur, es wäre nicht so gefährlich für dich.»

Belinda wollte ihn gerade beruhigen – ihn also anlügen –, doch genau in diesem Moment war ein lautes Klopfen an der Tür zu hören. Noch bevor Belinda reagieren konnte, rauschte Michiko mit besorgtem Gesichtsausdruck in das Zimmer. Sie trug etwas, das wie ein opulenter, feierlicher Kimono aussah, den sie aus Zeitmangel nicht mehr korrekt hatte anlegen können. Unten schauten weiße Zehensocken hervor. Ihr elegantes orientalisches Gesicht war schneeweiß geschminkt, die Lippen waren dunkelrot angemalt und die Augen mit schwarzer Kohle umrandet.

«Sie kommt», rief sie laut und rannte mit leisen Schritten auf sie zu. «Wir müssen uns vorbereiten! Und Jonathan, du musst uns auch helfen!»

«Was soll das heißen?», fragte Belinda und spürte, wie die Hände ihres Freundes sich von ihr lösten. «Wer kommt? Was ist denn los?»

Die Japanerin nahm beide bei der Hand und drückte sie fest. Ihre Augen sahen in dem weißgeschminkten Gesicht wie Obsidiane aus. «Isidora ist auf dem Weg hierher. Ich habe sie gespürt, und es könnte gut sein, dass sie noch in dieser Stunde hier eintrifft.»

«Können wir nicht einfach die Tore schließen? Oder vielleicht die Türen verrammeln?», schlug Jonathan vor. «Was ist denn mit Oren? Kann er sie nicht aufhalten? Stark genug ist er doch.»

«Auch der arme Oren ist machtlos gegen ihre geheimen Kräfte», erklärte Michiko. «Er würde zwar sicher sein Leben geben, um André zu beschützen, aber das wäre sinnlos. Isidora würde sich schon irgendwie gegen ihn zur Wehr setzen.» Sie drückte Belindas Hand erneut, ließ sie dann los und nahm Jonathan bei beiden Händen. «Dich andererseits kann ich beschützen. Du musst sie ablenken, während wir das Ritual vollziehen.»

«Wieso sollte sie sich überhaupt mit mir aufhalten?», fragte Jonathan. Belinda sah nicht nur Zweifel in seinem Gesicht, sondern auch echte Angst. Er glaubte jetzt ganz und gar an das Übernatürliche.

«Weil sie in Verkleidung kommt. Ich konnte unbemerkt einen kurzen Blick in ihren Geist werfen», erklärte Michiko konzentriert. «Sie wendet eine List an, mit der sie sich André nähern kann, ohne dass jemand merkt, dass sie hier ist. Sie weiß, dass ihr neues Gesicht im Kloster willkommen ist, denn sie hat eine Einladung.»

Belinda erinnerte sich sofort an das Telefonat von gestern. «Paula!»

«Ist das eure Freundin?»

«Ja», antwortete Jonathan, während Belinda schlagartig klar wurde, dass sie ein Schlupfloch für Andrés schlimmsten Feind geschaffen hatten. «Aber was hat sie dann mit unserer echten Paula gemacht?» Jonathan war äußerst besorgt.

«Sie hat sie eine Weile in das Land des Schlafes geschickt», erwiderte Michiko und runzelte ihre feinen Augenbrauen. «Glaube ich zumindest. Ich habe jedenfalls nichts gespürt, was auf ernsthafte Verletzungen hindeutet.»

«Großer Gott», flüsterte Belinda atemlos und wurde sich erst jetzt bewusst, dass sie offensichtlich längere Zeit den Atem angehalten hatte.

«Aber was kann ich denn tun?», fragte Jonathan. «Ich habe keine speziellen Kräfte.»

«Du besitzt männlichen Charme», erklärte Michiko. «Isidora bereitet nichts größere Befriedigung, als einer Frau den Mann wegzunehmen. Da kann sie einfach nicht widerstehen.»

«Woher soll sie denn wissen, wie Belinda und ich zueinander stehen?» Jonathan blickte auf seine Hände, die Michiko immer noch festhielt.

«Sie kann zwar keine Gedanken lesen», sagte die Japanerin und ließ seine Hände mit einem ermutigenden Schütteln los, «aber sie ist eine Expertin darin, anderen Menschen mehr Informationen zu entlocken, als sie preisgeben wollen. Dazu hat sie vielerlei Mittel: Drogen, Schmeicheleien, ihren Körper.» Michiko lächelte breit. «Sie wird bereits eine Menge über euch und eure Beziehung wissen.» Obwohl es unter ihrem Make-up eigentlich nicht zu erkennen war, schien Michiko zu erblassen. «Eure Freundin ... hat sie vielleicht irgendwelche Fotos von euch dabeigehabt? Irgendein Bild?»

Belinda dachte nach. «Nicht dass ich wüsste», sagte sie und versuchte verzweifelt, sich an das letzte Mal zu erinnern, dass jemand ein Foto von ihr und Jonathan gemacht hatte. «Wieso?»

«Wenn Isidora begreift, wie sehr du Arabelle ähnelst, wird sie vor nichts haltmachen, um dich zu vernichten. Und Arabelles Phiole gleich mit.» Michiko rang nachdenklich die Hände. «Sie weiß Bescheid über das Ritual der Befreiung. Obwohl ihr Grimoire sich in Andrés Besitz befindet. Das wird sie bestimmt nicht übersehen haben.»

«Also ich bin ziemlich sicher, dass sie keine Bilder von uns haben wird», erklärte Jonathan hoffnungsvoll.

«Und wenn doch», warf Belinda ein, «dann höchstens welche von dir, Johnnylein, nicht von mir.» Sie warf ihm ein ermutigendes Grinsen zu. «Du bist es nämlich, auf den sie scharf ist.»

«Wirklich?» Diese Offenbarung lenkte Jonathan tatsächlich einen Moment lang ab.

«Gut! Ausgezeichnet!», sagte Michiko mit plötzlich klarer, fester Stimme. «Wenn Isidora weiß, dass es da eine Beziehung gibt, die sie zerstören könnte, wird sie sich sehr für dich interessieren, Jonathan. Könntest du dir vorstellen, mit ihr zu schlafen? Um sie abzulenken?»

Jonathan wurde knallrot, und Belinda wusste nicht, ob sie lachen oder protestieren sollte. Die ganze Situation kam ihr plötzlich wie eine Art tiefschwarze Komödie vor. Sie sah von ihrem Freund hinüber zu Michiko und wieder zurück.

«Das scheint mir eigentlich nur gerecht zu sein», stellte

sie schließlich fest und musste unwillkürlich grinsen. «Ich werde mit einem Zauberer schlafen, und du bekommst eine Zauberin.»

«Ich ... ich weiß nicht, ob ich überhaupt in der Lage bin, einen hochzukriegen», sagte Jonathan. Sein Gesicht war so ernst, dass Belinda ihr Lachen nicht mehr länger zurückhalten konnte. Und genauso erging es Michiko.

«Eure Freundin, Paula – fühlst du dich zu ihr hingezogen?», fragte die Japanerin ganz offen.

Belinda hörte aufmerksam zu, als Jonathan antwortete. «Sie ist zwar ziemlich attraktiv, aber als begehrenswert habe ich sie eigentlich nie empfunden.»

«Ich glaube, heute Abend wirst du sie ein ganzes Stückchen begehrenswerter finden, mein junger Freund», erklärte Michiko und sah im direkt in die Augen. «Isidoras Verführungskünste sind sehr überzeugend. Ich glaube nicht mal, dass ein anderes Gesicht daran etwas ändern wird.»

Er ist hier! Er ist irgendwo hier, dachte Isidora und warf die Tür des Autos zu, das sie zusammen mit Paula Becketts Gesicht entwendet hatte.

Als sie auf das Haus vor sich schaute, das in dem sanften Abendlicht zu leuchten schien, konnte sie Andrés Gegenwart deutlich spüren. Sie fühlte bereits die köstliche Erregung des Sieges – ein Gefühl, so erotisch, dass ihre Knie fast nachgaben. Zumindest hätten sie das getan, wenn sie eine andere gewesen wäre. Die Beute, die sie so lange verfolgt hatte, war in greifbarer Nähe, und wenn ihr danach gewesen wäre, hätte sie sofort zupacken können. Aber es war um so vieles befriedigender, sich auf das Ende zu freuen, es hinauszuzögern und schon die Vorbereitungen intensiv auszukosten.

Als sie entschlossen über den Kies der Auffahrt schritt,

erschien ein junger Mann auf der Treppe zur Eingangstür. Sie hatte ihn noch nie zuvor gesehen, doch aller Wahrscheinlichkeit nach handelte es sich um Jonathan. Genau der Jonathan, über den eine recht betrunkene Paula gesagt hatte, dass sie ein bisschen in ihn verliebt wäre. «Jonathan! Hallo», rief ihm Isidora voller Selbstvertrauen zu.

Das Lächeln des jungen Mannes wirkte ein wenig vorsichtig, als er die Treppe hinunterkam. Isidora nutzte die kurze Zeit, bis er vor ihr stand, für eine eingehende Betrachtung.

Stimmte irgendwas nicht? Wusste er etwas?

«Hi! Jetzt hast du uns also gefunden», sagte er. «Ich hab mir schon ein bisschen Sorgen gemacht, weil es immer später wurde.» Nach einem kurzen Moment des Zögerns legte er einen Arm um sie. «Mensch, bin ich froh, dass du endlich hier bist.»

«Ich auch», erwiderte Isidora. Seine Umarmung fühlte sich gut an. Sie hatte nicht viel von Paulas Freunden erwartet, die wahrscheinlich fast ebenso leichtgläubig sein würden wie sie. Reine Zeitverschwendung also, sich mit ihnen aufzuhalten. Doch dieser dunkle, drahtige Kerl war doch ziemlich verlockend. Ein schmackhafter Happen, mit dem sie bis zu ihrem unvermeidlichen Triumph spielen konnte.

«Wo steckt denn Belinda?», fragte sie, als sie Arm in Arm mit Jonathan die Treppe hochging. «Ich dachte, sie würde mich auch begrüßen.»

«Keine Ahnung», erwiderte er in leicht gereiztem Tonfall. «Sie sagte, sie hätte Kopfschmerzen, und wollte sich hinlegen. Aber ... Ach.» Er hielt mit angespanntem Blick inne.

«Was ist denn los?», fragte Isidora. Sie standen in der beeindruckenden Eingangshalle, in der ihr sofort die diversen Porträts ihrer Beute ins Auge fielen. «Stimmt was nicht zwischen euch?» Sie versuchte sich an die Dinge zu erinnern, die Paula ihr erzählt hatte. «Hat euch der Urlaub doch nicht wieder näher zusammengebracht?»

Der junge Mann zögerte erst, doch dann kamen die Worte in einem Sturzbach aus ihm heraus. «Ich ... ich bin seit unserer Ankunft hier ziemlich fertig. Ich glaube, ich war krank oder so was. Jedenfalls habe ich eine Menge geschlafen. Ich dachte eigentlich, Lindi würde sich auch etwas ausruhen. Doch wie sich herausstellte, war das nicht der Fall.» Sein Blick war starr und der verführerische Mund voller Anspannung. «Sie hat ... sie hat ... verdammt, ich glaube, sie hat mit diesem blöden Grafen André rumgemacht – unserem ach so liebenswürdigen, ach so großzügigen Gastgeber!»

«Das ist ja schrecklich!», rief Isidora und legte den Arm um ihn. Ihre Lenden schmolzen bereits vor Lust. «Wie konnte sie nur? Du armer Kerl!»

Es war aber auch einfach zu schön. Meinungsverschiedenheiten im Camp. Vielleicht könnte sie ja auch beide dieser köstlichen jungen Dinger verführen? Um André seiner Trostspenderin zu berauben und mit ein paar neuen Eroberungen vor ihm zu prahlen, bevor sie ihm schließlich endgültig die Freiheit nähme. Die Schlampe Belinda verdiente ganz offensichtlich eher Bestrafung als Vergnügung. Aber vielleicht würde ja Zeit für beides bleiben ...

«Komm schnell! Wir müssen uns jetzt beeilen», drängte Michiko und führte Belinda eine enge Hintertreppe hinunter. Die Japanerin nahm die schmalen Steinstufen trotz der Schönheit ihrer aufwendigen Garderobe mit eleganter Leichtigkeit. Sie war in ihrem traditionellen Geisha-Gewand kaum zu erkennen.

Belinda folgte Michiko, so gut es eben ging. Immerhin wusste sie jetzt, was in den Schachteln gewesen war, die man heute Morgen angeliefert hatte: ein viellagiger Kimono aus prächtigem Brokatstoff. Eine Stoffschärpe, auch Obi genannt, die zu einer großen, komplizierten Schleife gebunden wurde. Eine formelle Perücke, die zu steifen Locken aufgetürmt und mit blumen- und perlenverzierten Kämmen geschmückt war. Alles Dinge, die Michiko mit ihrem weiß angemalten Gesicht und den seltsamen Holzschuhen in ein noch viel geheimnisvolleres Wesen verwandelten. Sie wirkte kultiviert, durch und durch weiblich, hatte aber dennoch nichts von ihrer Macht eingebüßt.

Die Treppe endete auf dem kleinen Hinterhof des Hauses, der nur ein paar Schritte von der Kapelle entfernt war. Mit etwas Glück hatte Jonathan Isidora vielleicht schon in die Bibliothek geführt, wo er sie mit seiner traurigen Geschichte und seiner Bereitschaft, sich verführen zu lassen, in die Falle lockte. Trotzdem war es sicher nicht klug, sich länger im Freien aufzuhalten.

Als Belinda die Tür der Kapelle öffnete und zusammen mit Michiko eintrat, spürte sie einen kalten Schauer der Erregung durch ihren Körper jagen. Der alte Kirchenraum sah in der hereinbrechenden Dämmerung so ganz anders aus als bei ihrem letzten Besuch.

Die Luft war erfüllt vom schweren Duft der Schnittblumen, die überall herumstanden und deren helle Farben von dem merkwürdigen Licht fast verschluckt wurden. In mehreren Kandelabern brannten Kerzen, und an den Wänden waren Fackeln angebracht – doch beide Lichtquellen gaben nicht mehr als ein schwaches Leuchten ab, das sich gegenseitig auszulöschen schien. Belinda hatte die Beleuchtung von außen nicht sehen können. Ihre Anwesenheit war also auch für ihre Verfolgerin nicht sichtbar.

Der schwere Eichentisch war weggerückt worden – zweifellos mit Hilfe des starken Oren – und stand jetzt in der Mitte der Kapelle. Auf der Tischplatte lagen ein wunderschön bestickter Quilt und eine Reihe von Kissen. Schon der Anblick ließ Belindas Lenden zucken – hier würde sie sich mit André vereinen.

Zunächst sah sie nichts von ihrem magischen Liebhaber. Erst nach einer Weile merkte sie, dass er genau in der Kirchenbank saß, wo Michiko gestern vor der Bestrafung gesessen hatte. Der Graf trug einen langen Umhang aus schimmernder Seide, der mit Silbersternen bestickt war. Er hielt den Kopf gebeugt, als befände er sich mitten in einem stillen Gebet. Auf seinem Schoß ruhte eine kleine Schatulle aus Rosenholz – Belinda hatte sie bereits im Turmzimmer gesehen –, die zu leuchten schien, als er mit dem Finger darüberfuhr. Der Graf schaute langsam auf, nachdem Michiko ihn beim Namen gerufen hatte, doch seine Hand blieb besitzergreifend auf der Schatulle mit den verschlungenen Schnitzereien liegen.

«Es wird Zeit», erklärte die Japanerin mit sanfter Stimme und ging auf ihn zu. «Wir müssen es jetzt tun, bevor Isidora bemerkt, was wir vorhaben.»

André erhob sich, das Behältnis immer noch in der Hand, und ging voller Bereitschaft auf Belinda zu. Doch als sich ihre Blicke trafen, spiegelte sich darin seine eigene Angst.

Jonathan zitterte, als Isidora ihren kühlen Arm um ihn legte. Diese Begegnung war das Angsteinflößendste, was er je erlebt hatte. Doch zu seinem eigenen Erstaunen erregte die Gefahr ihn ganz offenbar.

Da Michiko ihn mit einem ihrer Zaubersprüche belegt hatte, meinte er Dinge zu sehen. Jonathan hatte eindeutig Paulas vertrautes Gesicht vor sich und konnte einige Zeit auch nichts Ungewöhnliches darin entdecken. Die Gesichtszüge sahen aus wie immer. Hübsch, aber für ihn nicht besonders anziehend. Sie war eben einfach nur eine Freundin. Doch zwischendurch schien die Realität sich immer wieder zu verschieben, und er sah ein Doppelbild. Paula war zwar immer noch da, doch hinter ihrem Gesicht konnte er die Gegenwart von etwas spüren, was zutiefst bedrohlich wirkte. Ein Gesicht, das zwar bei weitem schöner, gleichzeitig aber hart und grausam wie eine Schamanenmaske wirkte. Er sah das Gesicht einer Frau, die übermenschliche Verführungskünste besaß und die Jonathan sofort instinktiv verabscheute. Sein Schwanz aber brannte wie Feuer.

«Ständig hält sie sich in seiner Gegenwart auf und wirft sich ihm bei jeder Gelegenheit an den Hals», sagte er und versuchte seine Stimme dabei möglichst erschüttert und enttäuscht klingen zu lassen. «Als ich gestern versuchte, mit ihr zu schlafen, wollte sie nichts davon wissen.»

Natürlich stimmte einiges davon tatsächlich, dachte der junge Mann trocken, als ein sorgfältig einstudierter Mitleidsblick auf dem Gesicht seiner Begleitung auftauchte. Belinda war zwar wirklich mit André zusammen gewesen – er selbst allerdings auch. Dasselbe bei Feltris und Elisa. Der Unterschied bestand darin, dass Belindas diverse Vereinigungen freiwillig geschehen waren. Eigentlich hatte Jonathan nichts gegen Belindas Affäre mit André. Doch nun musste er so tun, als ob die Verbindung der beiden ihm entsetzlich wehtat.

«Dieses Miststück», schimpfte er und sah hinab auf seine geballten Fäuste. Isidoras Griff wurde fester. «Wie konnte sie mir das nur antun?»

«Ich weiß es auch nicht», erwiderte sie, strich erst über seine Hand, dann den Arm und schließlich auch über seinen Schenkel. «Ich habe wirklich keine Ah…» Sie hielt inne, und Jonathan spürte, wie ihre Finger sich mit größer werdendem Druck seinem Schritt näherten. «Obwohl ich mir manchmal – ich betone manchmal – schon so meine Gedanken über Belinda gemacht habe. Sie ist ein bisschen wankelmütig und denkt nicht immer richtig nach. Außerdem …» Isidora pausierte erneut. Ihr Gesicht war jetzt nur noch Zentimeter von dem seinen entfernt, und der Duft ihres Parfüms wurde immer schwerer und betäubender. «Ich habe es dir noch nie erzählt, aber selbst ich habe sie schon mit anderen Männern gesehen.»

«Das Miststück!», wiederholte Jonathan voll unverhohlener Ablehnung, so als wären ihm tatsächlich Hörner aufgesetzt worden.

«Reg dich nicht so auf, Jonathan», erklang ihre samtene Stimme in seinem Ohr. «Du bist doch ein attraktiver Mann. Intelligent. Du musst dir das nicht gefallen lassen. Du kannst doch jede Frau haben, die du willst.»

Als sie ihm einen zarten, kaum spürbaren Kuss auf den Hals gab, musste Jonathan sich schon sehr anstrengen, um einen Sinn für die Realität zu bewahren. Dieses Wesen war der Feind, die seinen neuen Freund – seinen ersten und wahrscheinlich auch einzigen männlichen Liebhaber – für immer verdammen wollte. Er sollte Isidora zwar verführen oder sich von ihr verführen lassen, doch mittlerweile beunruhigte ihn die Anziehung, die sie auf ihn ausübte.

«Jonathan», flüsterte sie und übersäte Kinn und Wangen mit kleinen Küssen. «Vergiss sie!» Isidoras Hand entfernte sich langsam aus der neutralen Zone und legte ihre Finger durch die Hose gegen seinen Riemen. «Ich fand dich schon immer attraktiv. Seit Jahren begehre ich dich. Und ich werde dich viel glücklicher machen, als Belinda das je konnte.»

Ihre Berührung war so leicht und doch so fordernd, dass Jonathan aufstöhnte. Sein Schwanz hüpfte unter ihrer

Hand, als würde er versuchen, aus der Jeans zu springen. Isidoras Lippen blieben unterdessen auf seinen Mundwinkeln hängen.

Jonathan wurde sich bewusst, dass es ihm wirklich keinerlei Probleme bereiten würde, Lust auf diese Frau vorzutäuschen. Er hob seine Hand, umfasste ihr kühles Kinn und zog sie zu einem Kuss an sich heran.

Die Zunge der schönen Frau schoss sofort und ohne Widerstand zu dulden in seine Mundhöhle. Trotz Jonathans selbstvergessener Hingabe spürte er doch, wie ihre entschlossenen Finger sich an seinem Reißverschluss zu schaffen machten und seine Hose öffneten. Nach ein paar weiteren Sekunden hatte sie bereits seinen Schwanz in der Hand.

«Du weißt ja gar nicht, wie lange ich mich danach gesehnt habe», murmelte Isidora mit lustheiserer Stimme. Während sie an seiner Oberlippe knabberte, wichste sie langsam seinen Schwanz.

«Mir geht's genauso», keuchte Jonathan und glaubte für einen Moment fast an seine eigenen Worte. Doch sofort nachdem er den Satz ausgesprochen hatte, hasste er sich auch schon für seine Gefühle. Ihre Art, ihn zu berühren und zu reiben, hatte etwas abstoßend Wollüstiges an sich, und er verstand mit einem Mal den süßen, krankhaften Reiz der verbotenen Frucht und wie sehr solche bösen Frauen durch alle Zeitalter auch verehrt wurden.

«Wollen wir auf mein Zimmer gehen?», fragte er und verschluckte sich vor Geilheit fast an den eigenen Worten. Sein Riemen war so dick und hart, dass er wie eine Eisenstange gegen seinen Bauch drückte. Ein Prügel aus geschwollenem Fleisch, das explodieren würde, wenn er keine Erleichterung fände.

«Nein. Wozu warten?», stöhnte Isidora und rutschte voller Sinnlichkeit vom Sofa auf den Teppich. Dabei zog sie

Jonathan an seinem Schwanz mit sich. «Machen wir es uns doch gleich hier bequem», schlug sie vor und ließ seine Luststange mit einer letzten, aufreizenden Berührung los. «Du hast doch keine Angst, entdeckt zu werden, oder?», fragte sie und fing an, sich ohne jedes Zögern vor ihm auszuziehen.

Jonathan hatte Paula zwar schon diverse Male im Badeanzug gesehen, doch als Isidora auch noch ihre letzten Kleidungsstücke – einen dünnen weißen BH und das Höschen – abgelegt hatte, spürte er eine große Diskrepanz zwischen Erscheinung und Illusion. Der bloßgelegte Körper gehörte eindeutig zu Paula, doch noch nie hatte er so unwiderstehlich auf ihn gewirkt.

«Berühr mich!», ordnete die Zauberin an, legte sich auf dem antiken Teppich zurück und spreizte die Beine. Jonathan konnte sofort jedes Detail erkennen. Ihre zähen Säfte rannen bereits über die Innenseite der Schenkel und den Po. Ihre Möse war derart geschwollen und der Kitzler so groß und hervorstehend – es wirkte fast, als würden sie um die liebevolle Fürsorge eines Mannes betteln.

«Jonathan, ich befehle dir, mich zu berühren!», brüllte Isidora heiser und griff zwischen ihre Beine, um die äußeren Schamlippen mit den Fingern zu spreizen.

Jonathan gehorchte. Er war begeistert, was sich ihm da so unverhohlen anbot, hatte gleichzeitig aber auch große Angst, was wohl passieren würde, wenn er ihrem Wunsch nicht nachkam. Als er seine Fingerspitzen in die Spalte schob, stellte er fest, dass ihre Genitalien nicht von der ungewöhnlichen Kälte befallen waren, die den Rest ihrer Haut überzogen. Das feuchte Loch zwischen ihren Beinen war brennend heiß und zuckte verlockend. Als er anfing, sie zu streicheln, umschlossen ihre Schenkel seine Hand wie ein Schraubstock.

«Ja!», jubelte sie und klammerte sich an ihn. Isidoras ganzer Körper bebte, und sie presste ihre Nacktheit gegen seinen immer noch bekleideten Torso. Irgendwann heulte sie vor Lust wie eine Löwin auf, und ihre Muschi krampfte unter seiner Berührung mit aller Macht.

Die Tatsache, dass Isidoras Orgasmus eine Ewigkeit zu dauern schien, erregte Jonathan über alle Maßen. Er hatte das Gefühl, über einem Abgrund zu schweben, das Halteseil bis zum Zerreißen gespannt. Atemlos rechnete er jeden Moment damit, entweder in die Höhe zu schießen oder in die Tiefe zu stürzen. Adrenalin wurde durch seinen Körper gepumpt, und sein Herz schlug wie wild.

Als sie seinen zögernden Blick sah, gebot Isidora ihren Zuckungen Einhalt, setzte sich auf und schubste ihn zu Boden. Dann beugte sie sich über ihn.

Als sie murmelte: «Jetzt bist du dran», fühlte er seinen gefährlichen Absturz nahen.

Belinda spürte plötzlich Verlegenheit und Angst in sich aufsteigen. Wie konnte sie nur einfach so mit jemandem schlafen? Kaltblütig, offenen Auges und ohne Vorspiel? Wie konnte sie das auch nur in Erwägung ziehen, wo sie doch wusste, wie die Sache ausgehen könnte?

Und wenn sie zweifelte, dann hatte André vielleicht auch Bedenken.

Als hätte er ihre Gedanken gelesen, wanderte der Blick des Grafen von der Rosenholzschatulle hin zu Belinda. «Komm her», forderte er sie mit sanfter Stimme auf. Sein Gesicht wirkte im Leuchten des Behältnises etwas unheimlich.

Belinda setzte sich zu ihrem Gastgeber auf die Kirchenbank, während Michiko sich einem komplizierten und geheimnisvollen Beschwörungsritual widmete, das aus einem halblauten Singsang und dem wiederholten Abbrennen von Räucherstäbchen bestand.

«Ich weiß», begann André, «dass dir das alles sehr gekünstelt und merkwürdig vorkommen muss.» Er lächelte, und seine blauen Augen zwinkerten auf so jungenhafte, normale Weise, dass sie schon jetzt den ersten Stich der Lust in ihrem Bauch spürte. «Und du hast recht. Wir werden uns aus einem sehr absonderlichen Grund und unter denkbar unnormalen Umständen lieben. Aber wenn die Dinge anders lägen ...» Er zuckte mit den Schultern und ein Seufzen kam über seine Lippen.

Plötzlich bemerkte Belinda eine leichte Änderung des Lichts, und sie schaute zu der Schatulle, die auf den Falten seines prächtigen Seidenumhangs ruhte.

Wie konnte dort drin nur jemand leben? Und was hielt die Bewohnerin der Schatulle wohl von dem, was André da gerade angedeutet hatte – dass er sie unter anderen Umständen nur zu gern mit Belinda betrogen hätte?

Als die junge Frau den Blick wieder abwandte, stellte sie fest, dass auch der Graf die ganze Zeit auf das Gefäß gestarrt hatte. «Ihr hättet gute Freundinnen sein können», sagte er mit kaum hörbarer Stimme. «Schwestern gar. Schwestern im Geiste. Ihr seid euch auf so vielerlei Weise ähnlich ... Hier!» Mit diesen Worten reichte er die Schatulle an Belinda weiter.

Doch sie zögerte und glättete verlegen den dünnen Musselin ihres Kleides.

«Sie wird schon nicht beißen», versicherte der Graf lächelnd.

Belinda nahm die Schatulle und spürte sofort eine unheimliche Kraft. Sie fühlte eine Macht, eine Präsenz. Das Holz war kühl, doch irgendetwas in Belindas Innerem interpretierte diese Kälte als Wärme. Sie wurde von einer

Welle der Emotionen erfasst und glaubte, Vertrautes zu erkennen. Das Gefühl war so stark, dass es fast erotisch auf sie wirkte. Belinda ertappte sich dabei, wie sie, ohne nachzudenken, über die Schatulle strich, ja sie fast sogar streichelte. Der Wunsch, sie zu öffnen, wurde immer größer.

«Nur zu», sagte André.

Oder war das überhaupt André? Seine Worte waren in ein merkwürdig klingendes Echo gehüllt. Ganz so, als hätte er die Aufforderung nicht allein gesprochen.

Im Inneren der Schatulle lag eine verkorkte Phiole, in der eine Substanz herumwirbelte, die an Nebel erinnerte – weder flüssig noch gasförmig. Das Bemerkenswerteste aber war die Farbe, die man nicht einfach nur mit dem Wort «blau» beschreiben konnte. Sie war wie der Himmel, wie das Meer, wie der schönste Saphir oder der edelste Lapislazuli. Die Substanz – die Persönlichkeit – war formlos, doch Belindas Sinne vermittelten ihr, dass sie ein Lächeln sah. Die Essenz einer Begrüßung, einer Berührung – das Gefühl der Liebe.

«Hallo», flüsterte Belinda. Sie ließ ihre Fingerspitzen auf der Glasphiole ruhen und wurde von einem weiteren, körperlosen Willkommensgruß überrascht, den sie als übersinnliche Version einer Umarmung wahrnahm. Eine schwesterliche Umarmung, die ihre Ängste und Zweifel völlig wegwischte. Belinda verspürte den plötzlichen Drang, ihre seltsame Schwester näher kennenzulernen, etwas von ihrem Leben und ihren Gedanken zu erfahren. Wenn auch nur kurz.

«Kommt! Es wird Zeit», ertönte plötzlich eine Stimme, die kilometerweit weg schien. Als Belinda aufschaute, sah sie Michiko, die mit ihrer prunkvollen Perücke und dem prächtigen Seidenkimono überaus eindrucksvoll wirkte. Sie hielt die Hände ausgestreckt und wartete darauf, dass man ihr das kostbare Behältnis reichte. Belinda küsste die Phiole – ihre kühle Oberfläche kitzelte wie Brausepulver auf den Lippen –, schloss dann die Schatulle und gab sie voller Ehrfurcht an die Japanerin weiter.

«Lasst uns beginnen», erklärte der Graf, stand auf und streckte ihr seine Hand entgegen.

Während Michiko sich mit der Schatulle in den schmalen, weißen Händen verbeugte, ließ Belinda sich von André zu dem bereitstehenden Tisch führen.

«Oh Gott!», stöhnte Jonathan, als er von einer wellenförmigen Hitze gepackt wurde. Isidora saß rittlings auf seinen Lenden. Ihr nackter Körper hüpfte auf und ab, während ihre Möse seinen Schwanz wie eine enge Hülle umschloss.

«Mit Gott hat das hier rein gar nichts zu tun», grunzte sie und ließ ihre Hüften auf eine Art kreisen, die mehr als animalisch denn als menschlich bezeichnet werden musste. Wenn diese Frau überhaupt jemals ein Mensch gewesen war.

Jonathan wagte während des wilden Ritts kaum aufzuschauen. Je mehr er während dieser qualvollen Vereinigung von ihr sah, desto weniger erkannte er Paula. Zwar gehörten die Gesichtszüge der wilden Reiterin eindeutig zu seiner Freundin und Kollegin, doch der Ausdruck in ihren Augen und die unersättliche Raserei, in der dieser Akt vollzogen wurde, erschienen ihm düster und fremd. Er war nie besonders scharf auf Paula gewesen und hatte auch noch nie Intimitäten mit ihr ausgetauscht, doch sein Instinkt sagte ihm, dass der Sex mit ihr garantiert anders verlaufen wäre.

Isidora überwältigte, benutzte und verschlang ihn. Jonathan hatte das Gefühl, von einer bodenlosen schwarzen Leere ausgesaugt zu werden. Seine Lebensenergie wurde durch den Schwanz aus ihm herausgepumpt. Die fremde

Frau ließ erneut ihr Becken kreisen, bevor sie sich mit aller Macht wieder auf ihn setzte.

«Streichel mich, Jonathan!», forderte sie ihn mit strenger, notgeiler Stimme auf, und ergriff seine tauben Hände, um sie an ihre Brüste zu führen.

Der hilflose Mann stöhnte, als er die festen Globen unter seinen Fingern spürte. Er hasste sich dafür, wie sein Körper reagierte: Sein Schwanz wurde noch härter und zuckte in ihrer Muschi, während sich seine Eier wie kochend heiße Steine anfühlten. Ohne nachzudenken, fing er an, ihre Brüste zu kneten.

«Ja!», schrie sie und presste in Erwiderung die Muskeln ihrer Möse zusammen.

Jonathan wimmerte. Er warf ihr sein Becken entgegen, was seine Partnerin mit einem tiefen, ungezähmten Grunzen erwiderte. Dies war der wildeste, düsterste und atemberaubendste Sex, den er jemals gehabt hatte. Die Gefahr, der er sich dabei aussetzte, erwies sich als überaus stimulierend. Isidora war sich durchaus bewusst, dass er ihre wahre Identität kannte – da war Jonathan sich ziemlich sicher. Er hatte das starke Gefühl, dass sie ihn jetzt extrahart rannahm, um ihm genau das klarzumachen. Sie fickte ihn in die Unterwerfung und ergriff derartig Besitz von ihm, dass er nicht mal mehr protestieren konnte. Dabei sorgte sie auf unerklärliche Weise dafür, ohne dass er wusste wie, dass er so lange hart blieb, wie er es noch nie erlebt hatte. Normalerweise wäre Jonathan bei dieser Behandlung schon längst gekommen.

«Oh, das ist so herrlich!», keuchte Isidora, packte ihn bei den Haaren und zog ihn vom Teppich hoch, um seine stöhnenden Lippen zu küssen. Dabei wurden seine Hände, die immer noch auf ihren Brüsten lagen, zwischen den beiden Körpern förmlich eingequetscht. «Ist das nicht geil?»

Ihre Worte wurden von den aufeinandergepressten Mündern und duellierenden Zungen beinahe verschluckt.

Jonathans Kopfhaut schmerzte von ihrem Zerren, und auch sein Rücken war schon fast ausgerenkt. Und doch war sein gesamter Lendenbereich eine pulsierende Quelle der Ekstase. Jede Sekunde könnte sein Schwanz explodieren. Einerseits hatte Jonathan Angst, dass dieser Höhepunkt ihn umbringen könnte, auf der anderen aber konnte er einfach nicht genug Energie aufbringen, um sich darum zu scheren. Sein Becken bebte, und er wusste, dass sein Orgasmus nicht mehr aufzuhalten war.

Als er schließlich unmittelbar vorm Abspritzen stand, schrie Isidora voller Angst auf.

«Nein!», kreischte sie. «Der Teufel soll dich holen, nein!» Selbst als die ersten Tropfen von Jonathans Liebessaft spritzten, hüpfte sie noch auf und ab und vollzog vor den Augen ihres Opfers eine erschütternde Verwandlung.

Die Frau, die Jonathan nach dieser Vereinigung vor sich hatte, war ihm noch nie begegnet.

Belinda seufzte und leckte sich die Lippen. Andrés Kuss hatte die Bitterkeit fortgewischt, und sie schmeckte nichts mehr von dem beißenden Geschmack des Trankes.

Sicher, sie fühlte sich jetzt etwas schwach. Doch es war keine unangenehme Schwäche. So beschwerte sie sich auch nicht, als der Graf sie auf ihrem behelfsmäßigen Bett auf den Rücken drehte. Sie lächelte ihn einfach nur an. Erst ihn und dann über die Schulter hinweg auch Michiko, die ein riesiges Buch auf einem Stehpult vor ihr studierte und etwas in einer Sprache murmelte, die wie Latein klang.

Der Singsang war beruhigend, und Belinda schloss die flatternden Augenlider. Wie in einem abgeschotteten, angenehmen Kokon spürte sie Andrés Lippen über Hals und

Brust wandern und ein geheimnisvolles Muster auf ihren Körper legen. Mystische Zeichen, die Götter vor Jahrtausenden bestimmt haben mussten. Sein Mund war kühl, aber überaus erregend. Immer wieder leckte er mit der Zunge über ihre Haut. Nach ein paar Minuten spürte sie schließlich, wie seine Hände unter ihren Körper glitten und ihn ein kleines Stück von der gesteppten Matratze hoben, um den Verschluss ihres blauen Kleides zu öffnen. Belinda kicherte leise, als er es ihr schließlich auszog und sich dann auch ihres dünnen Baumwollunterrocks annahm. All diese Handlungen schienen sich in weiter Ferne abzuspielen, und doch strömten die köstlichsten Signale durch ihren Körper, als Andrés kühle Finger ihre Haut berührten.

«Ich will dich!», schnurrte Belinda, ohne nachzudenken. Sie zerrte an der gerippten Seide seines fließenden blauen Umhangs und schob ihn über seine Schultern. Als er auf den Boden der Kapelle fiel, war nur ein leises Rascheln zu hören.

Jetzt, wo sie beide nackt in der milden Abendluft waren, drängten ihre Körper sehr schnell zueinander. Belinda merkte deutlich, wie sie zwischen den Beinen immer feuchter wurde. Ihre Spalte forderte Andrés Geschlecht geradezu auf, in sie einzudringen. Er presste seinen Schwanz hart und verlockend gegen einen ihrer Schenkel. Und während sich ein Finger auf ihre Muschi legte, berührte auch sie ihn an seiner intimsten Stelle.

Michiko blätterte um und flüsterte weiter vor sich hin.

Dann begann André, sie fester zu reiben. Belinda hörte sich vor Wollust lachen, als ihre Möse erbebte.

«Das ist für dich, Belinda», sagte der Graf und presste seine Lippen auf die Haut ihres gebogenen Halses. «Nur für dich und dich allein.» Seine Finger kreisten geschickt und drückten von beiden Seiten gegen ihren Kitzler, bis er sich bewegte wie ein Kugellager in zähflüssigem Öl.

Es dauerte nicht lange, bis es ihr kam. Ihr Orgasmus war unbeschwert, leicht und geschah so mühelos, dass sie voller Glück aufschrie. Belindas Beine überkreuzten sich, und sie presste Andrés Körper fest an sich. Ihre Möse pulsierte, und es rannen Tränen der Freude über ihre Wangen.

Während Belinda erschöpft ihrem Höhepunkt nachspürte, brachte André sie in eine sitzende Position und legte von hinten die Arme um sie. Auf einmal kam auch Michiko dazu und legte der leicht weggetretenen Belinda etwas Langes, Seidiges um den Körper. Als sie an sich hinabschaute, sah sie, dass es sich um ein weißes Satinband handelte, dass die japanische Zauberin lose um ihre nackte Taille schlang. Als sie fertig war, baumelte ein Ende des Bandes über die Tischkante, und das andere lief über Belindas Bauch und war sorgfältig durch die feuchten Falten ihres immer noch erregten Lustfleisches gezogen. Sie spürte die geisterhafte Berührung des Stoffes oberhalb des Eingangs zu ihrer Höhle.

Es kam ihr nicht in den Sinn, dieses Arrangement in irgendeiner Weise zu hinterfragen, und sie war in keiner Weise überrascht, dass André sich entschlossen zwischen ihren Schenkeln positionierte. Als er tief und voller Selbstsicherheit in sie eindrang, strich sein Schwanz auch über das um ihren Kitzler drapierte Seidenband.

«Oh meine Geliebte», stöhnte er und legte seine Arme um ihre Taille.

Belindas Kopf wurde auf einmal ganz leicht. Zwar spürte sie André deutlich in sich und konnte auch eine gewisse Befriedigung daraus ziehen, doch auch dieses Gefühl nahm sie nur wie aus weiter Ferne wahr. Einer Ferne, die diesmal nicht nur räumlicher, sondern auch zeitlicher Natur war.

Als sie ihn auf den Hals küsste und seine weiche Haut unter ihren Lippen spürte, hatte sie auf einmal den Eindruck, er würde von einer ganz anderen Frau geküsst werden. Sein Schwanz dehnte sie zwar deutlich, aber er schien in einer ganz anderen Muschi zu stecken. Ein seltsames Gefühl, das sie aber ohne jede Angst akzeptierte.

Während André begann, sie voller Zärtlichkeit zu lieben, verspürte Belinda auf einmal das dringende Bedürfnis, den Kopf zur Seite zu drehen. Wie durch einen flimmernden Lichtnebel sah sie, dass Michiko jetzt direkt neben ihnen stand und ihre Lippen bewegte. Diesmal war es kein Buch, aus dem sie vorlas, sondern sie rezitierte etwas, das sie offensichtlich auswendig kannte. In der einen Hand hielt die Japanerin das seidene Ende des weißen Bandes und in der anderen die Kristallphiole, in der Arabelle wohnte.

Bedächtig und immer noch unverständliche Worte murmelnd, drehte Michiko das Gefäß um und entließ das blaue Leuchten, das sich auf dem Band sammelte, aus seinem Gefängnis. Als die durchsichtige Phiole leer war, begann das Blau zügig an dem daumenbreiten Band hochzuklettern.

Belinda hätte gern weiter zugeschaut, aber André drehte ihren Kopf, um ihr ins Gesicht blicken zu können. Seine Augen sahen aus wie zwei glühende Saphire, und seine ganze Erscheinung wirkte wie verwandelt.

«Es wird wahr … Großer Gott, es wird wirklich wahr!» Sein Mund presste sich zu einem Kuss auf ihre vollen Lippen, der ihr alle Sinne raubte. Das Letzte, was sie noch hörte, war: «Oh, danke … Danke, Belinda!»

Epilog

«Was ist passiert? Hat es funktioniert?», rief Jonathan bleich und aufgelöst in die Kapelle stürmend.

Belinda spürte, wie sie von Michikos starken Armen gehalten und wieder zum Leben erweckt wurde. «Ich glaube schon», antwortete sie nach einem kurzen Blick in das Gesicht der Japanerin.

«Ja, es hat funktioniert», bestätigte Michiko. Das Gesicht unter der weißen Make-up-Maske glühte förmlich. «Voll und ganz. Meine Freunde sind jetzt frei.» Sie warf Jonathan einen forschenden Blick zu. «Es gibt nichts mehr, wovor ihr Angst haben müsst.»

«Alles in Ordnung bei dir?», fragte er in Richtung Belindas, die immer noch auf dem Tisch saß und von ihrer Freundin gehalten wurde. Sie hatte Andrés sternenbesetztes Cape umgelegt. Ihr war zwar kalt, und sie zitterte ein bisschen, aber ansonsten schien wirklich alles in Ordnung zu sein. Abgesehen von einem leichten Schock fühlte sie sich gut.

«Alles okay», antwortete sie und warf ihm ein Lächeln zu, von dem sie allerdings nicht wusste, ob es ihn überzeugte. Als sie ihren Freund näher betrachtete, legte sie besorgt die Stirn in Falten. «Aber was ist mit dir? Du siehst ja schrecklich aus!»

Jonathans Gesicht war immer noch unnatürlich bleich, und sein Haar stand in Büscheln hoch, als wäre jemand wieder und wieder mit den Fingern hindurchgefahren. Auch seine Kleidung sah völlig mitgenommen aus, und er war barfuß. Die Augäpfel fielen ihm fast aus dem Kopf, so groß waren sie.

«Ich hab noch nie in meinem Leben solche Angst gehabt», erklärte er mit brüchiger Stimme und setzte sich neben seine Freundin. «In der einen Minute mache ich noch mit Paula rum …», er warf Belinda einen beschämten Blick zu, den sie aber mit einer aufmunternden Berührung seines Arms abwehrte, « … und in der nächsten springt eine Frau von mir runter, die gar nicht Paula ist. Sie hat geschrien und ist rumgewirbelt, als würde sie in Flammen stehen oder so was. Doch dann plötzlich ‹puff›, und weg war sie! Ich hatte solchen Schiss, dass ich mir fast in die Hose gemacht hätte!»

Belinda konnte seinen Arm unter ihrer Hand zittern spüren und strich sanft darüber. Jonathans Erlebnis war ganz offensichtlich nicht so lyrisch gewesen wie das ihre. Nicht, dass Belinda überhaupt genau wusste, was geschehen war, denn sie hatte erst vor ein paar Minuten in Michikos Armen liegend die Augen aufgeschlagen. Von André und seiner geistigen Geliebten war nichts zu sehen gewesen.

«Jetzt ist sie für immer fort, Jonathan», sagte die Japanerin mit ruhiger Stimme und fing an, das Zubehör der Befreiung wegzuräumen: das Grimoire, die Kristallphiole und das schlaffe Seidenband. «Sie war durch einen Zauber an Andrés Existenz gebunden. Als er fortging, wurde es also auch für sie Zeit.» Sie zuckte mit den Schultern. «Ich fürchte nur, dass sie nicht an denselben Ort gegangen ist.» Michiko setzte ihre Aufgaben mit trockenem Lächeln fort.

Belinda und Jonathan tauschten einen Blick stillschweigender Übereinkunft aus und standen dann beide auf, um der Japanerin zu helfen. Belinda fühlte sich erst etwas wacklig auf den Beinen, konnte aber nach einem Moment genug Kraft aufbringen, um vorsichtig herumzulaufen.

«Was wird denn nun aus Oren, Feltris und Elisa?», fragte Jonathan, als sie schließlich in Richtung des mondbeschienenen Hauses zurückgingen. Michiko hatte die Utensilien des Rituals auf einem Tablett zusammengestellt, damit Oren sie später abholen konnte. Das Grimoire jedoch hatte sie an sich genommen.

«Wenn sie wollen, werde ich sie in meine Dienste nehmen», erklärte die japanische Zauberin. «Ich denke darüber nach, mich in England niederzulassen. Vielleicht sogar hier im Kloster. Auf diese Weise können sie weiterhin ungestört hier leben.»

«Gut», erwiderte Belinda. «Das freut mich. Die Vorstellung, dass sie hier auf einmal ganz allein sein sollten, gefiel mir ganz und gar nicht.»

Im Haus bot Michiko den beiden Freunden an, sich ins Bett zu legen und etwas wohlverdienten Schlaf nachzuholen, während sie in den Dienstbotentrakt gehen und die frohe Botschaft verkünden wollte.

Belinda und Jonathan gingen sofort mit derselben Einvernehmlichkeit wie eben in Belindas rotes Schlafzimmer. Dort machten sie sich in nachdenklicher, aber kameradschaftlicher Stille bettfertig und kuschelten sich dann gemeinsam unter der Decke zusammen. Sie waren beide nackt, aber Belinda verspürte keinerlei Lust auf Intimitäten. Und auch Jonathan war nicht nach Sex zumute. Die seltsamen Ereignisse dieser seltsamen Nacht forderten eindeutig ihren Tribut.

Obwohl die junge Frau nicht damit gerechnet hatte, schlafen zu können, verschwammen ihre Gedanken doch sehr schnell. Sie fühlte sich völlig entkräftet, und Jonathans Gegenwart hatte etwas Warmes und Beruhigendes.

Das Abdriften in den erholsamen Schlaf kam willkommener denn je, und sie begrüßte die Ruhe mit einer glückseligen Erleichterung. Mit Andrés lächelndem Gesicht vor Augen schlief sie ein.

Am nächsten Nachmittag verließen Belinda und Jonathan das Sedgewick-Kloster. Nicht für immer, denn sie hatten der neuen Herrin versprochen, sie irgendwann besuchen zu kommen. Doch zunächst war es gut, wieder ins normale Leben zurückzukehren.

Ein normales Leben, in dem die Gerätschaften auch funktionierten.

Der Mini sprang beim ersten Versuch an, und Belinda war überzeugt, dass er noch nie so rund gelaufen war.

Auch das Handy funktionierte wieder einwandfrei – obwohl es ihnen nicht gelungen war, es aufzuladen. Jonathan wählte Paulas Nummer und kam auch gleich beim ersten Mal durch. Eine Krankenschwester nahm ab und teilte ihm mit, dass seine Freundin in der nächstgelegenen Stadt im Krankenhaus liege.

Man hatte Paula bewusstlos in einem Hotelzimmer aufgefunden, aber es ging ihr schon wieder besser. Abgesehen davon, dass sie keinerlei Erinnerung an die letzten Tage hatte, war sie unversehrt und ruhte sich jetzt aus. Paula hatte sich offenbar große Sorgen gemacht, das Treffen mit ihren Freunden zu verpassen. Außerdem hatte man ihren Wagen gestohlen. Belinda lächelte, als sie Jonathan mit der Schwester sprechen hörte. Er sagte ihr, dass Paula sich keine Gedanken zu machen brauche und man das Auto sicher bald auf einem Rastplatz oder einer ruhigen Landstraße finden würde. Wahrscheinlich hätte nur jemand eine Spritztour damit machen wollen …

Auch Jonathans Orientierungssinn und sein Talent fürs Kartenlesen waren zurückgekehrt. So fanden sie Paulas Krankenhaus völlig problemlos. Da es für die reguläre Besuchszeit allerdings bereits zu spät war, fuhren sie stattdessen zum örtlichen Hotel, wo glücklicherweise auch ein Zimmer frei war.

«Die letzten paar Tage waren so merkwürdig und anders, man könnte fast meinen, wir hätten sie nur geträumt», meinte Jonathan, als Belinda nach einer erfrischenden Dusche nackt in den Raum trat. Er lag nur mit einem knappen Slip bekleidet auf dem Bett und starrte an die Decke, als würde sie ihm eine Erklärung für die seltsamen Ereignisse geben können. «Ich frage mich schon die ganze Zeit, ob das alles überhaupt wirklich passiert ist.»

Belinda sah ihn eindringlich an und stellte fest, dass ihr Körper bei seinem Anblick zu neuem Leben erwachte.

Jonathans Gliedmaßen waren stark, sein Oberkörper schlank und sein Schritt voll erotischer Versprechen. Als sie seinen so stramm verpackten Schwanz betrachtete, durchfuhr sie eine Woge des Verlangens. Und auch sein von Gedanken zerfurchtes Gesicht zog sie fast magisch an. Ihr vertrauter Freund war zwar kein geheimnisvoller Aristokrat wie André, kein kraftstrotzender Riese wie Oren und bei weitem nicht so weiblich und exotisch wie Michiko, aber dafür gehörte er ganz ihr. Er war immer willig, und er liebte sie. Kurz: eine unschuldige männliche Versuchung.

«Oh, und ob es passiert ist», erwiderte sie und drehte sich dann, um ihren eigenen Körper im Spiegel zu betrachten.

Ihre Brüste, ihre Taille und die Hüften gefielen Belinda überaus gut. Ihr war noch nie in den Sinn gekommen, dass sie hübsch war. Doch jetzt, mit einer klaren, neuen Perspektive, erkannte sie ihre eigene Schönheit. Oder zumindest dass sie gewisse Möglichkeiten hatte. Die junge Frau ließ langsam eine Hand über ihren Bauch gleiten, bis sie an der duftenden Spalte zwischen ihren Beinen angelangt war.

«Lindi?» Jonathans Stimme hatte einen anderen Klang angenommen, und als sie sich umdrehte – die Finger immer noch an ihrer Muschi –, bemerkte sie, dass er sie eindringlich anstarrte.

Mit einem Lächeln betrachtete Belinda die glitzernden Lusttropfen auf ihren Fingern und führte sie, ohne nachzudenken, zu ihren Lippen, um das Verlangen zu schmecken.

«Oh Lindi!», entfuhr es ihrem Freund erneut. Als er sich mit ausgebreiteten Armen von den Kissen erhob, war seine Lust deutlich zu sehen.

Belinda trat zum Bett und legte sich dann neben ihn. Seine Haut fühlte sich warm, aber auch irgendwie erfrischend an.

«Du bist ja ganz kalt, Schätzchen», murmelte er und presste seinen Körper liebevoll gegen ihre Brüste und ihren Bauch. «Keine Sorge. Ich werde dich schnell aufwärmen.» Der junge Mann legte einen Arm um sie und streichelte ihre Pobacken. Gleichzeitig presste er einen seiner Schenkel auf ihre Möse.

Belinda keuchte, drückte sich an ihn und rieb sich an dem festen Muskel. Es dauerte nicht lange, und sie spürte ein allzu bekanntes Gefühl der Geilheit in sich aufsteigen. Sie griff hinter sich, packte Jonathans Hand und führte sie an ihren Anus.

«Oh ja! Oh ja, ja, ja!», erscholl es, während sie sich immer wilder an seinem Bein rieb und er eifrig ihren Po bearbeitete. Es dauerte nur ein paar Sekunden, und Belinda kam auf seiner Haut.

«Oh Lindi, du bist wirklich etwas ganz Besonderes!», flüsterte er und fiel zufrieden und träge zurück auf die Kissen. «Ich hätte nie gedacht, dass du jetzt schon wieder Interesse daran hättest. Na ja, ich meine, nach der Sache mit André und so …»

«Aber natürlich», erklärte Belinda voller Überzeugung und lächelte. Sie drehte sein Gesicht, sodass er sie direkt ansehen musste.

Doch seine zunächst liebevollen Augen wichen auf einmal einem äußerst verstörten Blick.

«Oh großer Gott», wisperte er mit kaum hörbarer Stimme und begann furchtbar zu zittern. Sein Schwanz war immer noch hart, aber das merkwürdige Zittern war ganz gewiss nicht sexuell.

«Was ist denn?»

«Ich ...», fing er an. «Es ...» Er zögerte erneut, setzte sich auf und stieg dann aus dem Bett. Er nahm seine Freundin bei der Hand, zog sie in Richtung Spiegel und stellte sich dort hinter sie. «Sieh nur!», forderte er sie auf.

«Was denn?», fragte Belinda, obwohl sich in ihrem Kopf bereits die Antwort einen Weg bahnte.

Jonathan strich ihren Pony beiseite und legte dann seine Hand unter ihr Kinn, um sie ein wenig dichter an den Spiegel zu führen.

Belinda zwinkerte einmal, dann noch ein weiteres Mal.

«Oh, ich verstehe ...», murmelte sie und betrachtete die Verwandlung, die sie voller Angst und Verwunderung schon fast erwartet hatte.

Ihre einst haselnussbraunen Augen erstrahlten nun in tiefstem Blau.

Portia Da Costa
Der Club der Lust
Erotischer Roman
Die Journalistin Natalie fährt zu ihrer Halbschwester Patti. Schon im Zug hat die junge Frau ein besonderes Erlebnis: Sex mit einem Fremden. Sie ahnt nicht, dass sie ihn wieder treffen wird. Und auch nicht, dass Patti sie in einen geheimnisvollen Club der Lust einführen will ... rororo 24138

ro
ro
ro

Erotische Literatur bei rororo

Nur Frauen wissen,
wovon Frauen wirklich träumen.

Juliet Hastings
Spiele im Harem
Erotischer Roman
1168: Die junge Melisende reist zu ihrem Bruder in das Heilige Land, um dort verheiratet zu werden. Sie kann es kaum abwarten, ihre Jungfräulichkeit loszuwerden. Aber das Schicksal schlägt zu: Sie verliebt sich, dann wird sie Opfer eines Überfalls. Sie findet sich als Gefangene wieder – im Harem. rororo 23965

Corinna Rückert
Lustschreie
Erotischer Roman
Eine Frau beim Blind Date: Plötzlich hat sie eine Binde vor den Augen und wird zart und doch fordernd von einem Unbekannten verführt. Ihre Erregung ist grenzenlos ...
Außergewöhnlich anregende und sinnliche Geschichten von der grenzenlosen Lust an der Lust. rororo 23962

BW 83/2

Weitere Informationen in der Rowohlt Revue *oder unter* www.rororo.de